EAGLE

TRACY KIDDER

EAGLE

traduit de l'américain
par
ROSE-MARIE VASSALLO-VILLANEAU

FLAMMARION

Titre de l'ouvrage original :
THE SOUL OF A NEW MACHINE

Éditeur original :
ATLANTIC-LITTLE BROWN
© 1981, JOHN TRACY KIDDER

Pour la traduction française :
© 1982, Flammarion

Printed in France
ISBN : 2-08-064469-6

Prologue

UN HOMME DE GROS TEMPS

Jusqu'au fond de l'horizon, dans les dernières lueurs du jour, la mer était grise, grise de partout, de toute la gamme des gris, houleuse et nappée d'écume. Depuis la cabine du petit sloop blanc (il ne faisait pas douze mètres), les vagues semblaient des collines qui surgissaient par l'arrière, et les membres de l'équipage, pour la plupart, préféraient de pas trop jeter de coups d'œil dans cette direction. Il n'y avait pas un seul autre bateau en vue, mais la silhouette de la côte, là-bas, vers le sud, était un élément rassurant – du moins tant qu'il fit assez clair pour la voir. Puis vint la nuit. Toutes voiles réduites pour affronter le coup de vent du nord-est, le bateau roulait d'un bord puis, avec un coup sourd, repartait de l'autre. Casseroles et gamelles, dans leur placard de cuisine, ferraillaient sans trêve. Un pack de bière, qu'on avait oublié de ranger, glissait sur le plancher d'un bout à l'autre de la cabine, en un perpétuel aller et retour. A un moment donné, plus tard dans la soirée, une voix s'éleva pour demander, par-dessus le raffut du vent : « Au fait, que cherchons-nous à prouver? »

A bord, il n'y avait que des adultes. Le capitaine – et propriétaire du bateau – était un avocat ayant franchi la soixantaine. Il y avait encore un psychologue, un médecin et un professeur, tous frisant plus ou moins la quarantaine, et un dénommé Tom West. Ce West avait quelque chose d'un peu mystérieux; simple connaissance de l'un des navigateurs, il était pour les autres un parfait inconnu. Partis de Portland, dans le Maine, ils faisaient route vers New York – périple d'amateurs de voile, autrement dit, d'abord et surtout, pour le plaisir et pour le sport. Et quand ils avaient pris le départ, quelques heures plus tôt, ce même soir, dans les eaux abritées de la baie de Casco, déguisés de pied en cap en vieux loups de mer sous leurs cirés, ils s'étaient tous, peu ou prou, senti une âme romantique. Mais une fois sorti de l'abri des terres, en entrant pour de bon dans les eaux du large, le bateau s'était mis soudain à rouler d'un bord sur l'autre, et tous alors avaient empoigné la première prise solide à portée de la main, et n'avaient plus songé qu'à une chose : le dîner absorbé plus tôt et qu'avant la tombée du jour la plupart d'entre eux n'avaient pu retenir.

Après quoi, le gros de l'équipage sombra dans cet état semi-autistique que semble parfois provoquer, en mer, la monotonie du gros temps. Vous vous cherchez un coin où vous motter, et une fois là, bien arrimés, vous tâchez de n'en plus bouger. Un coup de roulis d'un bord, et vous bandez vos muscles du côté de l'estomac, puis vous vous détendez; un coup de roulis de l'autre, et vous resserrez l'estomac. C'est une réelle dépense physique, sans même remuer d'un pouce. Dans un premier temps, peut-être, votre raison se rebelle : « Mais qu'es-tu donc venu faire ici, pauvre imbécile? Dire que tu pourrais si bien être ailleurs, en ce moment! » Peut-être aussi des remords vous viennent-ils d'avoir parfois maudit certains aspects de la vie sur la terre ferme. Après un temps, cependant, ce sont plutôt des bribes de phrases toutes faites qui vous remontent en mémoire – quelques vers d'une chanson, des lambeaux d'une prière ou d'une comptine – et vous vous les répétez en silence. Mais la gifle d'un paquet d'embruns ou le bruit sinistre d'un coup de boutoir en provenance de la coque vient d'ordinaire rompre le charme et vous ramener en mer. Vous vous sentez orphelin. De vous, l'océan n'a cure; votre bateau n'est qu'un fétu. Les océans sont de grands promoteurs de religion, ou tout au moins d'esprit d'humilité. Mais pas absolument chez tous les individus.

A la lueur des lanternes, prostrés dans le désordre et vides de toute expression, les membres de l'équipage ressemblaient à des réfugiés – tous, ou presque. Au milieu d'eux, par contraste, coiffé de son chapeau de ciré, Tom West se détachait comme une mince silhouette, presque toujours en mouvement. L'ardeur et l'entrain qui s'étaient saisis de lui, visiblement, dès l'instant où ils avaient hissé les voiles n'avaient fait que croître et embellir au fur et à mesure que la tempête se confirmait et se renforçait. On le voyait sourire dans la pénombre. Il exécutait sans poser de question la moindre instruction du capitaine, avec tant de fougue et de zèle qu'on aurait pu croire que le fantôme de l'un de ces scrupuleux marins du temps jadis était venu se joindre à eux. Il fut le seul à ne pas avouer un estomac barbouillé. Lorsque l'un de ses équipiers lui demanda s'il n'avait pas, lui aussi, quelque peu le mal de mer, il répondit sans plaisanter qu'il ne se le permettrait pas. Et d'ailleurs, peu après, il descendit dans la cabine et, se déplaçant avec l'aisance d'un vieux contrôleur de tramway dans son véhicule chahuté, il alla s'offrir une bière.

West était à la barre, qu'il tenait des deux mains, menant la chevauchée sur les vagues; il était dans la cabine, debout sous une lanterne dansante, absorbé par l'étude de la carte; il grimpait sur la plage avant, prestement, pour aller se battre avec un foc et le remplacer par un autre, plus petit. Et quand le capitaine, très tard cette nuit-là, résolut d'aller chercher refuge à la côte, dans un petit port reculé, au fond d'un passage étroit, tortueux et difficilement discernable sous le flux, ce fut encore West, debout à l'avant, qui se chargea de repérer dans l'obscurité les balises marquant le chenal et permit à l'embarcation d'arriver sans encombre.

Au lever du jour, le vent avait quelque peu molli et chacun se sentait mieux. Ils repartirent et mirent le spinnaker. Levant les yeux vers la grande voile ondulant au vent, West s'écria alors : « Ce spi vous a un petit air de victoire... » Puis : « Hé, vous avez vu? Qu'est-ce qu'on trace! »

Il y avait quelque chose d'un peu ridicule dans ses exclamations, mais leur côté puéril fit plutôt sourire ses compagnons. Tout au long de la journée, ou presque, il garda le sourire aux lèvres, une sorte de petit sourire en biais tout ramené dans un coin de sa bouche. Quand le capitaine, soucieux, fit remarquer que son bateau n'était jamais allé aussi vite, West émit un étrange petit rire. C'était un bruit qui lui venait surtout de la gorge, au timbre égal et grave. Un rire bizarre et bizarrement provoqué, de cette espèce de rire que font naître les histoires d'épouvante, un rire qui semblait dire : « Voilà au moins quelque chose qui sort de l'ordinaire. »

Un instantané pris dans la cabine, cet après-midi-là, nous montre West assis à l'arrière. La traînée sombre d'une barbe d'un jour indique qu'il a passé le cap de l'adolescence depuis un certain nombre d'années, encore qu'il soit impossible de préciser au juste combien. En fait, il a tout juste quarante ans. Il porte des lunettes à la monture couleur chair, et un gros chandail gris, qui doit avoir derrière lui de longues années de loyaux services, flotte sur sa carcasse comme une housse lâche. On se dit, à le voir, qu'il doit sentir la laine. Il paraît maigre, il a un long visage étroit que chez une femme on qualifierait de chevalin. Une crinière brune, rejetée en arrière des oreilles, lui descend presque au ras du col. La tête haute, les lèvres serrées, il donne l'impression d'être le maître à bord.

L'un de ses équipiers devait se souvenir du quart qu'ils avaient passé seuls ensemble, une de ces nuits-là. Ils naviguaient sous ciel clair et bon vent quand brutalement, au moment de l'inversion de la marée, le vent tomba d'un coup et quelques nuages apparurent; peu après, le flux s'étant inversé, le ciel s'éclaircit et le vent revint comme par enchantement. De sa voix basse et gutturale, West s'était enthousiasmé : « Bon sang! Vous avez vu ça? » Puis il avait eu son rire grave de revenant. Son compagnon s'était senti à deux doigts de lui dire : « Et alors? J'ai déjà vu ça d'autres fois. » Mais le ton de West l'en avait retenu. Ç'aurait été manquer de tact que de souligner que le phénomène n'avait rien d'extraordinaire. Et d'ailleurs, au fond, West n'avait-il pas raison? N'était-ce pas, si l'on y songeait, une chose étrange et digne d'émerveillement que cette façon dont les éléments accordent parfois leur petite musique dans le grand concert du temps? Finalement, c'était assez drôle de se dire que l'on venait d'assister à un mystère naturel, et le compagnon de West s'entendit émettre cette remarque, dont il fut le premier surpris, que devant des phénomènes de ce genre on se dit que certaines superstitions sont peut-être dignes de respect. West laissa échapper son rire grave, apparemment en signe d'approbation.

Le psychologue, pendant ce temps, se demandait quand West finirait par aller dormir. Il n'avait pris au total, depuis le départ, que fort peu d'heures de sommeil. Au troisième jour de leur croisière, comme ils filaient sous le soleil, par belle mer et bon vent, le psychologue guettait chez West les signes d'épuisement qu'il s'attendait à voir paraître. Mais l'autre, au lieu de cela, se mit en maillot de bain et s'offrit le luxe de nager quelque temps, vigoureusement, à côté du bateau.

Dans le restaurant, près de Portland, où ils étaient allés le soir de la tempête, alors qu'ils partageaient ce repas que les autres ne devaient pas tarder à regretter, West leur avait dit : « Je construis des ordinateurs. » Mais bien qu'il eût parlé assez longuement de récentes réalisations de l'informatique, plutôt extraordinaires, à l'en croire, ses compagnons étaient sortis de cette conversation perplexes quant au rôle qu'il avait pu jouer – si tant est qu'il en eût joué un – dans la création de ces machines. Ils n'étaient certains que d'une chose : quelle que fût son occupation dans la vie, ce devait être quelque chose d'intéressant (sans doute) et d'important (à coup sûr).

Une fois, comme West manipulait la barre franche, le psychologue lui avait demandé où il avait appris à naviguer. West ne lui avait pas répondu. Peu après, pensant que sa question n'avait pas été entendue, le psychologue l'avait posée de nouveau. « Vous me l'avez déjà demandé, lui avait-il été sèchement répondu. Sur quoi, après un silence, West avait passé sa langue sur ses lèvres, puis expliqué que pour l'essentiel il avait appris seul, adolescent.

Une autre fois, dans la conversation, pour dire quelque chose, un autre équipier avait demandé à West sur quel type d'ordinateur il travaillait actuellement. West avait esquissé une grimace et, détournant son regard dans le vague, il avait marmotté quelque chose, d'où il ressortait que *ça*, c'était le boulot, alors qu'ici, c'étaient des vacances, et qu'en ce moment, en vacances, il aimait mieux ne pas penser à *ça*.

Les équipiers de cette croisière devaient se souvenir de West. L'hiver suivant, évoquant avec des amis, autour d'une bonne table, ce sacré coup de tabac du nord-est, le capitaine fit cette remarque : « Ce type-là, ce West, c'est l'homme qu'il faut pour le gros temps. » Le psychologue, quant à lui, n'avait pas revu West, mais sa curiosité pour cet homme était demeurée entière. « Quatre nuits d'affilée qu'il n'avait pas dormi! *Quatre nuits entières!* » Et puis encore, se disait le psychologue, si ce genre d'expédition illustrait sa conception des vacances, où donc travaillait-il?

1. OBJECTIF : GAGNER GROS

Il fut un temps, après que les premiers tronçons de la route 495 eurent été mis en place en plein cœur du Massachusetts, vers le milieu des années soixante, où le risque le plus fréquent, pour les automobilistes, était de rencontrer un cerf. Une quinzaine d'années plus tard, même si la circulation était devenue un défilé continu, les étendues visibles de part et d'autre de la voie rapide avaient toujours quelque chose de désertique. Quand vous empruntiez la 495, vous longiez un temps quelques bâtiments récents, mais ils disparaissaient bientôt, et pour un bon moment il n'y avait plus grand-chose à voir, hormis quelque vieille ferme, de temps à autre, et des hectares de terrains boisés. La voie rapide traverse en partie cette région fantôme qu'est le Massachusetts rural. Tout comme la ville de Troie, ce secteur présente les stigmates de désastres successifs : dans les forêts de pins et d'essences à bois dur, qui représentent à l'heure actuelle les deux tiers de la superficie de l'État, on retrouve en bien des endroits des tranchées de fondations, et de hauts pans de murs envahis par la végétation – tout ce qu'il reste de ces fermes abandonnées jadis lors des départs pour l'Ouest; on trouve aussi, sur les cours d'eau, de ces anciennes filatures, qui sont encore, dans bien des petites villes, les plus importants bâtiments, bien que leurs vitres soient cassées, et leurs machines rongées par la rouille, depuis que leur type d'activités s'exerce plus volontiers en Asie, ou plus au sud des États-Unis.

Pourtant, si l'on emprunte l'une de ces routes qui s'enfoncent au-delà des paysages visibles depuis la voie

11

rapide, ce ne sont plus des bois et des ruines que l'on découvre, mais des quartiers tout neufs, des lotissements résidentiels et des centres commerciaux. Le réseau routier qui les irrigue s'anime d'une intense circulation le matin, avant 9 heures, et le soir, après 5 heures – en direction, puis en provenance de ces immeubles d'affaires qui affichent sur leurs murs et leurs entrées leur raison sociale d'entreprises nouvelles. Digital Equipment, Data General... Ici, à la lisière des bois, ces noms avaient pour moi une résonance prophétique, jusqu'au jour où je réalisai que la nouvelle ère qu'ils semblaient annoncer était déjà commencée.

A quelques kilomètres au nord de la jonction entre la Route 495 et le Massachusetts Turnpike, sur un chemin d'accès, se dresse un bâtiment de briques, de deux étages, entouré de parkings. Un écriteau avertit qu'il est interdit d'y stationner sans autorisation. L'immeuble lui-même ressemble un peu à une forteresse. Doté de fenêtres étroites, il arbore sur sa façade un drapeau américain, et une antenne parabolique se dresse en haut d'une tour métallique. Sur plusieurs points du toit sont placées de petites caméras de télévision qui tournent lentement, en permanence.

C'est le bâtiment 14A/B – le 14B a été accolé tel quel au 14A. Certains des employés de la maison appellent l'endroit « Webo », mais la plupart le désignent sous le nom de « Westborough », du nom de la commune dans laquelle se situe le bâtiment. « Westborough », c'est le siège social, pour le monde entier, de la Data General Corporation. Un jour, approchant de l'immeuble en voiture, en compagnie de l'un des responsables des relations publiques de la maison, je me hasardai à demander : « Qui a été votre architecte, ici?

– Architecte? Nous nous en sommes passés! s'écria, rayonnant, le chargé de relations publiques. »

La conception de Westborough se fit avec l'aide des ingénieurs de la compagnie, et le résultat fut fonctionnel et bon marché. L'un des entrepreneurs ayant travaillé pour la Data General, cité dans la revue *Fortune,* aurait déclaré à ce propos : « Ce qu'ils appellent, eux, des comptes serrés, nous, nous l'appelons du vol. » Quels qu'aient été les moyens utilisés pour y parvenir, Westborough ne coûta

12

que dans les cent quatre-vingt-dix dollars le mètre carré, à une époque où le coût moyen de la construction d'immeubles commerciaux, dans le Massachusetts, allait chercher dans les trois cent quarante dollars le mètre carré. Mais l'aspect extérieur de l'opération a son importance aussi. La compagnie n'avait pas conçu Westborough de cette manière uniquement par goût de la plus stricte économie, mais en même temps pour témoigner, aux yeux des investisseurs et des analystes financiers, que la Data General est une maison où l'on ne gaspille pas. « Il n'y a aucune raison, dans notre branche des affaires, de faire de l'ostentation », expliquait un cadre de la maison, chargé de l'analyse des relations avec les investisseurs. « Je dirais même que toute prodigalité ostentatoire est nuisible. »

Les caméras de télévision sur le toit, première ligne de défense contre des concurrents sans scrupules et autres pirates et espions de tout poil, sont là pour rassurer ceux qui ont un quelconque intérêt en jeu dans ce qui se passe à l'intérieur. Quant à moi, j'imaginai que quelque part, dans ce bâtiment, des hommes en uniforme épiaient mon arrivée, et je ne me serais pas hasardé à marcher sur la pelouse.

La seule porte qui s'ouvre aux gens extérieurs à la maison les mène dans le hall de réception. Un receptionniste vous demande de remplir un formulaire : êtes-vous citoyen américain, quel est votre numéro minéralogique et ainsi de suite. Après quoi, il n'est pas encore question pour vous de dépasser la réception et d'aller vous balader dans les couloirs – pas avant que la personne que vous désirez voir ne soit venue elle-même vous chercher pour vous faire bonne escorte. En réponse à ma question le jeune réceptionniste m'informa gaiement que de temps à autre, mais vraiment de loin en loin, un intrus *tentait* d'enfreindre le règlement et *tentait* de se glisser à l'intérieur.

La réception de la Data pourrait être celle d'un motel. Elle est garnie d'une moquette orange et meublée de fauteuils et de canapés recouverts de vinyle, sur lesquels se languissent vendeurs et demandeurs d'emploi, dans l'attente de leurs rendez-vous. De temps à autre, un visiteur se lève et vient mettre le nez devant une vitrine de plastique. Celle-ci contient l'essentiel d'une histoire à nourrir les rêves de tout homme d'affaires ambitieux. LA PREMIÈRE NOVA, indique un panonceau sur la vitrine. A l'intérieur est placé un petit ordinateur, à peu près de la taille d'une valise, flanqué d'un tube cathodique – quelque chose comme un écran de télévision. Un bref laïus, sur le fond de la vitrine, indique que cet engin fut le premier ordinateur jamais mis sur le marché par la Data General. Mais la bête ainsi exposée n'a rien d'un animal empaillé : elle fonctionne; et des lumières clignotent doucement tandis que sur l'écran apparaissent des séries de graphiques : la somme de dix années de rapports annuels, un véritable condensé de l'histoire financière de la Data General Corporation.

Si on les avait laissés faire, les ingénieurs officiant dans le sous-sol du bâtiment 14A/B auraient certainement su élaborer quelque chose de plus spectaculaire, mais un habitué de Wall Street (et qui n'aurait pas encore prêté attention à la compagnie) aurait bien pu se trouver mal devant ce spectacle d'apparence modeste. Un écran de télé, bleu. Les graphiques, tracés en blanc, défilaient à la suite l'un de l'autre, chacun accompagné de sa légende. « Total cumulé d'ordinateurs livrés depuis notre création » : de 100 en 1969, la courbe s'élançait pour culminer à 70 700 en 1979. Et l'image disparaissait. Un graphique « Ventes nettes » lui succédait, d'où il ressortait que les recettes avaient progressé sans à-coup en une courbe ascendante et, parties de rien en 1968, atteignaient 5 075 millions de dollars en 1979. Ce graphique à son tour s'effaçait pour faire place à un autre, décrivant cette fois les bénéfices dégagés. Ceux-ci variaient à peine. D'une année sur l'autre, bon an, mal an, ils cheminaient quasiment en ligne droite, aux environs de 20 % (avant impôt) de ces ventes nettes aux chiffres en progression explosive.

Un esprit peu accoutumé à la lecture des rapports financiers pouvait peut-être ne pas saisir pleinement ce que signifiaient ces chiffres sur l'écran, et ce qu'ils contenaient de folie et d'allégresse. Mais n'importe qui était capable de voir qu'ils partaient de trois fois rien pour décoller à vive allure. A sa manière, mécanique et monotone, l'ordinateur dans sa vitrine contait pourtant une vieille histoire connue – comment un conte de fées, international et bien matérialiste, était devenu réalité.

14

Les premiers ordinateurs modernes apparurent vers la fin des années quarante et, bien qu'un bon nombre de chercheurs plus ou moins isolés aient contribué à la naissance de cette technologie, ils le firent surtout dans l'ombre de cette trilogie familière que sont aux États-Unis les forces armées, les universités et les grosses sociétés. Dans le secteur commercial, IBM eût tôt fait d'établir son hégémonie mondiale; il apportait aux ordinateurs ses forces de vente, les mieux entraînées du monde, en chemise blanche et complet bleu. Pendant un certain nombre d'années, l'industrie des ordinateurs ne comptait pratiquement qu'IBM et quelques compagnies plus petites – « IBM et les sept nains », comme se plaisaient à le dire certains auteurs du monde des affaires. Puis, dans les années soixante, IBM créa une famille de nouveaux ordinateurs, la « ligne 360 ». L'entreprise était audacieuse. « Ce que nous jouons là, c'est l'avenir de la compagnie tout entière », fit observer un cadre de la société. De fait, le projet coûtait, en gros, plus cher que la mise au point de la bombe atomique, mais il se révéla payant. Il assurait pour une longue période à venir la prééminence d'IBM sur la fabrication des ordinateurs destinés à la vente. Dans le même temps, cependant, de nouvelles ramifications de ce secteur des affaires étaient en train de pousser, sous les pieds même d'IBM.

Dans leurs temps héroïques, les ordinateurs inspiraient un peu partout une terreur mêlée de respect, et la presse les décrivait comme des cerveaux géants. En fait, la puissance de l'ordinateur rappelait celle du bulldozer; beaucoup de subtilité entrait dans sa conception, mais lui, par contre, ne faisait rien de bien subtil. On lui faisait faire essentiellement de la comptabilité et des calculs, par le biais de procédures mécaniques, choses qu'il faisait d'ailleurs infiniment plus vite que quiconque avant lui. Mais les ordinateurs étaient relativement rares, ils étaient gros et très coûteux. En règle générale, une seule grosse machine servait à toute une société. Elle trônait souvent derrière une cage de verre, où officiaient des initiés en blouse blanche, et ceux qui voulaient faire appel à ses services devaient passer par leur intermédiaire. Les usagers étaient comme des suppliants. La démarche pouvait paraître rebutante.

Les scientifiques et les ingénieurs, à ce qu'il semble, furent les premiers à manifester le désir de disposer d'ordinateurs relativement peu coûteux dont ils pourraient se servir eux-mêmes. Le résultat fut une machine appelée mini-ordinateur. Dès lors, la demande se révéla énorme pour ce type de machine. Sans doute la compagnie IBM n'aurait-elle pas pu, de toute façon, dominer ce nouveau marché avec toute l'aisance dont elle dominait celui des gros ordinateurs. Mais ce qui se produisit, en fait, c'est qu'elle fit comme s'il n'existait pas, laissant ainsi le champ libre aux aspirants-entrepreneurs de ce secteur – bien souvent, en l'occurrence, de jeunes ingénieurs informaticiens qui désertaient les rangs des corps constitués de la profession dans l'espoir de créer leurs propres corps constitués.

Depuis des années, sociologues et autres observateurs n'ont cessé de dépeindre, dans leurs écrits, la « révolution informatique », imminente ou en cours. Des esprits enthousiastes ont salué l'apparition du petit ordinateur de prix abordable comme une nouvelle phase de cet essor, celle qui ferait des ordinateurs les instruments de l'égalité triomphante. Vers la fin des années soixante-dix, il n'était pratiquement pas d'organisme, aux États-Unis, qui n'eût placé sa confiance dans l'informatique et les ordinateurs, et de simples particuliers s'en achetaient pour leur usage. Au sein de certaines sociétés, de petits groupes de spécialistes avaient exercé jusqu'alors un pouvoir absolu sur ce qui touchait à l'informatique, or la prolifération des petits ordinateurs entamait bel et bien leur suprématie. Cependant, pour l'essentiel, les ordinateurs modifiaient les techniques d'approche et non pas les intentions, de sorte que, dans bien des cas, ils servaient plutôt à renforcer encore le pouvoir des dirigeants et à confirmer celui de vénérables institutions. Si les choses devaient changer radicalement quelque part, c'est du côté de l'industrie produisant les ordinateurs qu'il fallait plutôt aller observer le changement. D'une manière générale, dans ce secteur particulier, les bouleversements furent rapides et la croissance étonnante, et tout cela, pour une large part, à la suite d'une invention unique.

Peu après la Seconde Guerre mondiale, en effet, des dizaines d'années de recherches dans la physique des

16

solides aboutirent à la naissance d'une nouvelle pièce de matériel électronique baptisée du nom de transistor (de fait, pour cette invention, trois chercheurs des Laboratoires Bell reçurent le Prix Nobel). Les transistors, qui sont toute une famille de dispositifs, modifient et commandent le courant électrique dans les circuits; on compare couramment leur action, en gros, à celle de robinets commandant l'écoulement de l'eau dans des tuyaux. D'autres dispositifs existant déjà à l'époque pouvaient jouer le même rôle, mais les transistors leur sont supérieurs. Ils sont solides. Ils n'ont ni rouages, ni roues dentées, ni pièces détachées à assembler par soudage; ils sont un peu comme des cailloux qui seraient capables d'accomplir un travail utile. Ils sont durables, se mettent en œuvre en un rien de temps, consomment peu d'énergie. Qui plus est, comme allaient bientôt le découvrir physiciens et ingénieurs, on pouvait les réduire à de très petites dimensions, littéralement minuscules, et les produire en très grandes quantités à moindre coût.

Le second stade crucial de l'essor de l'électronique moderne peut être situé à l'époque où furent mises au point des techniques permettant d'assembler entre eux un bon nombre de transistors, composant ainsi des circuits complexes – ces sortes de petits assemblages nommés « circuits intégrés », ou « puces » (imaginez simplement, par exemple, le schéma détaillé de la distribution électrique d'un immeuble de bureaux, entièrement inscrit sur l'ongle de votre petit orteil). L'industrie des semiconducteurs, qui tire son nom de la catégorie de solides dont sont faits les transistors et qui fabrique ces appareils, se mit à croître là-dessus avec une belle ardeur et à fabriquer des puces en quantités astronomiques. Ce sont ces puces qui permirent l'existence des vaisseaux spatiaux et des calculatrices de poche. Elles devinrent aussi un élément de base dans la construction des récepteurs de radio, de télévision, des chaînes stéréo, de certaines montres, et grâce à elles les ordinateurs se firent omniprésents et diversifiés. Ce qui n'éliminait pas le gros ordinateur coûteux; car elles permettaient à IBM et ses pairs de construire des machines plus rapides, dotées de plus de possibilités, et cela tout en continuant à faire de jolis bénéfices sans tellement augmenter leurs prix. Dans le même temps, la généralisation de ces mêmes circuits intégrés provoquait le développement, puissant et rapide, d'autres types de machines informatiques.

Après les gros ordinateurs, les « grosses unités » comme on les appelait, vinrent donc les mini-ordinateurs, moins coûteux et moins puissants. Après quoi, les fabricants de semi-conducteurs fournirent au marché le micro-processeur, organe de traitement réalisé sur un seul circuit intégré. Pendant un certain temps, ces trois catégories de produits purent suffire à classer la ligne de produits d'une entreprise et à définir son marché, mais bientôt les fabricants de gros ordinateurs, tout comme ceux de micro-ordinateurs, se mirent à faire du mini, tandis que les fabricants de mini ajoutèrent à leur gamme du micro et des choses qui ressemblaient assez à de gros ordinateurs. Dans le même temps, une myriade d'entreprises ouvertement plagiaires se mirent à produire des ordinateurs (et des équipements pour ordinateurs) susceptibles de venir se greffer tout simplement sur les systèmes d'appareils équipant les articles vendus par les grosses compagnies. Ces sociétés, spécialistes du « compatible par branchement », encore nommées les « tiers fabricants de périphériques », reçurent aussi le nom, de la part de ceux à qui elles dérobaient une portion du marché, de « maisons pirates ». Sans doute jouèrent-elle un rôle dans le maintien de la concurrence sur les prix. On vit surgir des entreprises spécialisées dans le « logiciel », autrement dit dans la rédaction des programmes qui permettraient à tous ces ordinateurs de se mettre effectivement au travail. De nombreux utilisateurs, tels le département de la Défense, désiraient acheter des systèmes complets, tous les équipements assemblés d'avance, et prêts à fonctionner au premier tour de clé. D'où l'essor d'une catégorie particulière d'entreprises, se chargeant d'acquérir des équipements variés chez divers fabricants et de les combiner en systèmes fonctionnels. Certaines firmes se spécialisèrent dans les systèmes informatiques destinés à équiper les hôpitaux, d'autres dans les systèmes graphiques – les ordinateurs produisant des images –, d'autres encore travaillaient à la fabrication de robots. Il devint évident que les communications et l'informatique étaient si étroitement liées qu'elles pourraient bien finir par n'être plus un jour qu'une seule et même chose; IBM acquit une participation dans un satellite, et cet autre géant autonome qu'est la compagnie des téléphones AT&T se mit à fabriquer des machines qui avaient un étrange air de parenté avec des ordinateurs. Les conglomérats, dont Exxon était le plus gros mais non le seul, semblaient bien résolus à acheter le plus possible de petits fabricants d'ordinateurs. Quant à ceux qui faisaient profession d'observer ce secteur d'activité, ils finirent par constituer eux-mêmes une véritable industrie. Les publications spécialisées se multiplièrent, florissantes; elles portaient des titres comme *Datamation, Electronic News, Byte, Computermania.* La firme IBM, comme le faisait remarquer un jour un cadre supérieur de l'une des sociétés fabriquant aussi de gros ordinateurs, ne représentait pas tellement la concurrence, mais bien le « milieu informatique », et à Wall Street – et ailleurs – certains faisaient profession, exclusivement, de tâcher de prédire quels seraient les prochains faits et gestes de ce milieu.

Je demandai un jour à l'attaché de presse d'une firme d'informatique s'il connaissait la raison de tant d'agitation. Levant la main devant mes yeux, il fit le geste de passer son pouce sur ses doigts. « L'argent », murmura-t-il, solennel. « Il y a tellement de gros sous à se faire là-dedans. » Les exemples de réussites spectaculaires ne sont pas ce qui manque. Le même secteur vit d'ailleurs aussi son contingent de tristes affaires et de faillites notoires. RCA et Xerox perdirent chacune quelque chose comme un milliard de dollars, et General Electric environ la moitié, à fabriquer des ordinateurs. Une vraie ruée vers l'or. IBM scinda son affaire en deux, chacune des deux divisions ainsi formées représentant pour l'autre son plus gros concurrent. Les autres sociétés n'eurent pas à s'inventer de concurrence interne, le gros de leurs combats se déroulant à l'extérieur. Il arriva à certains d'utiliser des armes illicites. Pour s'attirer certaines bonnes grâces, pour obtenir de grosses commandes, des agents commerciaux de firmes de semi-conducteurs, par exemple, se livrèrent à certaines confidences sur les engins nouveaux que telle firme allait mettre sur le marché, directement dans l'oreille du concurrent. On s'arracha brevets, ingénieurs, méthodes de vente; de temps à autre on prenait sur le fait des voleurs de dossiers et de plans ou autres documents, et pour toutes ces affaires, comme pour d'autres, la justice fut souvent saisie. IBM avait pratiquement un pied-à-terre à la cour. Tout le monde, apparemment, était en procès avec IBM. Le plus long de ces procès, le *Jarndyce contre Jarndyce* [1], du secteur, vit une tentative du département de la Justice pour démembrer IBM. Une grosse société juridique fut créée pratiquement de toutes pièces pour défendre IBM en l'occurrence et l'affaire, en 1980, traînait depuis déjà dix ans, dont plusieurs de procès continu.

La Data General prit place en 1968 sur ce territoire belliqueux, mais riche de possibilités; elle y entra officiellement comme « fabricant de mini-ordinateurs ». Vers la fin de 1978, cette appellation de plus en plus floue pouvait, d'une manière ou d'une autre, se faire appliquer à une cinquantaine d'entreprises. Leur activité principale (mais non la seule, tant s'en faut), la fabrication et la vente de petits ordinateurs, avait connu une croissance spectaculaire : de 150 millions de dollars de chiffres de ventes en 1968 à environ 3 milliards et demi dix ans plus tard. Et ce secteur continuerait de progresser, de l'avis de la plupart des parties intéressées, au rythme d'environ 30 % l'an. En 1978, la Data General s'était hissée au troisième rang pour la vente des mini-ordinateurs et comptait parmi les puissants de cette branche de l'industrie. Le leader de la profession était la Digital Equipment Corporation, la DEC comme on disait communément. La DEC avait été l'une des premières à fabriquer des mini-ordinateurs, dix ans plus tôt, au début des années soixante. Et la Data General était en fait la fille, littéralement la fille, de la firme DEC.

Un chapitre de l'histoire officielle de la DEC, tiré d'un ouvrage technique publié par la société, décrit la naissance d'un ordinateur du nom de PDP-8. La DEC mit cette machine sur le marché en 1965. Ce fut un immense succès et la DEC bâtit là-dessus sa toute première fortune. Le PDP-8, affirme l'historique officiel, « instaura le concept de mini-ordinateur, ouvrant la voie à une industrie multimilliardaire ». Mais l'ouvrage oublie de mentionner

---

1. Jarndyce v. Jarndyce : l'interminable procès imaginé et décrit par Dickens dans *Bleak House. (N.d.l.T.)*

qu'un certain Edson de Castro, un ingénieur alors âgé de moins de trente ans, était à la tête de l'équipe qui conçut le PDP-8. Dans l'historique maison, le nom de de Castro n'apparaît qu'une fois, en une brève mention, à propos d'autre chose. De Castro a été évacué de la mémoire de la DEC.

En 1968, de Castro quitta la DEC, avec deux autres ingénieurs dissidents. Il existe différentes versions, toutes complètement différentes, de l'histoire de cette sécession, et l'affaire a désormais acquis le caractère impénétrable d'un mythe. Quittèrent-ils la maison parce que, après avoir travaillé longtemps et de tout leur cœur sur un nouveau projet, ils comprirent que la DEC ne construirait pas leur dernier rejeton? Il est exact que la direction de la DEC refusa l'un des projets de de Castro, et il est certain encore qu'après cela, en compagnie d'un certain Herb Richman, venu d'une autre firme, et de deux autres ingénieurs transfuges de la DEC, de Castro constitua la Data General, qui construisit bientôt son propre mini-ordinateur. Mais le travail de conception de ce mini-ordinateur eut-il lieu après la sécession, ou avait-il déjà été largement mené avant, en utilisant les facilités et l'outil de travail procurés par la DEC, et tout en bénéficiant encore du bulletin de paye de la DEC? L'une des deux versions en présence suggère automatiquement l'autre. Plus de dix ans après, le président et fondateur de la DEC déclarait encore aux journalistes de *Fortune* : « Ce qu'ils nous firent là, c'était un coup si bas que nous avons encore mal d'y penser. » Cependant la DEC n'intenta jamais de procès aux fondateurs de la Data General, et de toute évidence il existait d'autres raisons, pour la DEC, d'avoir un peu mal en songeant à la Data. Car, au bout d'un an, de Castro et compagnie avaient pignon sur rue au cœur du territoire même de la DEC, et commençaient à s'attribuer une partie du gâteau.

Ils louèrent des locaux dans ce qui avait été un salon de coiffure, dans la ville d'Hudson, Massachusetts, jadis ville de filatures. Tout ce qu'il reste, pratiquement, de cette époque héroïque de la firme, c'est une photo, en noir et blanc, de leur premier quartier général. Debout, au premier plan, se tiennent quatre jeunes gens aux cheveux courts, portant chemise blanche, cravate étroite, et ce type de chaussures noires que semblaient apprécier plus que tout les hommes de J. Edgar Hoover. Ils sont engagés dans une conversation manifestement destinée à passer pour dialogue de routine. Le sol garni de linoléum, le mobilier métallique, tout évoque un bureau moyen de l'industrie automobile, et les jeunes gens de la photo pourraient être les membres d'une chambre de commerce pour juniors, jouant les capitalistes d'un jour. Il y a un grand absent, sur cette image : c'est ce juriste (un homme avisé, légèrement plus âgé que le reste de la bande, appartenant à une grosse société new-yorkaise) qui aida les fondateurs de la Data General à réunir leur capital et qui devint l'une des chevilles ouvrières de l'équipe. Ce qui ne se voit pas, non plus, c'est que certains de ces jeunes gens étaient déjà des ingénieurs en informatique de quelque renom – leur âge, en l'occurrence, n'a rien d'un obstacle, car en informatique, comme en athlétisme, la valeur n'attend pas le nombre des années.

La naissance de la Data General eut lieu sous d'heureux auspices. En cette fin des années soixante, les capitaux à risques se trouvaient en abondance (entre autres choses) et, bien que la firme n'eût démarré qu'avec 800 000 dollars, d'autres attendaient en réserve. De plus, le domaine choisi était propice aux débutants. Venir s'implanter sur les marchés d'IBM était un rêve inaccessible, à moins de disposer d'un capital impressionnant. Mais sur le marché des mini-ordinateurs, la clientèle potentielle – composée d'ingénieurs, de scientifiques et, pour une très large part, des acheteurs professionnels d'entreprises spécialisées dans la vente de systèmes « clés-en-main » – comprenait le fonctionnement des machines en questions. Un nouveau fabricant pouvait la toucher par le biais, relativement peu coûteux, d'annonces dans les revues spécialisées, et n'avait nul besoin, au moins au départ, de mettre en place tout un service d'aide à l'utilisateur, ces usagers-là sachant s'en tirer seuls. Ils étaient d'autre part le type même de clients susceptibles de faire bon accueil à un nouveau venu sur le marché, si ses prix étaient justes; car ils accorderaient plus d'importance à une bonne affaire qu'à une marque.

A peu près à l'époque où la Data General s'installait dans son salon de coiffure réformé, d'autres audacieux de leur trempe fondaient eux aussi des firmes se donnant pour but la construction de mini-ordinateurs, et cela au rythme d'une environ tous les trois jours. Mais quelques-unes seulement de ces nouvelles sociétés devaient survivre à la décennie, alors que la Data General, avant même d'avoir épuisé son premier apport de capital, pourtant modeste, avait atteint cette sorte d'état de grâce dont elle ne ressortirait plus, un cash-flow positif. Pourquoi pareil bonheur?

La première machine produite par la firme, la NOVA, était dotée d'une espèce d'élégance faite de simplicité, dont tous les informaticiens avec qui j'ai parlé s'accordent à dire qu'elle était, pour l'époque, remarquable. La NOVA présentait certaines caractéristiques qui faisaient défaut à ses homologues de la DEC, et mettait en œuvre ce qui se faisait de plus récent en matière de circuits intégrés – matériel qui d'ailleurs n'avait pas encore pleinement fait ses preuves. La Data General pouvait produire ses NOVA à des coûts très compétitifs. Dans le monde des ordinateurs, un avantage aussi décisif peut découler de simples détails. Dans le cas des NOVA, ce qui faisait toute la différence, c'était la grande taille des cartes de circuits imprimés – ces plaquettes sur lesquelles sont placées les puces. De grandes cartes, en effet, tendent à réduire dans un ordinateur la quantité de matériel nécessaire, et ce pour diverses raisons. La Data General utilisait des cartes aux dimensions nettement supérieures à celles des cartes dont se servait la DEC. Évoquant devant moi ce détail, ainsi que d'autres de moindre importance, un ingénieur émettait cette remarque : « La NOVA, au fond, c'était un chef-d'œuvre de conditionnement. »

Les bonnes machines, pourtant, ne garantissent pas le succès, ainsi qu'avaient pu le découvrir RCA, Xerox et d'autres. Herb Richman, l'un des cofondateurs de la Data General, soulignait ce point : « Nous avons *tout* bien fait. » A l'évidence, il serait exagéré de dire qu'ils menèrent leur affaire, dans chacun de ses détails, mieux que personne au monde; mais il est certain que ces jeunes gens (tous bien pourvus sur le plan du moi, ainsi que le faisait remarquer quelqu'un ayant eu, à l'époque, de fréquents contacts avec eux) avaient une conscience aiguë de l'attention qu'il leur fallait apporter à chacune des facettes de leur opération – à la vente de leur machine, par exemple, autant qu'à sa conception même. Règle élémentaire, à première vue, pour quiconque tient à voir prospérer ses affaires, mais le principe est plus simple à énoncer qu'à mettre en pratique. Pour saisir à quel point ils étaient avisés, on peut méditer sur ce détail révélateur : plutôt que de thésauriser les valeurs boursières, ils s'en servirent comme d'un outil de croissance. Bon nombre de jeunes chefs d'entreprise, confondant propriété et commandement, ne peuvent se résoudre à en faire autant.

Le jour où ils se choisirent l'homme de loi qui aurait à gérer pour eux les aspects juridiques et financiers de la nouvelle société, ils insistèrent pour que ce dernier investît lui-même dans l'entreprise une part de ses propres deniers. « Si jamais un jour nous nous retrouvons dans la mélasse, nous voulons être sûrs que vous ne vous éclipserez pas », lui avait dit Herb Richman. « Comme cela, pas de problème, vous serez à nos côtés, trop content de défendre vos propres intérêts. » Mais l'autre avait alors déclaré, toujours selon Richman : « C'est bien la première fois qu'on me fait une proposition intelligente. » Richman se souvenait encore qu'avant le début des négociations concernant leur seconde offre d'actions, alors que la société avait déjà commencé à faire d'honnêtes bénéfices, et que les premières actions émises s'étaient déjà très honorablement comportées, leur avocat avait insisté pour que chacun des cofondateurs se défît d'une fraction des parts qu'il détenait, « histoire de se mettre de côté une brique » de dollars. L'idée était de leur permettre de se livrer aux négociations sans la hantise de tout perdre d'un coup (de « devoir retourner à la station service paternelle », pour reprendre les termes dont Richman décrivait ce cauchemar). Quant au nom de la théorie qui suggère de revendre assez d'actions pour devenir millionnaire, ce même Richman m'en disait : « Je ne sais pas si elle porte un nom dans le langage courant. Mais pour nous, c'était la Théorie du Va-te-faire-foutre. »

Dans le secteur de l'informatique, la part de marché que vous visez peut décider de votre sort. Bien qu'il fût devenu malaisé, dès la fin des années soixante-dix, de définir au juste la place d'une firme dans ce secteur d'après le type de machines qu'elle fabriquait, on peut dire qu'en gros certaines différences essentielles, d'origine historique, dans la manière de mener leurs affaires partageaient les entreprises de cette branche en trois grandes catégories. Il suffisait, pour les classer, d'examiner comment se répartissaient les dépenses de chacune. IBM et d'autres fabricants de gros ordinateurs, par exemple, consacraient une plus large part de leur budget à la vente de leurs produits et au service après-vente qu'à la fabrication de leurs machines elles-mêmes. Ils vendaient leurs ordinateurs à des clients qui en seraient eux-mêmes les utilisateurs, non à des intermédiaires, et c'était là un marché qui exigeait l'appel aux bonnes manières. Les fabricants de micro-ordinateurs, eux, fourgaient leurs machines comme d'autres du maïs, par grosses quantités; le plus gros de leurs dépenses allait à la fabrication, et être compétitif, pour eux, était moins une question de bonnes manières que d'agressivité. Quant aux firmes fabriquant des mini-ordinateurs, elles se situaient quelque part entre les deux formules : elles vendaient une partie de leurs machines, et donc les services y afférents, directement à leurs utilisateurs, mais consacraient cependant le plus gros de leurs dépenses à la fabrication du matériel, et faisaient l'essentiel de leurs affaires en vendant ces machines, en quantité, aux revendeurs d'équipements complets, les OEM [1].

De ces différences, il en découlait d'autres. Un spécialiste de ce marketing expliquait ainsi les choses : « En fait, dans la micro, la concurrence est encore plus aiguë, mais historiquement le monde des mini-ordinateurs est un milieu sans foi ni loi. Chez IBM, disons, si l'utilisateur a des problèmes, on lui répond tout de suite : " Des ennuis, cher client? Nous vous envoyons une équipe. Ils seront chez vous dans une heure. " Alors qu'implicitement, chez Data General et consorts, c'est tout bêtement " Débrouillez-vous. " La clientèle à la coule, celle des revendeurs d'équipements complets, par exemple, qui achète par quantités et cherche des rabais et non pas des services, cette clientèle-là s'intéresse aux minis. Elle est parfaitement capable de s'en sortir dans cette loi de la jungle. Et je ne suis pas sûr qu'IBM, avec son type d'organisation, puisse être concurrentiel sur le marché traditionnel du mini-

---

1. OEM : Original Equipment Manufacturer; l'abréviation est passée en français. (*N.d.l.T.*)

ordinateur. C'est comme de mettre ensemble dans un aquarium un poisson rouge et un piranha. »

Autant dire que l'univers où entrait en scène la Data General réclamait une bonne dose de culot. Mais l'on peut ajouter que la vie sur ce territoire perdit encore de sa bienséance du jour où la Data General apparut. Pour commencer, elle fit tout pour se faire remarquer.

Dans le hall de réception, à Westborough, on peut voir sur l'un des murs une reproduction de la première annonce publicitaire de la Data. C'est une annonce « pleine page ». Sur un côté de la page figure la photographie d'un visage masculin. La photo a « du grain », et la mâchoire donne à penser que l'homme s'apprête à faire un mauvais coup. Sur l'autre moitié de la page, il explique : « Je m'appelle Ed de Castro, je suis président de la Data General Corporation. Il y a sept mois, nous avons mis sur pied la plus prospère de toutes les entreprises fabriquant des petits ordinateurs. Ce mois-ci, nous annonçons la sortie de notre premier produit : le meilleur de tous les petits ordinateurs existant au monde... » Le message se poursuit quelque temps dans la même veine, puis se termine sur cette envolée :

Car si l'on veut mettre sur le marché un petit ordinateur peu coûteux, il faut absolument en vendre beaucoup si l'on tient néanmoins à gagner gros. Et nous tenons à gagner gros.

Le concepteur de cette annonce, un dénommé Allen Kluchman, qui fut à la Data le premier directeur du marketing, me dit avec un sourire : « Cette annonce n'avait rien à voir avec quelque aspect de la personnalité de M. de Castro, tel que je le connaissais à l'époque. C'est le type le plus timide que je connaisse. C'est avant tout quelqu'un d'extrêmement modeste et réservé. »

Cette annonce assura aux intéressés, au moins sur le plan local, une certaine notoriété. Elle proclamait tout haut ce que bon nombre d'autres se disaient sans doute à part soi, mais qu'aucun n'eût jugé bon de déclarer en public. Durant les années qui suivirent, la plupart des publicités émises par la Data continrent ainsi un zeste de cynisme. L'une des annonces les plus connues ne fut pourtant jamais publiée – certains esprits, au sein de l'entreprise, commençant apparemment à avoir des arrière-pensées sur ce que devait être l'image de marque de la firme. Mais un exemplaire de cette annonce inédite figure dans le bureau de de Castro. Par-dessus le sigle de la Data General, sur fond bleu et blanc, est écrit :

D'aucuns disent que l'entrée d'IBM dans le monde des mini-ordinateurs va ramener ce marché à la légalité. Les canailles lui disent : Bienvenue!

Avant que la Data General n'eût dévoilé, en 1969, sa NOVA aux regards du public – à l'occasion de l'événement annuel de ce secteur de l'industrie, la National Computer Conference –, le responsable du marketing, Kluchman, s'était débrouillé avec une revue spécialisée pour faire figurer la photo d'une NOVA en première page de couverture. Ils avaient aussi loué des panneaux d'affichage sur le bord de la route, entre l'aéroport et le lieu de la manifestation commerciale, et placé sur chacun le portrait de leur NOVA. A l'hôtel où devaient descendre la plupart des participants, ils s'étaient entendus avec la direction pour faire distribuer par les grooms des exemplaires gratuits du *Wall Street Journal* renfermant, sur une feuille volante, une publicité pour la Data General. Sur les lieux de la manifestation proprement dite, ils s'arrangèrent pour placer le panneau portant le nom de la firme plus haut que ceux de toutes les autres. Et quand le moment fut venu d'annoncer le prix de leur machine, ils firent part de très gros rabais pour les clients qui en achèteraient par quantités. Et peu importait si la clientèle devait s'acheter des NOVA par hangars entiers pour avoir droit à un rabais vraiment gros. La Data General venait d'introduire une agressivité nouvelle, un petit parfum de 42ᵉ Rue, dans la règle du jeu des prix en matière de mini-ordinateurs.

« La DEC détenait 85 % du marché, et il n'y avait pas de numéro 2 solide dans la place. Il nous fallait nous démarquer de la DEC », se souvient Kluchman. « La DEC avait une image de marque débonnaire. La Data General devait être le contraire – agressive, battante, vous en proposant davantage pour votre argent... Il nous fallait, dans notre publicité, répandre l'idée que les agents de vente de la Data avaient plus de mordant que ceux de la DEC – et c'était le cas, parce que les nôtres travaillaient à la commission, alors que les leurs étaient au fixe. Mais j'exagérais cette agressivité dans mes annonces. »

En fait, selon Kluchman, la DEC leur apporta elle-même son aide, en déclenchant une guérilla du genre Hertz contre Avis. La direction de la DEC, d'après lui, ordonna à ses vendeurs de prévenir la clientèle de se méfier de la Data General. « Et pour nous, c'était formidable! Parce que leurs clients n'avaient jamais entendu parler de nous! » Kluchman se plaisait à imaginer les vendeurs de la DEC en train d'avertir leurs clients qu'une nouvelle société, redoutable, rôdait aux alentours, et les clients qui réagissaient à cette nouvelle en s'informant : « Et où donc est-elle sise, cette Data General, que nous soyons bien sûrs de l'éviter? Et quel est son numéro de téléphone, que nous ne risquions pas de l'appeler par mégarde? » Il en riait encore. « Les appels téléphoniques se succédaient toute la journée. Les clients de la DEC déclaraient : « Nous avons entendu dire que vous êtes des crapules. Autant nous mettre un peu au courant de vos agissements. »

En se rappelant ces premiers temps d'ivresse, cette époque où pratiquement chaque détail de leur stratégie semblait porter ses fruits, Kluchman ajoutait : « On s'est rudement bien amusés à l'époque. Je ne crois pas avoir jamais pris tant de plaisir au boulot, je ne sais pas si c'est possible. Sur le plan personnel, ça vous donnait des satisfactions incroyables. C'était vraiment *le pied*! »

A la fin de l'année fiscale 1978, après juste dix ans d'existence, le nom de la Data General apparut sur la liste des cinq cents plus grosses entreprises industrielles de la nation – parmi cette bande de géants connue sous le nom des « 500 de *Fortune* » Elle occupait la cinq-centième place pour le montant total de ses revenus, mais se plaçait beaucoup plus haut sous le rapport des divers indices de profit et, pendant un temps grimpa allègrement dans ce classement. A coup sûr, en 1980, ce genre de place conférait à la Data General quelque respectabilité. Ce qui n'empêchait pas certains journalistes spécialisés de la regarder toujours avec méfiance; l'un d'eux m'affirma que la Data General était largement connue, parmi ses confrères, comme « le Darth Vader [1] des ordinateurs ».

1. Darth Vader est le « grand méchant » de la Guerre des Étoiles. (*N.d.l.T.*)

Les investisseurs, apparemment, serraient toujours les fesses avant de placer leurs sous dans les actions de la Data. Dans un article publié par *Fortune* en 1979, la Data General se voyait apposer l'étiquette « les nouveaux riches », tandis que la DEC était « les gentlemen ». La totalité de cet article, et en particulier le passage qui insinuait plus ou moins que la Data General se faisait une règle de gruger ses clients, était restée en travers du gosier d'Herb Richman.

La partition du bâtiment 14 A/B se résume essentiellement à la distinction entre un « en haut » et un « en bas », et c'est dans un angle de l'étage que résident les dirigeants de la maison. Une muraille de verre les sépare du reste de l'entreprise. Ici, pas d'acajou. Si ostentation il y a, dans le quartier général de l'état-major, c'est de l'ostentation à rebours. Et l'on répète fièrement que la table qui trône dans leur salle de conférences est tout simplement celle des modestes débuts. Par comparaison, le bureau de Richman fait rupin. Richman ne manquait pas de souligner qu'il avait acheté son mobilier de ses propres deniers, et que les prétendus lambris de ses murs n'étaient que du papier peint. Des fondateurs de la firme, seuls Richman et de Castro – le président si fameux – étaient restés en prise directe avec les opérations quotidiennes. Richman avait fait son chemin dans le domaine des ventes – d'aucuns disaient de lui que c'était un « supervendeur » – et c'était lui qui avait créé et mis sur orbite les forces de vente de la Data General, bien connues, si ce n'est réputées, pour leur agressivité. Les cheveux bouclés, bien mis, la quarantaine, Richman portait souvent une veste en *denim* à la coupe soignée, et pas de cravate. « Je suis l'un des rares types à qui l'argent réussit », disait-il. Avant, j'étais toujours tendu, prêt à sortir mes griffes... La réussite m'a appris à me raisonner, à faire de l'introspection. » Il racontait avoir joué au tennis, quelque temps auparavant, avec un partenaire qui lui avait semblé être quelqu'un de tout à fait ordinaire, jusqu'au moment où il avait découvert que ce type-là était le président d'une compagnie pétrolière. « Et pas n'importe quelle compagnie, une des plus grosses du monde, si bien qu'il m'impressionnait terriblement », disait Richman. Sur quoi il ajoutait d'une voix égale : « Et pourtant je serais prêt à parier que mon avoir net dépassait largement le sien. »

Le montant des actions détenues personnellement par Richman dans le capital de la Data General s'élevait alors aux environs de 13 millions de dollars, mais il était, semblait-il, navré de voir comment certains organes de presse dépeignaient la réussite de sa société. On décrivait trop souvent les gens de la Data, à son avis, comme de simples margoulins, et non pas comme les « durs » qu'ils étaient fiers d'être. « Nous voulons bien admettre que nous avons fait pas mal de choses qui sortaient un peu des convention », disait-il. Mais nous n'arrivons pas à comprendre pourquoi on nous cantonne au petit format, au lieu du format *New York Times*. »

Cette réputation de la Data General était, pour une partie, facile à expliquer. La compagnie l'avait en quelque sorte forgée elle-même, et peut-être les choses étaient-elles allées ensuite un peu plus loin que prévu. Richman avait son idée là-dessus : « Nous avons tant fait, avec un tel succès, et pendant si longtemps, qu'apparemment tout le monde se dit que pour réussir comme ça, forcément, il a fallu qu'on sorte de la légalité quelque part. » La remarque n'était pas sans intérêt, mais elle ne rendait pas complètement compte de la réalité.

Vers le début des années soixante-dix, une société du nom de Keronix accusa les dirigeants de la Data General d'être à l'origine de l'incendie de l'une de ses usines. La thèse émise était que la Data General avait trouvé là une manière expéditive de se débarrasser de ce concurrent. Pour finir, la Cour jugea les accusations insuffisamment fondées, et prononça un non-lieu. De fait, il eût semblé absurde, de la part des dirigeants de la Data, forts de leur prospérité nouvelle, de risquer de tout perdre (et de se retrouver sous les verrous) en ayant recours à l'incendie criminel, et cela simplement pour éliminer ce qui n'était, après tout, qu'un petit concurrent. Mais Wall Street n'avait pas cette vision des choses, apparemment. Quand Keronix lança ses accusations, les actions de la Data General tombèrent en chute libre; il y eut une telle ruée à la vente, pour tenter de s'en défaire, que la Bourse de New York dut en suspendre les cours un temps. Plus singulièrement encore, des années après l'affaire, il se trouvait encore des employés de la Data, bas placés dans la hiérarchie et vétérans de la maison, pour confier en privé qu'à leur avis, sans l'ombre d'un doute, quelqu'un qui n'était pas étranger à la société avait quelque chose à voir avec l'incendie. Pas un membre de l'état-major, non, mais quelque renégat employé de la maison. Ils n'avaient pas l'ombre d'une preuve à l'appui de leurs dires, pas le moindre début d'indice longtemps occulté. J'avais l'impression que c'était là une chose à laquelle ils tenaient à croire.

J'eus cette impression plus d'une fois. En tournant le coin de la rue, un jour, en direction du bâtiment 14 A/B, un ingénieur, ancien dans la maison, me désigna de la main le panneau interdisant le stationnement aux véhicules non autorisés. « Regardez ça : la première chose que vous voyez en arrivant, c'est DÉFENSE DE... », me fit-il observer. Il se plaisait à imaginer un autre écriteau à l'entrée de l'établissement; un écriteau qui proclamerait : ICI L'USAGE DE LA FORCE EST HAUTEMENT APPROUVÉ. Il en riait, d'y penser seulement, à ne plus pouvoir s'arrêter.

Dans un secteur où il est de règle d'avoir la dent dure et le geste prompt, le personnel de la Data General tenait à sa conviction, semblait-il, que sa société, entre toutes, était la moins commode et la plus leste.

Et sans doute cette réputation de la Data General avait-elle d'autres fondements que des annonces publicitaires. Dans cette branche de l'industrie où la pratique commerciale est particulièrement agressive, la Data General n'était pas plus empotée que les autres; et, vers la fin des années soixante-dix, plusieurs de ses concurrents avaient dénoncé certaines de ses méthodes devant la Cour fédérale. En réponse à l'accusation, lancée contre la Data dans *Fortune,* selon laquelle cette société se montrait particulièrement brutale à l'égard de ses clients, il n'était que justice de mentionner combien lesdits clients étaient au courant des pratiques du marché en question, et d'ajouter qu'à l'évidence la Data General n'aurait pas fait long feu si la majeure partie de la clientèle ne s'était estimée, à tout le moins, honnêtement satisfaite. Mais la Data General elle-même était procédurière, envers ses clients comme envers d'autres. « C'est évident, disait Richman. Si les gens ne paient pas, ou s'ils rompent leur contrat, nous leur faisons un procès. » Ils agissaient ainsi, d'ailleurs, au moins en partie, pour démontrer devant Wall Street que leur entreprise n'était pas de celles qui accumulent suicidairement les mauvaises créances.

La caractéristique la plus frappante de la Data, malgré tout – celle qui aurait donné d'emblée à réfléchir au boursier averti –, c'était la courbe de sa croissance. C'était certes là un trait commun à toute la branche. En gros, les compagnies d'informatique qui n'étaient pas sur le point de mourir étaient en croissance; il leur fallait croître pour rester en vie, semblait-il. Mais aucune de celles dont l'objet principal était la construction d'ordinateurs n'avait eu une croissance plus rapide que la Data General. Les poussées de croissance n'avaient rien d'exceptionnel, mais dans le cas de la Data cette poussée durait depuis dix ans et, qui plus est, la société avait conservé la plus haute marge bénéficiaire de toute la branche, juste derrière celle d'IBM. Toutes choses qui auraient impressionné l'analyste venu de Wall Street, mais l'auraient peut-être aussi rendu perplexe.

La modestie de l'ameublement du bâtiment 14 A/B, le fait que la Data General ne versait pas de dividendes à ses actionnaires, celui aussi que ses plus hauts dirigeants ne se versaient à eux-mêmes, comme à leur état-major, que des salaires exceptionnellement peu élevés, se contentant de distribuer, en guise de rémunération, des parts dans l'affaire –, tous ces points étaient autant d'indices d'un seul et même dessein. La société ne se montrait prodigue que lorsqu'il s'agissait d'assouvir sa tendance à exercer ses droits devant les tribunaux. Pour le reste, ses dirigeants semblaient décidés à réserver toutes leurs disponibilités à l'insatiable appétit du monstre Croissance. Or, c'est bien connu, plus on nourrit ce fauve, plus il devient gros, et plus il en réclame. Croître au rythme de 30 à 40 % l'an, pour une société dont les recettes se chiffrent à un million de dollars, c'est déjà quelque chose; mais réussir la même performance quand on avoisine le demi-milliard de dollars de recettes, c'est un autre tour de force.

Les spécialistes de Wall Street deviennent parfois un peu trop enthousiastes au sujet des sociétés dont ils suivent l'évolution et les cours. Pour être certain d'obtenir un avis impartial, je priai un vieil ami, depuis longtemps rompu à l'analyse des valeurs boursières, de jeter un coup d'œil sur les chiffres de la Data General. Il présentait à mes yeux

l'avantage de n'avoir jamais suivi cette entreprise auparavant, et il céda à ma demande – sous réserve d'anonymat.
Une quinzaine de jours plus tard, il me rappela. A son avis,
la Data General semblait bien partie pour poursuivre sa
croissance au rythme de 30 à 40 % l'an. Il souligna que cela
signifiait une importante croissance sur tous les plans –
dans les besoins en capitaux, en locaux, en personnel.
Entre 1974 et 1978, par exemple, la Data General avait
embauché environ sept mille personnes, triplant ainsi, en
gros, ses effectifs; au cours d'une seule année, le personnel
s'était accru de 71 %. Mon ami songeait aux inévitables
difficultés rencontrées pour recruter aussi rapidement tant
de personnel qualifié. Et quel effet cela pouvait-il faire, se
demandait-il, de travailler dans une boîte comme celle-là?
Vous arriviez au travail un matin, et vous vous retrouviez
responsable d'une douzaine de personnes de plus, ou bien,
brusquement, sous les ordres d'un nouveau chef, aux yeux
duquel vous auriez à faire vos preuves, à partir de zéro, une
fois de plus. «Avec un rythme de croissance pareil, tout
doit être constamment sous pression, conclut-il. Je suis
curieux de voir s'ils ne vont pas finir par se casser le nez... »
En conclusion, mon ami me remercia de lui avoir donné
l'occasion de repérer un cas aussi passionnant à suivre.

Quels étaient donc les risques encourus? Quelle erreur,
lourde de conséquences, pouvait commettre une entreprise? Dans bien des cas, quand un petit constructeur
d'ordinateurs, jusqu'alors en croissance constante, se
retrouvait en difficulté, ce n'était pas parce que, subitement, les gens n'avaient plus envie d'acheter ses produits.
Bien au contraire, c'était plutôt le succès qui risquait de
l'avoir asphyxié. La demande s'était envolée vers les
cintres, les dirigeants, enthousiastes, avaient établi un plan
sur cinq ans, quand brutalement quelque chose avait
cloché, du côté de la production. L'entreprise n'était tout
simplement pas en mesure de produire les machines
qu'elle avait promis de livrer. Des procès risquaient de
s'ensuivre. Au mieux, on procéderait à un inventaire, dans
lequel la maison perdrait des plumes, les recettes chute-
raient, les clients iraient voir ailleurs, ou même leurs
propres affaires seraient mises en péril. La Data General,
précisément, s'était laissé prendre une patte à ce piège, aux
alentours de 1973. Six ans plus tard, dans son bureau de

l'étage, un cadre de la maison – du milieu de la hiérarchie – évoquait ainsi ces temps difficiles : « Nous ne pouvions plus honorer nos engagements envers nos clients. Les malheureux étaient tout bonnement couillonnés. Sans rire, nous avons bel et bien fait faire le plongeon à quelques chefs d'entreprise, et il y en a même, dans le lot, je crois, qui ont dû y perdre leur boîte. Quant à nous, nous avons réussi à nous remettre de nos problèmes de livraisons, et nous n'avons jamais refait le coup. »

Il était une autre façon de boire le bouillon, moins liée, celle-là, à la croissance de l'entreprise qu'à celle de ses homologues. Les spécialistes du secteur émettaient parfois des remarques du style : « Les choses vont vite, dans le monde de l'informatique; tout bouge, et une année, c'est bougrement long. C'est comme une année dans la vie d'un chien. » De fait, dans chaque secteur de l'industrie, les fabricants annonçaient tous les jours la sortie sur le marché de quelque petit article nouveau. En matière d'ordinateurs, c'était seulement à quelques années d'intervalle que les constructeurs sortaient une nouvelle lignée de machines, beaucoup plus performantes que celles qu'elles devaient remplacer. Mais si l'on songe à la somme de travail que représentait chaque renouvellement, ainsi qu'à l'effort exigé, de la part d'une société, pour redéployer ses forces dans une nouvelle direction, on se dit que la cadence à laquelle apparaissaient ces innovations majeures était elle aussi remarquablement soutenue. Et il était unanimement admis qu'une société qui se serait laissé nettement distancer par ses concurrentes dans la production de machines dernier cri aurait toutes les peines du monde à remonter le courant. Et prendre un tant soit peu de retard sur les autres pouvait avoir de graves conséquences, parce qu'une nouveauté à la pointe du progrès jouait pour le fabricant un rôle décisif : il l'aidait à vendre ses produits de moindre importance et même, bien souvent, à écouler ses anciens modèles.

Dans certaines maisons, la tâche d'éviter cette sorte de crise incombait essentiellement aux ingénieurs – un travail de soutiers, en quelque sorte. Il reviendrait peut-être aux dirigeants de prendre les décisions finales, à savoir ce qui serait et ce qui ne serait pas fabriqué, mais c'était aux ingénieurs de fournir l'essentiel des idées sur la conception des nouveaux produits. Après tout, n'étaient-ils pas ceux qui savaient le mieux où en étaient les choses dans leur domaine? Ils étaient donc à même, mieux que quiconque, de prophétiser le changement. A la Data General, un ingénieur pouvait jouer ce rôle important. L'occasion lui en était offerte. Le président, Ed de Castro, appréciait, disait-on, les gens qui ont de l'initiative – ceux qui font « de l'auto-allumage ». L'initiative était bien vue, à la Data General, et vers la fin des années soixante-dix il apparut, à l'évidence, que la Data en avait bien besoin, de la part de ses ingénieurs. Car elle était en train de se faire semer : la Data General n'avait pas encore sorti la toute dernière bombe en matière de mini-ordinateurs.

Vers le début de 1979, le membre de l'équipe dirigeante qui m'avait conté les ennuis de la Data General en 1973 et sa remise sur pied eut cette comparaison pour définir le succès dans le monde de l'informatique : « Le gros truc, dit-il, c'est d'éviter l'énorme bourde. C'est un peu comme la course de descente, au ski : il faut savoir jusqu'où frôler la catastrophe. A la Data General, au fond, c'est ce qu'on n'arrête pas de faire : se rétablir. Et ce que font en ce moment Tom West et ses hommes, c'est exactement ça : un gigantesque rétablissement. »

2. COMBATS

Tom West allait à son travail, en ce temps-là, en jeans fraîchement lavés ou en pantalon de toile kaki au pli bien marqué, chaussé de mocassins de cuir, les manches longues de ses chemises unies soigneusement relevées, bien au-dessus de ses coudes osseux, en un minutieux pliage rappelant celui d'une lettre. Il faisait passer toute sa véhémence dans ses mains. Quand il éconduisait quelqu'un ou quelque idée (ou les deux), il serrait le poing pour le rouvrir en une sorte d'explosion, les doigts éclatés en étoile. Le geste était bien connu des ingénieurs qui travaillaient pour lui. S'il glissait ses longs index, de part et d'autre, sous l'arcade de ses lunettes, c'était signe de méditation, et si ce geste s'accompagnait d'un interminable « Ummmmmmmmmmmmh », cela voulait dire qu'une déclaration catégorique allait suivre. Il tenait sa voiture et son bureau dans le même état impeccable que les plis de ses manches. Il était tranchant et, à sa manière, précis. Ce qui ne l'empêchait pas, pourtant, d'être vague. « Quand j'ai fait mes débuts ici, j'ai travaillé pour lui », disait de West un ingénieur, « et c'était inimaginable! La moitié du temps, je ne comprenais rien de ce qu'il voulait dire ». D'après ses plus anciens collègues, il n'avait pas toujours été « comme ça », mais il était certain que, parfois, West donnait l'impression de s'attendre à vous trouver sur sa longueur d'ondes secrète, et de vous juger bien décevant si vous ne l'y rejoigniez pas. D'ailleurs, si vous ne vous y trouviez pas, c'était votre problème. Lui n'avait pas le temps de vous expliquer.

Pour qui le voyait, au volant de sa Saab de sport rouge

vif, descendre la 495 en direction de son travail, West était la vivante image de l'impatience. La mâchoire serrée, il se tenait penché en avant. On voyait parfois passer sur ses lèvres un sourire fugitif. C'était un homme en mission.

Dans l'univers du mini-ordinateur, une nouveauté venait de voir le jour, une catégorie d'ordinateurs baptisés les superminis à 32 bits. Et West en disait, avec tout l'enthousiasme qui le caractérisait : « Tout le monde en veut, tout le monde se figure en avoir besoin. C'est une coqueluche. Une traînée de poudre. » Quant à l'état présent des affaires, il lui arrivait de le qualifier de « désastre ». Ou encore il prophétisait : « Si on n'arrive pas à riposter au VAX, on est cocus vite fait. »

Un certain nombre de rivaux de la Data General avaient sorti des superminis à 32 bits, et le plus redoutable, selon West, était ce petit ordinateur que la DEC venait justement de mettre sur le marché, le VAX 11/780. La Data General, pendant ce temps, n'avait toujours pas construit d'ordinateur de cette catégorie; et nombreux étaient ceux qui se disaient, comme West, qu'elle aurait pourtant intérêt à le faire, et sans perdre de temps. C'était d'abord, en premier lieu, une question de standing à maintenir : les clients étaient, si l'on peut dire, mariés à leur fabricant d'ordinateurs, et ce de diverses façons; mais ils risquaient fort de ne plus vouloir de ce mariage, avec une compagnie qui se serait laissé distancer. De plus, il y avait tout intérêt à se tailler une part de ce marché offert aux superminis 32 bits, parce que c'était un marché immense et qui croissait allègrement; la plupart des observateurs estimaient que dès le milieu des années 80 il représenterait sans doute plusieurs milliards de dollars. Point n'était besoin de s'être trouvé le premier à produire ce type de machine; dans certains cas, en fait, mieux valait même ne pas l'être. Mais ce qui était essentiel, par contre, c'était de produire sa machine avant que le nouveau marché soit tout à fait ouvert et que les clients n'aient déjà contracté mariage ailleurs. Car les clients perdus ne se rattrapent jamais – pas plus les anciens clients que les clients en puissance.

Pour West, comme pour un certain nombre d'ingénieurs qui travaillaient à ses côtés à Westborough, il avait été douloureux d'assister à la sortie triomphale du VAX sur le marché, de l'entendre décrire comme une « invention sensationnelle », et de n'avoir rien, strictement rien de tout beau tout neuf à exhiber de leur côté. Et il avait été dur, pour eux, de lire dans la presse spécialisée tous ces compte-rendus sur le succès croissant du VAX. Ce VAX semblait en passe de devenir l'un de ces énormes succès commerciaux comme on n'en voit que de loin en loin. Mais, dès l'automne 78, West s'était entouré d'une équipe d'ingénieurs motivés et, pour finir, ils venaient de s'atteler à la création d'un supermini de leur cru, qu'ils avaient baptisé du surnom de Eagle. Un nouvel ordinateur ne se construit pas en un mois – et surtout pas une machine de cette catégorie. C'est plutôt en années, souvent, que se chiffre la gestation. Mais il n'était pas trop tard, soutenait West. Du moins s'ils parvenaient à construire leur engin en un temps record, quelque chose comme un an, par exemple. Ce serait enfin « la bonne machine », celle qui manquait – la réponse à VAX. Il arrivait à West de rêver tout haut que cet ordinateur-là serait précisément la machine qui permettrait à la Data General de poursuivre sa grimpette dans le classement des 500. « C'est le second milliard qui pointe », disait-il. Sur ses craintes et ses doutes, il était loin d'être aussi prolixe.

West ne voulait pas l'avouer, mais le VAX l'inquiétait profondément. La DEC avait publié un volume impressionnant de littérature technique concernant le VAX, et West avait tout lu. Rien de ce qu'il y avait trouvé ne lui donnait à penser que l'approche de son équipe fût inférieure à celle des ingénieurs de la DEC. Mais lire n'est pas, pour certains ingénieurs, la source de connaissances essentielle. Il leur faut voir et toucher, il leur faut le contact. Et c'est ainsi qu'en 78, par un matin de congé, à une époque où son équipe et lui étaient déjà bien lancés dans la fabrication de leur propre machine, West quitta Westborough, bien décidé à examiner l'un de ces fameux VAX.

Il se rendit donc dans une certaine ville, dont il ne voulut jamais préciser qu'une chose : c'était quelque part en Amérique. Il entra dans un bâtiment, la démarche assurée, comme s'il était chez lui, longea un couloir, et, toujours aussi naturellement, pénétra dans une pièce sans fenêtre. Le sol en était défoncé, et il y courait une sorte de tranchée, truffée de gros câbles électriques. Contre le mur du fond, au bout de la tranchée, trônait un beau spécimen, flambant neuf, du VAX de la DEC, installé dans un meuble comportant plusieurs grandes armoires rappelant vaguement des réfrigérateurs. Mais arrivé là, surprise : l'une des armoires était ouverte, et un homme se tenait devant elle, armé d'outils. Sans doute un technicien de la DEC, encore en train d'installer la machine, se dit West.

Même si ses intentions n'avaient rien d'illégal, elles étaient quelque peu sournoises, et West n'avait nullement l'intention de mettre dans l'embarras l'ami qui lui avait accordé la permission de s'introduire dans cette pièce. Si le technicien avait prié West de décliner son identité, il n'eût pas obtenu de mensonge en réponse – mais pas de réponse non plus. Cependant les minutes s'écoulaient. West restait là, debout sans rien dire, à regarder l'autre travailler. Au bout d'un moment, ce dernier rassembla ses outils et quitta la pièce.

Alors West referma la porte, revint droit à l'ordinateur, dont l'installation était pratiquement terminée, et il entreprit de le démonter.

L'armoire qu'il venait d'ouvrir contenait le cœur même de la machine, son unité centrale de calcul. Dans le VAX, cette merveille des merveilles était constituée de vingt-sept cartes de circuits imprimés, disposées comme des livres sur une étagère. West passa l'essentiel du reste de la matinée à sortir une à une chacune de ces plaquettes; il l'examinait avec soin, puis la remettait en place.

Sur toute la surface d'une carte de circuits imprimés classique, s'alignent des colonnes de petites boîtes rectangulaires, dotées de sortes de pattes métalliques qui leur sortent des flancs. Ce pourrait être quelque étrange espèce de chenilles, obtenues par croisement à des fins mathématiques. En fait, chacune de ces petites boîtes contient une autre boîte – cette chose complexe qu'est un circuit intégré, encore connue sous le nom de puce. Gravées dans les plaquettes, entre les logements des puces, courent des centaines de lignes argentées; elles dessinent un réseau qui rappelle celui d'une immense gare de triage.

Certaines des plaquettes sont colorées, au point d'être agréables à l'œil. Il y a quelque chose, dans leur complexité, qui semble chanter le triomphe de l'ordre. Il s'en dégage l'impression qu'elles ont un sens, une signification, mais pas à la manière dont, par exemple, les différentes pièces d'un moteur en mouvement ont une signification, un rôle accessible à la compréhension immédiate. Le dessin visible de la surface d'une carte ne permet en rien d'en déceler la fonction. Cela dit, il est possible, quoique difficile, de regarder à l'intérieur de ces petites boîtes-dans-des-boîtes dont est constitué un ordinateur moderne et, après en avoir relevé tous les détails, d'en reproduire une copie, un équivalent fonctionnel. C'est là faire ce que l'on appelle de l' « ingénierie à l'envers ».

Ce genre d'agissement, pour West, était de la « basse besogne de plagiaire ». Ses intentions à lui étaient moins troubles et plus simples. Il inspecta l'extérieur des circuits intégrés du VAX – certains portaient des chiffres qui étaient pour lui comme des visages familiers – et il en dénombra les différentes catégories et les effectifs dans chaque. Il les identifia grosso modo. Il reprit ses calculs. Quand il en eut terminé, il procéda à quelques additions et décida que le coût de fabrication des parties essentielles du VAX devait aller chercher dans les 22 500 dollars (la DEC vendait sa machine un peu plus de 100 000 dollars). Sur quoi il abandonna l'engin, dans l'état exact où il l'avait trouvé.

« J'avais vécu toute une année dans la crainte de ce VAX », devait me dire West des mois plus tard, un soir, au volant, le long de la 495. « Je ne risquais pas vraiment la taule. Le VAX était dans le domaine public et je voulais seulement évaluer les dégâts. Je crois que ça m'a fait un choc, quand j'ai mis le nez dedans et que j'ai vu combien il était coûteux et complexe. Et cela m'a rasséréné sur certaines options que nous avions prises. »

En examinant le VAX, West s'était dit qu'il avait sous les yeux un véritable diagramme de l'organisation interne de la DEC. Trop compliqué, nettement trop compliqué à ses yeux. Il n'aimait pas, par exemple, le système par lequel les différentes parties de la machine communiquaient entre elles; il y avait là, à son goût, beaucoup trop de cérémonial. Il en conclut que, décidément, le VAX était une incarnation des travers de la DEC. Il lui semblait retrouver dans cette machine tout le style de cette entreprise à la réussite spectaculaire, un style bureaucratique, réfléchi, circonspect. N'était-ce pas une idée à lui? hasardai-je. West répondit que c'était sans importance; l'intérêt de cette théorie, c'était son utilité. Puis il tenta de reformuler sa pensée : « Avec VAX, la DEC a cherché avant tout à réduire les risques au minimum », dit-il en contournant un véhicule trop lent d'une embardée calculée. Et il conclut, le sourire épanoui : « Tandis que nous, avec Eagle, ce que nous cherchons à atteindre, c'est le succès maximum – et nous le ferons filer plus vite que s'il avait le feu quelque part! »

Certains des ingénieurs les plus proches de West soupçonnaient que s'il n'avait pas eu, de temps à autre, quelque situation de crise à laquelle faire face, West s'en serait créé une lui-même. Il leur semblait si sûr de lui, si heureux dans les cas d'urgence! Cela dit, pour ce qui était de la crise majeure dans laquelle se débattait pour l'heure le petit monde des ingénieurs de Westborough, nul ne pouvait insinuer qu'il l'avait inventée, même s'il l'avait véritablement faite sienne.

Pourquoi la Data General n'avait-elle donc pas mis sur le marché un rival direct du VAX de la DEC? Quand cette question lui était posée par des journalistes spécialisés, la Data General, bien sûr, prenait des airs assurés; tout cela faisait partie d'un plan prémédité, qui suivait excellemment son cours, merci. En réalité, des années avant l'apparition du VAX, les ingénieurs de la Data General avaient bien prévu l'avènement de ce type de machines. Et pendant cinq ans ils s'étaient efforcés d'en sortir une de leur cru. Mais ils avaient rencontré plusieurs difficultés. Il y avait eu quelques faux départs, et les ingénieurs impliqués s'étaient affrontés sur la question de savoir qui créerait cette nouvelle machine et à quoi elle devait ressembler.

Certains ingénieurs informaticiens nourrissent des sentiments très forts à l'égard de leur dernier projet, comme des cosaques envers leurs chevaux. Carl Alsing, ingénieur chevronné et l'un des piliers de l'équipe de West, se plaisait à raconter cette anecdote : un collègue d'une firme concurrente, apprenant que ses supérieurs venaient d'écarter son projet d'une machine de conception nouvelle, se serait saisi d'une arme à feu et aurait tiré sur le collègue dont le projet avait été accepté. Alsing soutenait qu'il était à peu près sûr que cette affaire de meurtre avait bel et bien eu lieu, mais qu'à son avis il devait y avoir une histoire de femme là-dessous – ce qui, concluait-il, revenait finalement au même.

L'épisode que West et certains de ses collaborateurs appelaient « leur combat » avait démarré vers le milieu des années soixante-dix. La Data General avait surmonté ses problèmes de fabrication; les remous créés par l'affaire Keronix avaient fini par se calmer depuis un certain temps, et l'entreprise progressait à grands pas. Profitant sans perdre de temps du succès immédiat de leur première unité de traitement, la NOVA, les ingénieurs avaient enchaîné là-dessus en créant coup sur coup, dans la même famille, toute une série de machines compatibles; et, tandis que cette fameuse ligne NOVA s'écoulait avec bonheur sur le marché, ils avaient conçu et mis au point une autre lignée de machines, plus puissantes, les Éclipse. Tout comme pour les NOVA, ce fut un gros succès. La ligne des machines Eclipse, pourtant, commençait tout juste à se développer quand le chef du groupe Éclipse se détacha de son équipe. Il allait travailler à la conception de la première machine de la génération suivante, d'un type nettement différent. Et ce projet-là, en prenant forme, se révéla être un projet de grande envergure. Il devait en effet, entre autres performances, permettre de venir à bout de l'un des plus gros problèmes techniques du moment : comment faire pour accroître, dans un mini-ordinateur, l'espace des adresses logiques? Et c'est précisément à ce problème que répondaient les nouveaux superminis comme le VAX, en accédant à ce qu'un farceur appela la « trentedeuxbitude », autrement dit à la classe des machines à 32 bits.

Les ordinateurs, c'est bien connu, manipulent des symboles. Ils ne travaillent pas directement sur des chiffres, mais sur des symboles, qui peuvent représenter non seulement des nombres, mais encore des mots ou des images. A l'intérieur des circuits d'un calculateur numérique, ces symboles existent sous une forme électrique, et l'on n'y trouve que deux symboles de base : une tension haute et une tension basse. Il est évident que pour une machine c'est là un symbolisme d'une merveilleuse simplicité; ses circuits n'ont pas à faire la distinction entre neuf différentes nuances de gris, mais juste entre le noir et le blanc, soit, en termes d'électricité, entre les tensions hautes et les tensions basses.

Les informaticiens appellent élément binaire, ou « bit », une tension unique, haute ou basse, et ce bit symbolise un élément d'information. Un bit ne peut pas symboliser grand-chose; il n'a que deux états possibles et peut donc, par exemple, représenter deux nombres entiers. Mais alignez des quantités de bits, et le nombre de représentations possibles s'accroît de manière exponentielle. Si vous voulez une comparaison, songez aux numéros de téléphone. En utilisant quatre chiffres seulement, une compagnie téléphonique serait en mesure de doter d'un numéro personnel chaque habitant d'une petite agglomération. Mais comment faire, si c'est à chacun des habitants d'une vaste zone que la compagnie des téléphones doit donner un numéro distinct? En faisant appel à sept chiffres au lieu de quatre, la Compagnie Bell arrive à former, par combinaison, suffisamment de numéros pour en fournir un à chaque habitant de la zone métropolitaine dans l'État de New York, ou à chaque habitant du Montana.

Dans certains organes clés d'un ordinateur moderne typique, les bits – les symboles électriques – sont maniés par paquets. Tout comme les numéros de téléphone, ces « paquets » ou groupes de bits sont de dimensions normalisées. Les machines IBM, par tradition, traitent l'information par groupes de 32 bits. La NOVA de la Data General, tout comme la plupart des mini-ordinateurs qui suivirent, y compris les Éclipse, manipulaient les bits par groupes de 16 seulement. En théorie, la différence devrait être sans importance, puisque, par définition, n'importe quel ordinateur est virtuellement capable de faire tout ce dont est capable un autre ordinateur. Mais cela n'est vrai qu'en théorie car, pour un même travail, la rapidité d'exécution et la simplicité des gestes que doit effectuer l'utilisateur varient considérablement d'un ordinateur à l'autre : en fait, d'une manière générale, une machine qui manipule les symboles par blocs de 32 bits travaille beaucoup plus vite qu'une machine qui ne les manipule que par 16 bits à la fois, sans compter que, pour les mêmes tâches – d'ordinaire de gros travaux –, elle est beaucoup plus facile à programmer.

En l'occurrence, le nœud du problème était dans le système de stockage des informations de la machine. Là, rangées par paquets de bits, sont engrangées les informations – aussi bien les données dont devra se servir la machine que bon nombre des instructions qui lui indiqueront ce qu'elle doit faire de ces données. Il y a là encore un parallèle possible avec le système téléphonique d'une région. Les numéros de téléphone sont inutilisables si on ne peut les distinguer les uns des autres, tout comme une information stockée par la machine n'est d'aucun intérêt si on ne peut la retrouver facilement. La solution générale adoptée est nettement apparentée, dans le cas de l'ordinateur, avec le système utilisé par les compagnies téléphoniques : chaque compartiment de la mémoire de l'ordinateur possède son « numéro de téléphone » personnel, son symbole propre, connu sous le nom d'adresse. Une machine à 16 bits ne peut combiner que des adresses symboliques de 16 bits, ce qui signifie qu'elle ne peut fournir aux compartiments de stockage de l'information qu'environ 65 000 adresses distinctes. Une vraie machine à 32 bits, quant à elle, peut fournir une adresse propre à quelque 4,3 *milliards* de compartiments.

Une certaine partie de l'actuelle clientèle de la Data General (ainsi que toute une clientèle en puissance) avait besoin – ou aurait besoin dans un avenir proche – du vaste « espace d'adresse » offert par une machine à 32 bits. Et même si le restant de la clientèle n'en éprouvait pas encore la nécessité, l'opinion générale prévalait que les machines à 32 bits allaient finir, tôt ou tard, par devenir la norme du marché. Il fallait donc produire une machine à 32 bits.

Cela, c'était en 1976. Progressivement, par étapes, West était arrivé à la tête du groupe Éclipse. Sa petite équipe et lui-même « sortaient » alors, selon sa propre image, les nouveaux modèles d'Éclipse à une cadence de marteau-pilon. Pendant ce temps, le précédent chef du groupe, entouré d'une nouvelle équipe, trimait sur le projet monumental de cette fameuse machine qui devait résoudre – entre autres problèmes – la question cruciale de l'espace d'adresse disponible. Cette machine phénoménale et encore à naître avait reçu le nom de code de « FHP », abréviation de Fountainhead Project, du nom des locaux où l'équipe travaillant sur le projet avait transporté ses pénates; on l'avait en effet installée dans une suite de la Résidence Fountainhead, un édifice des environs, qui conférait à la cité de Westborough une petite touche de Miami Beach. West et son groupe Éclipse, quant à eux, poursuivaient leurs travaux dans les locaux du siège social, prolongeant et renforçant les succès de la ligne Éclipse. Et les choses auraient pu se perpétuer ainsi, dans le droit fil d'une relative harmonie, si la politique n'était intervenue.

La Data General s'était fait construire de nouveaux bâtiments destinés à la recherche dans un lieu baptisé « Research Triangle Park », en Caroline du Nord, État qui favorisait l'implantation d'industries, notamment en maintenant des taux d'imposition peu élevés. Tout en louant à voix haute le gouvernement de la Caroline du Nord, les porte-parole de la Data s'étaient laissés aller à une critique quelque peu acerbe de ce Massachusetts où l'on avait la main lourde en impôts et taxes de toutes sortes. Edson de Castro en personne s'était joint à ces doléances. L'un des représentants de la société était allé jusqu'à déplorer publiquement que la Data General eût choisi de naître et de s'implanter dans l'État de la Baie. En rapportant ces déclarations, aucun des journaux de Boston ne prit la peine de relever ce simple fait : c'étaient pour une large part les nombreux instituts de technologie et universités du Massachusetts, exempts d'impôts dans cet État, qui avaient fourni le plus gros de la technologie et des hommes sans lesquels, pour commencer, une Data General n'aurait pas même pu voir le jour! Quoi qu'il en fût, l'état-major de la Data General ne se lamentait pas sans raisons. Dans le Massachusetts, comme ailleurs, l'année 1976 se trouvait être une année d'élections, et la compagnie lançait son poids dans la balance afin de s'opposer à plusieurs propositions en suspens, qui auraient eu l'effet détestable d'accroître à la fois les frais d'exploitation de l'entreprise et le taux d'imposition de son personnel le mieux payé.

En définitive, la plupart des causes soutenues par la firme devaient triompher. Sans l'ombre d'un doute, la campagne ainsi menée n'y était pas totalement étrangère. Pourtant l'ouverture du centre de recherches en Caroline

45

du Nord, comme la campagne politique, produisirent quelques effets malencontreux dont pâtirent certains des ingénieurs de la maison.

Pour commencer, la nouvelle fut bientôt lancée que le projet FHP allait être transféré en Caroline du Nord. Une partie de ceux qui avaient travaillé jusque-là sur ce projet grandiose n'avaient absolument aucune envie de faire leurs paquets et de se transplanter là-bas, vers le sud, avec leur famille. Et bon nombre d'entre eux se sentirent alors spoliés. « Il faut les comprendre », devait dire West quelque temps après. « Le FHP, c'était la chose au monde qui leur tenait le plus à cœur, la huitième merveille du monde – et ils travaillaient dessus! C'est comme si on avait promis à ces types soixante-douze heures d'affilée avec la fille de leurs rêves. Et voilà qu'après leur avoir brandi ça sous le nez, on le leur a retiré. Rien d'étonnant s'il y en a qui se sont sentis couillonnés. »

Ensuite, il y eut cette histoire d'article dans la presse. Un beau matin, peu après l'annonce officielle du transfert du projet FHP, des ingénieurs de Westborough, légitimement convaincus d'être de bons ingénieurs, intelligents, efficaces, « pleins d'allant » et d'énergie, eurent la surprise de lire, en ouvrant le *Boston Globe,* un article les concernant. On y lisait entre autres ceci :

Lors d'un entretien avec l'Association des analystes financiers de Boston, Monsieur de Castro a déclaré que sa société, qui se classe au second rang mondial pour la production de mini-ordinateurs, estime infiniment plus facile pour lui de recruter en Caroline du Nord le personnel nécessaire à son nouveau centre de recherches que s'il devait le faire ici. « C'est une région qui semble attirer davantage que celle de Boston », remarque-t-il.

... Outre que le coût de la vie y est de 20 % moindre (en résultat d'une pression fiscale moins forte et de divers coûts moins élevés, du logement aux assurances en passant par la nourriture), Monsieur de Castro souligne que la région du Research Triangle Park présente aussi un « état d'esprit » d'une autre qualité que celui que l'on trouve dans le centre de recherches que la firme conserve par ailleurs à Westborough. « Le degré d'ambition n'est pas comparable... On trouve là-bas de véritables battants, des ingénieurs pleins d'allant, et cet état d'esprit est contagieux. »

46

En se remémorant la suite des événements, West riait tout bas et secouait la tête. « De Castro nous convoqua en bloc, et, à sa manière inimitable, il noya le poisson et nous embobina tous. Il nous dit que les journaux déforment toujours tout, et " vous pensez bien que si c'étaient là des choses que je crois vraiment je n'irais pas les dire tout fort ". Là-dessus, il embraya sur un petit laïus du type " marche vers la victoire " et se retira... Jamais le moral n'avait été aussi bas à Westborough », concluait West.

Les différentes versions de la façon dont la situation fut vécue alors par les ingénieurs laissent à penser que nombreux furent ceux qui conclurent que c'en était fini de l'heureuse époque où Westborough était un endroit où il faisait bon travailler. Bien sûr, remarquait West, ceux qui restaient là pouvaient toujours continuer à construire des NOVA et des Éclipse. « Mais quel plaisir à cela ? » Parmi ceux qui décidèrent de suivre FHP plus au sud, certains se flattaient d'aller là où, désormais, serait le centre de l'action. Et de fait il semblait bien que, dorénavant, tout ce qui se ferait de nouveau et d'important, toutes ces nouvelles machines sur lesquelles, depuis longtemps, bon nombre d'ingénieurs de Westborough brûlaient de travailler, tout cela serait du ressort des équipes de Caroline du Nord.

Ceux des ingénieurs qui avaient choisi de rester sur place plutôt que de suivre le projet FHP se retrouvèrent tous, plus ou moins, sous la houlette de West. Et le chef du projet FHP avait suggéré que ceux-là s'attaquent à la conception d'une petite machine, susceptible néanmoins de résoudre le problème des 32 bits et de l'espace d'adresse, tout en présentant aussi cette autre caractéristique intéressante, la « compatibilité logicielle ».

Ces transfuges du projet FHP étaient bien résolus à produire quelque chose d'élégant. Ils conçurent un ordinateur équipé de ce que l'on appelle un *bit de mode* – une machine, autrement dit, dont on pouvait modifier le nombre de bits. Leur intention était, en substance, de prévoir deux machines en une. L'une serait une bonne vieille Éclipse à 16 bits, tout ce qu'il y a de plus ordinaire; mais sur commande, par un effet de presse-bouton, pour ainsi dire, la machine se transformerait en son alter ego, un modèle grand-sport : un ordinateur à 32 bits, élégant et rapide. West avait la conviction que ceux qui avaient conçu cet engin étaient largement motivés par un désir latent de « faire la peau à la Caroline du Nord » – et sans doute n'avait-il pas tout à fait tort, au moins pour certains. L'équipe qui travaillait sur ces plans avait baptisé cette nouvelle machine EGO. Chacune des lettres du mot EGO est située, dans l'alphabet, juste avant son homologue dans le mot FHP, exactement comme le nom de HAL, cet ordinateur qui devient fou furieux dans *2001, l'Odyssée de l'espace,* est ironiquement tiré des initiales IBM. Ce nom d'EGO, en outre, avait un sens particulièrement éloquent.

L'équipe travaillant sur EGO, qui se trouvait officiellement sous les ordres de West, mais ne rendait en fait, pour l'heure, de comptes à personne, trima ferme sur son projet. Ses membres y travaillaient jour et nuit. Ils y passaient leurs week-ends. Il y avait souvent, entre eux, de violents accrochages. « Ce fut la plus incroyable, la plus exaltante expérience de ma vie », devait dire plus tard l'un d'entre eux. Et leurs travaux progressèrent à une allure stupéfiante. Au bout de deux mois, ils avaient déjà mis au point un joli descriptif de l'engin. C'est alors qu'ils allèrent le soumettre à de Castro.

Aux yeux d'un observateur impartial, il aurait pu paraître évident que la Data General n'allait pas mener de front la réalisation du projet EGO et celle de l'engin de la Caroline du Nord. Les sommes exigées par la mise au point et le lancement de deux machines aussi radicalement différentes étaient bien sûr prohibitives. La Data General, raisonnablement, ne pouvait s'offrir qu'une seule grosse machine nouvelle à la fois, or, quand il s'agissait de ses sous, la Data General était presque toujours raisonnable. Selon West et d'autres témoins, de Castro les avait tous dûment chapitrés sur ce point : il fallait qu'ils cherchent à faire tout à fait autre chose que ceux de la Caroline du Nord, et non à rivaliser avec eux. Ils n'avaient pas suivi ce conseil.

Pour certains de ceux qui avaient travaillé sur EGO, l'épisode qui s'ensuivit fut vécu comme une véritable guerre, et le premier combat ouvert, parce qu'il eut lieu dans une auberge de la chaîne Howard Johnson, est connu dans les annales comme « la grande fusillade de chez

48

Hojo ». Carl Alsing, qui vécut cet épisode non en tant que participant, mais en spectateur captivé, l'évoque volontiers en ces termes : « Pour moi, cette guerre d'EGO, c'est comme une fresque épique à la plume; on y voit des ingénieurs, écumant de rage, y échanger en hurlant des injures gratinées. »

Quel était le meilleur processeur? Lequel méritait-il de recevoir l'appui et les fonds de la société? Tels étaient les enjeux de cette lutte intestine.

Des combats de cette sorte ont souvent lieu, dit-on, dans les entreprises de ce genre. Mais là le gagnant avait été désigné par avance. Quand il s'agissait de comparer les talents respectifs des ingénieurs de la maison, chacun s'accordait certes à reconnaître que l'équipe EGO en comptait certains parmi les plus doués, mais le chef de file de la Nord Caroline était quasi unanimement reconnu pour une étoile de première grandeur, la seconde vedette de l'entreprise après de Castro. De plus, en créant son centre de recherches en Caroline du Nord, la société avait effectué une importante mise de fonds, et la Data General est une compagnie qui aime bien voir ses investissements lui rapporter quelque chose sans retard inopportun. « Le groupe EGO, c'était cinq personnes; sur FHP, ils étaient cinquante. On ne peut pas éliminer un groupe de cinquante personnes. La Data General n'allait pas décemment expédier FHP en Caroline du Nord et aussitôt après faire EGO, c'est évident », devait observer West. Mais c'était après le dénouement. Sur le coup, il défendit vaillamment EGO. Lors d'une réunion en présence de de Castro, les deux parties en présence firent trafic de promesses. Westborough pouvait mener à bien son EGO en un an. Ah bon? Eh bien, alors, la Caroline du Nord réaliserait une version du FHP en un an. West revoyait la scène. « De Castro a jeté sur nous un regard circulaire, et il a dit : " C'est un dilemme. " De sa part, c'était une parole historique, c'est un mot qu'il ne prononce rigoureusement jamais. Alors j'ai dit : " Ça va, on a compris, on arrête le projet EGO ", et de Castro est sorti de la pièce. »

West se dit alors que son équipe n'avait pas perdu, pas vraiment; elle avait seulement fait retraite devant un combat où elle ne pouvait vaincre. Et en songeant aux promesses lancées par leurs adversaires de la Caroline du

Nord, il devait expliquer, plus tard : « Ils s'étaient engagés à l'impossible. Nous, nous n'étions engagés à rien. Finalement, à ce moment-là, nous nous retrouvions dans une position qui n'était pas si mauvaise... » Mais ceux qui avaient conçu EGO prirent la chose beaucoup plus mal.

Rosemarie Seale, la secrétaire du groupe Éclipse, devait se souvenir, plus tard, d'avoir suivi ces démêlés à quelque distance. « Le monde des ingénieurs est un monde d'hommes », observait-elle. « Je ne sais pas au juste combien il entre là-dedans d'instinct de défense du territoire, mais ce qui est sûr, c'est qu'ils se battent pour cette part du gâteau. Il y en a qui ne voudront jamais le reconnaître, mais c'est la même chose pour tous. » En tout cas, elle fut désolée de l'échec de ses troupes. Elle avait tout fait pour que le dossier EGO fût dactylographié avec soin et présenté de manière impeccable. « Ils tenaient à soumettre à de Castro quelque chose d'irréprochable. » Elle leur avait même souhaité bonne chance quand ils s'étaient mis en route pour l'étage, leur dossier sous le bras. Puis elle les avait vus revenir, la mine défaite, du fond du couloir. « Du plus loin que je les ai vus, j'ai compris. Ils étaient littéralement abattus. C'était la catastrophe, la vraie catastrophe. Ed de Castro ne voulait pas de leur projet. »

Certains des ingénieurs entrèrent alors dans ce que West appela « la première grande déprime ». Certains quittèrent la maison. D'autres prirent incontinent leurs vacances. D'autres encore passèrent la quinzaine qui suivit à faire d'interminables parties de ce jeu électronique intitulé « Adventure », dans lequel il s'agit de cheminer, par ordinateur interposé, dans un univers souterrain, étrange et terrifiant, suivant de redoutables labyrinthes, à la recherche d'un trésor que gardent et parfois reprennent divers dragons, gnomes et trolls, sans oublier un pirate aux éclats de rire de rapace : har! har! har!

La période qui suivit l'enterrement d'EGO fut marquée, d'après les témoins, par la forte propension de West à prononcer des discours. « Des discours qui soufflaient le chaud et le froid », disait un ingénieur des homélies de West. Il disait à son groupe qu'à partir de maintenant il ne fallait plus qu'ils comptent faire de la recherche proprement dite; leur travail, dorénavant, ce serait 1 % de recherche contre 99 % de bête développement. Tout ce qu'ils feraient, ce serait de produire des Éclipse à la chaîne et ajouter des zéros derrière le chiffre des recettes et puis c'était tout et c'était comme ça et il fallait s'y faire; et s'ils tenaient absolument à construire des machines « sexy », susceptibles de plaire aux « inconditionnels de la technologie », alors il valait mieux qu'ils aillent chercher ailleurs. Après quoi, changeant de ton, il leur disait que même s'ils n'avaient pas, officiellement, leur permis de construire pour une machine à 32 bits, rien ne les empêchait pour autant de s'amuser un peu et de relever le gant : ils allaient imaginer un mini à 16 bits deux fois plus rapide, si ce n'est quatre, que tous les minis de la création. Ce projet reçut le nom de Victor, l'Éclipse Totale. « Victor était un canular », devait reconnaître West, plus tard. Mais il avait eu le mérite de procurer à ses hommes un dérivatif.

Les beaux rêves d'EGO furent longs à mourir. Plusieurs ingénieurs spécialisés dans le logiciel avaient été, selon West, profondément découragés eux aussi de voir le projet EGO rejeté; ils se retrouvaient dans la triste perspective de n'avoir plus jamais à créer de système logiciel pour aucune machine de quelque envergure. Ils avaient aimé EGO. Ainsi soutenus, les créateurs d'EGO reprenant espoir convainquirent West de tout tenter encore une fois pour une éventuelle renaissance du projet. D'un entretien avec le vice-président de l'ingénierie, West retira l'impression que peut-être, cette fois, EGO avait une petite chance d'obtenir l'approbation de de Castro. Hélas, il n'en fut rien. West n'oublierait pas les paroles du grand chef, ce jour-là. « Il me dit en substance : " Faites tout ce que vous voudrez pour accroître les possibilités des Éclipse en matière d'espace d'adresses, mais n'utilisez pas de bit de mode. " » West délivra une fois de plus quelques-uns de ses discours en chaud-froid. La seconde vague de grande déprime venait de déferler sur leur sous-sol. En privé, West s'avouait furieux.

« Pas de bit de mode. » Pour lui, c'était comme si de Castro demandait au groupe Éclipse de travailler d'une seule main. Sa colère, pourtant, retomba vite, et il se mit à raisonner. « De Castro a toujours été très vague, se dit-il, mais d'ordinaire il ne parle pas pour ne rien dire. Ce qu'il faut trouver, c'est ce qu'il reproche à ces fameux bits de mode ».

Et West fit sa petite enquête. Pour en conclure que les bits de mode, quand on commence à les utiliser, ont une fâcheuse tendance à proliférer dans toute la ligne de produits d'une firme, avec pour résultat un alourdissement sans contrepartie des coûts correspondants. Et c'est ainsi qu'on se fait coincer bêtement... Fort bien, mais de Castro n'avait mentionné que ce qu'il ne voulait pas qu'ils fissent. Que voulait-il au juste leur voir faire?

Quand le projet FHP était parti vers le sud, il avait été question, de-ci, de-là, dans la conversation, d' « Éclipse à 32 bits ». Or, quelque temps auparavant, un cadre du département des Ventes avait demandé à des hommes du groupe Éclipse s'il ne leur serait pas possible, par hasard, de bricoler deux ou trois choses dans un de leurs engins, pour lui procurer l'espace d'adresses, combien plus généreux, d'une machine à 32 bits. Cette suggestion, à l'époque, ils l'avaient aussitôt balayée; comme si les choses étaient si simples! Et voilà qu'à présent, pourtant, West avait quasiment pris pension dans le bureau de ce cadre commercial. Il voulait savoir au juste ce que désiraient les clients. Le VAX venait alors de faire sa sortie sur le marché – sortie comme il se doit très remarquée – et ses ventes avaient démarré bon train. D'autres fabricants de mini-ordinateurs venaient à leur tour de lancer leurs poulains dans le grand sweepstake des superminis. Et une bonne partie de la clientèle attitrée de la Data General exprimait déjà son désir de posséder une machine de ce type; mais il était évident qu'elle exigerait aussi, de cet engin, cette forme de parenté avec ses ascendants que l'on nomme compatibilité logicielle.

Les anciens véhicules automobiles, ceux qui ne démarraient qu'à la manivelle, exigeaient de leur chauffeur toute une série de réglages touchant de près ou de loin à leur moteur; de nos jours, bien sûr, il suffit de tourner une clé, et c'est tout un ensemble de dispositifs, électriques et mécaniques, qui prend le relais et s'occupe du reste. Dans un ordinateur moderne, ce que l'on appelle le logiciel s'est développé jusqu'à prendre en charge, lui aussi, ce rôle d'intermédiaire. A un bout, vous avez l'utilisateur final qui désire, mettons, faire faire à sa machine une longue division, en se contentant de lui fournir deux nombres et l'ordre de les diviser. A l'autre bout, vous avez l'ordinateur lui-même, qui a tout de la brute en dépit de sa complexité. Il ne sait effectuer que quelques centaines d'opérations élémentaires, et il se peut que la longue division ne figure pas parmi ses spécialités. Il va donc falloir lui fournir les instructions nécessaires à l'exécution d'une suite de ses opérations de base si l'on veut lui faire effectuer cette longue division. Le logiciel – soit une série de ce que l'on nomme programmes – a pour rôle de traduire le souhait de l'utilisateur en une série d'instructions spécifiques, intelligibles à la machine.

Il existe deux types essentiels de programmes. Dans le premier se classent les programmes que l'utilisateur écrit lui-même – ou qu'il fait écrire par quelqu'un de plus compétent. A première vue, ces programmes d'utilisateur semblent consister à dire à la machine tout ce qu'elle doit faire, étape par étape, et un programme relativement simple – celui qui permet, par exemple, de calculer la paye dans une entreprise – peut paraître épouvantablement long, rébarbatif et compliqué. Et pourtant, tout cela n'est rien, comparé à la longueur et à la complexité que devrait revêtir ce programme s'il lui fallait se faire comprendre directement de la machine. Par bonheur, de nos jours, c'est une série d'autres programmes, stockés dans l'ordinateur, qui fragmentent les instructions (comme celle de diviser, par exemple) en instructions plus élémentaires, auxquelles la machine est équipée pour obéir. Ces programmes intermédiaires, qui ont pour rôle de traduire pour la machine les programmes d'utilisateur, sont désignés collectivement sous le nom de logiciel de base. C'est d'ordinaire au fabricant qu'il revient de créer ce logiciel de base et le client l'achète avec sa nouvelle machine.

Vers le milieu des années soixante, une tendance apparut, qui devait d'ailleurs se confirmer amplement par la suite : alors que le coût de fabrication du matériel informatique s'abaissait rapidement, la création de logiciel, par contre, devenait de plus en plus coûteuse, tant au niveau des programmes d'utilisateur qu'à celui du logiciel de base. C'est alors qu'IBM, par un grand coup d'audace, trouva le moyen de tirer profit de cette tendance. La firme lança en effet, juste à cette époque et d'un seul coup, une famille entière d'ordinateurs tout nouveaux : la fameuse ligne 360. Et jamais encore, dans le commerce des ordinateurs, aucun événement n'avait revêtu pareille importance, si l'on excepte l'invention du transistor; car les machines de la famille 360 étaient toutes dotées, solidairement, de cette compatibilité logicielle.

IBM avait dû dépenser une authentique fortune et pas mal de nuits blanches à créer le logiciel de base équipant sa ligne 360. Mais toutes les machines de la famille utilisaient ce même logiciel. Si bien qu'IBM n'avait eu qu'à produire ce dernier une bonne fois pour toutes, et pouvait par conséquent amortir les sommes investies sur les milliers de machines vendues. Qui plus est, tout programme d'utilisateur fonctionnant sur l'une des machines de la famille pouvait fonctionner à fortiori sur toutes. Or les utilisateurs tiennent volontiers à leurs programmes et à leur logiciel de base. Le logiciel coûte cher. Il faut souvent un certain temps pour se faire à lui et le rendre opérationnel. Un logiciel qui fonctionne correctement est quelque chose de précieux. Les utilisateurs répugnent à s'en défaire. Et il est évident que ces hésitations, cette résistance au changement ne font pas l'affaire des fabricants. Comment porter le client à faire l'acquisition de machines plus grosses et plus performantes? La compatibilité logicielle absolue incitait le client à accomplir sans douleur ce qu'IBM souhaitait lui voir faire – acquérir plusieurs machines de la ligne 360. Le client pouvait commencer par s'acheter un petit modèle, et passer ensuite à un plus grand, ou l'inverse, sans avoir à modifier tout son logiciel. Cette merveilleuse trouvaille renforçait encore l'emprise d'IBM sur ses clients – une emprise pourtant déjà forte. Cette fois, il devenait peu probable de les voir se tourner vers la concurrence, quand cela voudrait dire, pour eux, des dépenses supplémentaires et des soucis côté logiciel.

D'autres fabricants ne tardèrent pas à s'inspirer de la stratégie d'IBM, avec quelques variantes. La Data General elle-même s'était efforcée de rendre toutes ses NOVA compatibles entre elles, et de même pour les Éclipse. De plus, les concepteurs des Éclipse avaient prévu pour ces dernières une certaine compatibilité avec les NOVA, mais à sens unique, « vers le haut » : c'est-à-dire que les programmes écrits pour les NOVA pouvaient être réutilisés sur les machines Éclipse, l'inverse n'étant pas vrai. Cette sorte de compatibilité était un outil commercial fort utile, puisqu'il permettait aux clients de passer des NOVA aux Éclipse avec une relative facilité : ils n'en jetaient pas aux orties pour autant tout leur ancien logiciel.

La compatibilité logicielle est une merveilleuse invention. Tel fut l'essentiel de la leçon que West retira de ses longs entretiens avec son ami du département Marketing. Il n'était plus question de créer une machine dépourvue de cette caractéristique, sauf cas de force majeure. Sans quoi vos fidèles clients, considérant que de toute façon il leur faudrait passer par la dépense et le tracas d'un nouveau logiciel, risquaient fort d'aller voir ailleurs ce que proposait la concurrence; ils se livreraient à ce « tour des fabricants » si redouté. Quant à la clientèle en puissance, si la nouvelle machine n'était compatible avec rien, il ne fallait guère espérer la convertir. Telles furent, en substance, les conclusions que West tira de son enquête. Il commençait à trouver l'affaire prodigieusement intéressante... Le VAX de la DEC ne présentait, quant à lui, qu'une compatibilité dite culturelle avec la ligne de machines qui l'avaient précédé. La Data General allait mettre au point une machine à 32 bits qui serait totalement compatible avec les Éclipse. D'un strict point de vue commercial, quel coup de maître ce serait!

Les choses se mirent ensuite en branle si rondement, et de manière si peu formelle, que l'on ne devait plus pouvoir, par la suite, dire au juste de quel côté vinrent les premières solutions techniques aux mille et un problèmes soulevés par le projet de création d'une machine Éclipse à 32 bits. Une chose est sûre : ce fut West qui les réunit. Et peu après il se lança dans une intense campagne de relations publiques (intra muros), une croisade qui ne devait pas se terminer de sitôt.

Carl Alsing fut en ce combat un compagnon de la première heure. Entre autres hauts faits, ce fut Alsing qui trouva un nom de code digne de la future machine : Eagle. La plupart du temps, cependant, il jouait plutôt un rôle d'observateur. Alsing, par tempérament, avait le goût de suivre attentivement le cours des choses – en amateur de cinéma. De tous les membres du groupe Éclipse, il était celui qui faisait équipe avec West depuis le plus longtemps.

D'un côté, il lui semblait bien le connaître, et de l'autre, au fond, pas du tout. Mais West lançant le projet Eagle était, pour Alsing, un spectacle à ne pas manquer. Telle cette réunion, par exemple, où West convia les vice-présidents de l'ingénierie et du logiciel. West y avait invité Alsing. D'après ce que crut y comprendre Alsing, West avait apporté là deux projets, qu'il soumit aux vice-présidents : pour l'un, la cause était perdue d'avance; et l'autre, c'était Eagle. « West est en train de les amener à choisir Eagle », se dit Alsing en riant sous cape.

« West n'est jamais pris au dépourvu, quel que soit le type de réunion. Il ne parle pas vite, il n'élève pas la voix. On sent émaner de lui, non pas vraiment de l'enthousiasme, mais cette sorte de conviction profonde d'un type qui serait dans la tempête et qui montrerait aux autres comment se tirer d'affaire. C'est comme s'il disait : " Là, regardez! C'est par là qu'on s'en sortira. " Et après, une fois qu'il a amené les vice-présidents à dire que ça n'a pas l'air mal du tout, comme projet, le voilà qui s'en va trouver des gars du Logiciel et aussi des hommes à lui, et qui leur dit : " Tenez, les grands chefs ont dit d'accord pour ceci. Et vous? Seriez-vous d'accord pour y faire votre part de boulot? " Il circule partout et il contacte les gens un par un, il se débrouille pour les enthousiasmer. D'abord, ils répondent à peu près tous : " Bof, je vois ça d'ici : on va tout simplement rajouter une poche de côté à notre pauvre Éclipse. " Mais Tom leur donne de son petit sourire et il leur dit : " Oh non, on va faire bien mieux, on va fabriquer une machine du tonnerre, et qui pétera le feu, pouvez me croire. " Là-dessus, il ajoute : " Et on l'aura expédiée d'ici avril prochain. " Avril prochain, c'est dans moins d'un an, mais ça n'a pas d'importance. Ce que veut leur dire Tom, au fond, c'est bien simple : " Dites, les gars, vous allez continuer longtemps à vous lamenter sur votre sort sans remuer le petit doigt pour vous en sortir? " C'est un défi qu'il leur lance... N'empêche que c'est comme ça qu'il a mis fin à toutes nos pleurnicheries sur la prétendue mort de Westborough. »

Après un silence, Alsing ajoutait encore : « West nous a tirés de notre déprime pour nous rendre le goût simple du bon boulot. Il a remis de la vie, du mouvement dans le travail d'un tas de types. Du moins, moi, c'est comme ça que je vois les choses. »

Mais tous ceux qui avaient affaire avec le groupe Éclipse n'étaient pas emballés, à priori, par la formule qui leur semblait devoir être adoptée pour cette future machine. A leur avis, ce ne serait jamais qu'une resucée peaufinée de l'Éclipse, tout comme l'Éclipse n'était jamais qu'une resucée de la NOVA. « Une verrue sur la verrue d'une verrue », commentait un ingénieur. « On se contente d'ajouter à l'Éclipse une poche sur le côté. » Certains allèrent jusqu'à dire que ce ne serait tout bêtement qu'un *kludge,* et c'était là un trait féroce : ce mot de *kludge* est probablement l'insulte la plus cuisante qu'un informaticien puisse adresser à une machine; c'est un terme qui évoque un bricolage innommable, un engin fait de bric et de broc, hérissé de fils dans tous les sens et généreusement bardé de chatterton.

Si bien que d'aucuns lâchèrent le projet d'entrée de jeu. Pour ceux qui restèrent fidèles au poste comme pour les nouvelles recrues, West entonna divers chants de sirène, modulés de manière propre à raffermir leur résolution. Ce serait pour eux une belle occasion de « sortir une machine portant leur signature ». Le jour où Alsing avait eu l'idée du nom de code Eagle, West avait jubilé – parce qu'il avait noté tout de suite qu'il était impossible de prononcer Eagle sans qu'on entende pratiquement EGO. Ce n'était pas que la chose lui tînt tellement à cœur, pour sa part; il ne nourrissait nul désir de vengeance à l'égard de ceux de la Caroline du Nord. Mais il en connaissait qui ressentaient les choses autrement... Il répétait encore à l'envi que les fous de technologie y seraient aussi à leur affaire. D'accord, Eagle ne serait pas, comme on dit, une page blanche; mais il y restait encore du blanc dans les coins, où exercer son imagination. Peut-être qu'à première vue le projet vous avait un petit air de Volkswagen du type coccinelle, mais songez un peu à tout ce qu'on pouvait mettre sous le capot! Non, ce ne serait pas une simple variation sur l'unité centrale de l'Éclipse, ce serait une machine radicalement nouvelle, ultra-rapide, et qui se trouverait être, simplement, compatible avec les Éclipse. N'oublions pas : le résultat ne serait pas mal non plus du côté des tiroirs-caisses, pas mal du tout. Enfin il allait falloir boucler l'opération en un temps record, parce que, cette machine, la compagnie en avait bougrement besoin.

Et quand sonnerait l'heure du succès, tous seraient sacrés héros.

Qui aurait quitté le groupe Éclipse juste après l'échec d'EGO, alors que chacun rongeait son frein dans son coin de sous-sol, aurait eu peu de chances, repassant là un an plus tard, de reconnaître l'endroit. Ce secteur du bâtiment offrait en effet désormais tantôt l'animation fébrile d'un train de banlieue, tantôt le silence religieux d'une bibliothèque d'université à la veille des examens – de jeunes visages penchés sur d'épais dossiers ou scrutant anxieusement des écrans. Au fil de la conversation, quand conversation il y avait, certains mots et locutions semblaient revenir fréquemment : il y avait d'abord le *canard* [1], qui désignait n'importe quel bobard ou information farfelue, d'ordinaire en provenance d'un autre groupe ou d'une autre firme; il y était également souvent question de faire les choses de manière à provoquer « le moins de remous possible », d'exécuter une tâche quelconque « à la six-quatre-deux » ou d'accomplir au contraire « du boulot propre ». Les « principes de base » étaient à la source de toute pensée qui se respecte, et les déclarations de poids se devaient de commencer par l'adverbe « fondamentalement... », cependant que la tournure « pour en rester sur un plan réaliste » laissait présager quelque envolée de l'imagination. On entendait parler de combats, de tir et de fusillade, de tueurs à gages et de types pratiquant le tir à la hanche. La timbale semblait être l'enjeu de ces pratiques sportives, et la grosse timbale pouvait être obtenue en maximisant les chances de décrocher la première. D'après ce seul vocabulaire, il était facile de deviner que West était passé par là, et que ces conjurés mijotaient quelque chose.

Pour Rosemarie Seale, la secrétaire principale du groupe, tant d'excitation dans l'air en devenait presque palpable. Et si quelqu'un avait pris au sérieux les exhortations de West, c'était bien elle. Elle avait pris la résolution de faire tout son possible pour éviter à ses jeunes poulains de perdre du temps dans des besognes bassement

---

1. En français dans le texte. Au XVIIIᵉ siècle (surtout), un canard était un bobard lancé dans la presse – l'ancêtre de notre... canular. (*N.d.l.T.*)

matérielles administratives ou autres, qui risquaient de les détourner de leur mission capitale. Sa force d'âme ne devait jamais fléchir, même s'il lui arrivait parfois de se demander pourquoi diable, si ce projet était vraiment à ce point crucial pour l'entreprise, nulle part ailleurs dans le bâtiment on ne semblait réellement l'admettre. Pourquoi, par exemple, se mettait-on en tête de réorganiser la distribution du courrier, au beau milieu de l'avancée du projet, au risque de retarder quelque message vital? Pour ne pas risquer une petite catastrophe de ce genre, elle prit la peine, des semaines durant, d'aller chaque jour à la réception du courrier et de le trier elle-même. Dans le même ordre d'idée, fallait-il absolument faire venir les menuisiers juste au moment où le projet Eagle traversait une phase délicate, et leur faire redistribuer de fond en comble l'espace de travail du groupe Eclipse?

La réponse, ou du moins l'une des réponses possibles, était que West avait deux façons de parler du projet Eagle. La première le faisait valoir comme une entreprise décisive et grandiose; la seconde n'en faisait qu'un travail de routine. West devait s'en expliquer plus tard : « Il ne faut pas confondre. Vis-à-vis de ceux qui travaillaient dessus, il fallait faire mousser le projet; devant le restant de la boîte, il y avait plutôt intérêt à mettre la sourdine et à minimiser les choses. J'essayais surtout d'endormir les soupçons sur une possible concurrence entre notre produit et ce qui se faisait en Caroline du Nord. Il fallait que je rassure, que je donne l'impression qu'il n'y avait pas de quoi fouetter un chat. Tout juste, au contraire, une roue de secours – notre projet serait là, si d'aventure quelque chose clochait du côté de la Caroline. Ce ne serait pas autre chose qu'une simple machine du type Éclipse, un peu rapide, c'est tout. Je ne pouvais vraiment pas faire autrement si je voulais que le projet survive. Il nous fallait obtenir les fonds, régulièrement, mais sans faire de vagues et sans tapage. Si vous croyez que c'est facile d'obtenir une aide extérieure, quand la marge de manœuvre est si étroite... »

Lancé sur le sujet, West poursuivait : « En fait, qu'on le fasse ou qu'on ne le fasse pas, ce projet, la compagnie s'en moquait. De Castro se croyait à couvert côté recherches, grâce à la Caroline du Nord. Alors que si quelqu'un vient vous voir et qu'il vous dit " Voilà, je veux faire ça ", vous vous trouvez amené à dire oui ou non, ce n'est pas du tout la même chose. Mais justement, il y avait toute une brochette d'ingénieurs de valeur qui s'apprêtaient à quitter la maison, parce qu'on leur avait déjà dit non trop souvent, c'est encore autre chose. Moi, tout ce que je suis allé dire à de Castro, c'est : " On fera ça en un an. " Il a dû répondre quelque chose comme " Okay ". Mais il était bien évident que nous devions tenir ce délai si nous voulions avoir une chance. »

Des années auparavant, selon la légende maison, le mentor de West, son prédécesseur à la tête du groupe Éclipse, avait soutenu qu'il pouvait construire une NOVA sur une seule plaque de circuit imprimé. S'étant entendu répondre qu'il souffrait de la folie des grandeurs, il s'était néanmoins attelé à la tâche, sur la table de sa cuisine, et c'était ainsi qu'il avait conçu la plus réussie des NOVA, celle qui s'était le mieux vendue. Avant lui, les fondateurs mêmes de la firme, de Castro et ses deux partenaires, avaient rompu avec la société qui les employait pour construire une machine de leur cru... West quant à lui n'eut pas recours à de telles extrémités. Il avait apparemment tout l'appui du vice-président de l'ingénierie, Carl Carman. On lui accordait les crédits nécessaires à l'embauche de nouvelles recrues. Il tenait de de Castro l'autorisation implicite de donner une chance à Eagle. Pourtant, alors même que le projet était déjà lancé, il émettait encore des remarques du genre : « Un bout de papier sur cette machine? de Castro ne m'en prendra pas un », ou encore : « Il y a une foule de gens ici qui font comme si ce projet n'existait pas. » D'autres membres du groupe avouaient ressentir la même contradiction : ils étaient en train de construire une machine essentielle à l'avenir de l'entreprise, et pourtant ils le faisaient absolument comme s'ils étaient seuls. « J'ai l'impression que nous faisons Eagle *malgré* la Data General », notait lui aussi l'un des vétérans du groupe. Cette situation bizarre était née des circonstances. Mais née aussi de l'attitude de West. Délibérément, avec une subtile habileté, il avait isolé son équipe du restant de la maison.

« Le projet sur lequel nous travaillons, concluait-il, je savais que nous arriverions à l'arracher. »

3. ON RECRUTE

Le sous-sol du bâtiment 14 A/B était totalement enterré côté façade, mais s'ouvrait de plain-pied sur l'extérieur par l'arrière. C'était en ces lieux souterrains que s'élaboraient, ainsi qu'en divers autres points de l'empire grandissant de la Data General, des machines dont certaines seulement verraient le jour, et qui passaient là du stade de simples plans à celui de prototypes, en passant par diverses phases allant du schéma aux multiples mises au point. C'est dans cet antre que Tom West me conduisit un soir, jouant les guides au long d'un dédale de couloirs. Au passage, je m'efforçais de prendre de menus repères pour être capable de retrouver mon chemin : ici une machine à copier, là un panneau d'affichage, bardé de nouvelles intérieures – l'annonce de quelque nouvelle unité de disques fabriquée par la maison côtoyant avis et calendriers divers. Au fil des corridors, on passait parfois devant quelque porte mystérieuse, hermétiquement close, portant en gros caractères :

ACCÈS STRICTEMENT RÉSERVÉ.

Puis soudain le couloir s'élargissait, se transformait en un large espace éclairé de tubes fluorescents, et découpé en petites cellules sans portes. Les cloisons (métalliques, recouvertes pour certaines d'un revêtement crème) ne s'élevaient pas jusqu'au plafond, mais s'arrêtaient à un mètre soixante-cinq environ du sol. On pouvait sans difficulté jeter un coup d'œil par-dessus, elles ne garantissaient pas la moindre intimité. La plupart de ces cellules étaient ce soir-là désertes, mais chacune, manifestement, semblait destinée à un unique occupant. Presque toutes contenaient un bureau, doté d'un terminal d'ordinateur, ainsi qu'une petite étagère à livres. Certaines hébergeaient aussi une table à dessin, et bon nombre d'entre elles une ou deux plantes d'appartement. Des quantités de ces plantes vertes, se haussant du col, passaient la tête par-dessus les cloisons. « La grande façon de s'affirmer », commenta West en désignant du geste cette frondaison, avec son petit sourire en coin qui lui plissait une joue.

Toute l'installation avait un petit air provisoire, ce qu'elle était d'ailleurs bel et bien. Comme me l'expliqua plus tard un chargé de relations publiques de la maison, le gros avantage de ces cellules ouvertes, juxtaposées comme en un labyrinthe, était de permettre une plus forte densité de personnel au mètre carré que ne l'auraient permis de vrais bureaux clos par des portes. De plus, les cloisons mobiles laissaient aux dirigeants toute possibilité de réviser au besoin cette distribution économe de la surface, sans pour autant se voir acculés à des dépenses excessives – quitte à construire des bureaux classiques s'il se révélait, décidément, que certaines tâches gagnaient à être effectuées derrière des portes closes. Le bruit courait que le directeur de la fabrication était capable de transformer Westborough en usine du jour au lendemain, et peut-être cette boutade contenait-elle un fond de vérité. Le précédent siège social, au regard duquel celui-ci faisait nettement rupin, avait effectivement été reconverti en usine.

Westborough semblait prévu pour permettre le changement à vue. Sans se départir de son petit sourire de biais, West suggérait là-dessus quelques remarques de son cru. « On peut tout modifier, ici, tout chambarder complètement. C'est même ce qui assure le niveau fondamental d'insécurité... De par son essence même, ce lieu est un parc à bestiaux... Ce qui se passe ici n'appartient pas au monde réel.

– Ah bon, comment ça?

– Mmmmmmmmmmmmmmmh. Le langage n'est pas le même. »

En quoi il n'avait pas tout à fait tort, et le recours à un petit dictionnaire technique, tel le guide Penguin de l'informatique, était parfois vivement recommandé.

L'abréviation ECO [1], par exemple (dont toutes les lettres se prononçaient), signifiait « engineering change order » – autrement dit, ordre de modification technique. D'où la phrase suivante, énigmatique pour les non-initiés : « J'ai un copain qui a dit à sa petite amie qu'un ECO dans leurs relations était devenu indispensable. » On ne disait pas « vide ton sac » pour inviter un copain à donner le fond de sa pensée, mais plutôt : « Allez, décharge un peu tes petits tores », parce qu'au temps où les ordinateurs stockaient l'information dans des mémoires à tores il arrivait aux ingénieurs, en cas de problèmes de fonctionnement, de décharger de leur contenu les compartiments-mémoire de leurs machines. On appelle pile, précisément, l'un de ces compartiments-mémoire spécialisés, sorte de petit boîtier à l'intérieur de l'ordinateur; il accumule l'information dans l'ordre où elle lui est fournie et, quand il est saturé, on dit qu'il déborde. Si bien qu'on entendait parfois dire, dans le sous-sol de Westborough : « J'ai un débordement de pile. » « Ce type-là, sa cervelle ne doit pas faire plus de boulot qu'une pile », remarque un ingénieur, pour décrire les défaillances d'un collègue. Et il tente de s'expliquer plus clairement : « Ce que je veux dire, voilà : ce n'est pas que là-dedans, ça ne fonctionne pas; mais quand il faut que ça sorte, ça part dans toutes les directions. » En d'autres termes, le malheureux est certes capable de recevoir et d'assimiler l'information, mais il est incapable de la restituer dans un ordre utile.

Le sous-sol, apparemment, n'était jamais désert. Même aux petites heures du matin, il y avait d'ordinaire toujours au moins quelqu'un au travail dans sa cellule, seul sur son îlot de lumière. De jour, c'était bondé. Je pus voir tout ce monde-là rassemblé, un jour, dehors, sur le parking, à l'occasion d'un exercice d'alerte au feu. Je ne dénombrai que deux ou trois visages noirs, mais il y avait par contre un certain nombre de femmes, dont beaucoup portaient la jupe, et que je supposais être surtout des secrétaires, sachant que dans la branche les femmes ingénieurs ne sont pas légion. Les hommes étaient en force. La plupart semblaient avoir entre vingt et trente ans. Peu d'entre eux

1. En informatique française, l'ECO est souvent un OC (Ordre de Correction). (*N.d.l.T.*)

63

portaient veston et cravate; les autres avaient plutôt une tenue sport, simple et soignée dans l'ensemble. Un autre jour, dans le sous-sol, j'avais rencontré un informaticien à la tignasse non seulement longue, mais hirsute, et habillé de surplus de l'armée. Il traînait le pas le long du couloir, un gobelet de métal à la main. Son allure générale était suffisamment insolite en ces lieux pour qu'un des équipiers de West prît la peine de le désigner à mon regard.

West m'introduisit dans le quartier général du groupe Éclipse. Celui-ci se distinguait fort peu des autres, excepté la nuit peut-être, tout au long du projet Eagle, durant lequel, en général, plus de lampes restaient éclairées dans les cellules que nulle part ailleurs dans le sous-sol. La possession d'un bureau doté d'une porte indiquait d'un ingénieur qu'il jouissait d'un certain rang dans la hiérarchie. West faisait partie de ces heureux. Son bureau était minuscule et dépourvu de fenêtre. Un épais tuyau capitonné ainsi qu'une poutrelle d'acier y faisaient intrusion le long d'un mur de parpaings. Il y avait là quelques chaises de métal peint en gris, une bibliothèque, une ou deux petites tables ainsi qu'un bureau, tous du même métal peint en gris, et dont la surface était parfaitement nue à l'exception d'une pile de papiers soigneusement superposés au carré. Un tableau blanc Magic Marker, agrémenté pour l'heure de quelque schéma cabalistique, pendait à l'un des murs. Pour toute fantaisie la pièce possédait une horloge ancienne dans un très beau caisson de chêne et, sur le mur auquel West tournait le dos, un tableau représentant un quatre-mâts. Un autre mur, à côté de son bureau, s'ornait de diverses photos d'ordinateurs.

Les médecins suspendent volontiers leurs diplômes dans leur salle d'attente. Les pêcheurs font parfois naturaliser pour la postérité les plus belles de leurs prises. Dans le sous-sol de Westborough, on exhibait fièrement des photos de machines.

Quand des ingénieurs venaient de mener à bien un projet, qu'un satisfecit venait de l'étage des dirigeants de la maison, et que les divers tacticiens commerciaux s'apprêtaient à annoncer la naissance de la merveille à un monde toujours avide d'acquérir du matériel dernier cri, alors le département des Ventes avait coutume d'offrir, à chacun de ceux qui avaient apporté une contribution décisive à l'opération, un portrait encadré de la nouvelle machine. Plusieurs de ces photographies officielles ornaient donc les murs de West. Il lui arrivait souvent de dire : « Ici, la règle du jeu, c'est de *sortir* une machine avec votre nom dessus. » L'un de ces portraits, dans son bureau, représentait le premier modèle de la gamme Éclipse et, comme pour confirmer ses dires, une liste de huit noms était bel et bien imprimée sur la machine. West figurait parmi ceux-ci, de même que Carl Alsing. Lequel avait d'ailleurs, dans sa cellule, exactement la même image.

Ce portrait de la première Éclipse, on le retrouvait encore, sur un rebord de fenêtre, dans un autre bureau, chez un autre constructeur d'ordinateurs. Cet exemplaire-là appartenait à un ingénieur qui avait travaillé pour la Data General au temps de la création de cette machine. Ce n'était jamais, au fond, que la photo statique d'une carrosserie inerte de plastique, et pourtant l'ancien de la Data la contemplait avec un sourire rêveur. « Pour ça, on peut dire qu'on ne s'ennuyait pas, là-bas. On était sous pression en permanence. Il y avait un formidable esprit d'équipe, quand on travaillait sur Éclipse. Nous y étions pratiquement vingt-quatre heures sur vingt-quatre à mettre au point ce prototype, à souffler dessus comme des phoques, histoire de lui insuffler la vie.

« West fit par lui-même une part impressionnante du travail de mise au point. A mon avis, c'est un excellent ingénieur. Je crois que Tom est particulièrement remarquable quand il s'agit de résoudre un problème. Il avait été décidé que l'Éclipse serait équipée d'un code de correction d'erreurs. Mais qu'était-ce au juste? Il n'y avait pas tellement de documentation disponible là-dessus, à l'époque. C'est Tom qui se débrouilla pour aller à la pêche à l'information et tâcher d'y comprendre quelque chose, et c'est lui qui apporta les solutions. Ce que j'entends dire de lui à présent... – j'entends dire qu'il est très différent, maintenant que son rôle est de diriger. J'entends dire que dans ce rôle il est dur, il ne fait pas de cadeau, il est renfermé; pourtant c'était un type facile à vivre, dans le temps, tout en étant un bourreau de travail.

« Il organisait souvent des pique-niques gargantuesques, comme ça, chez lui. Il nous rôtissait un porc entier, et il y avait toujours un baril de bière. C'était vraiment le type tout ce qu'il y a de plus sympa! Moi, je l'appréciais beaucoup. »

Nombreux étaient ceux qui se souvenaient des porcs rôtis que chaque année West faisait rôtir. L'assistance y était assez nombreuse, d'après un autre vieil ami, pour qu'il y eût une forte probabilité qu'un accouchement survînt au milieu des festivités, et parmi les invités on comptait bon nombre de peintres et d'écrivains, de musiciens et de jeunes gens un peu vagabonds – sans compter quelques informaticiens. Et chacun se souvient de West, la mine épanouie, se frayant un chemin parmi la multitude, faisant le tour de ses amis et connaissances, aussi disparates qu'innombrables. « Il était si rayonnant, si chaleureux, si drôle! » se remémorait un autre des habitués du porc rôti.

West était arrivé à la Data General en 1974, pour rejoindre le groupe dans lequel Carl Alsing et quelques autres s'efforçaient d'insuffler la vie à la toute première Éclipse. Aux yeux d'Alsing, West était apparu comme un concepteur de circuits d'un niveau tout à fait honorable, mais sans plus, alors qu'il était manifestement doué, par contre, d'une aptitude étonnante à déceler les causes de défaillance d'une machine et à leur porter remède. « Un dépanneur de première classe », ainsi le jugeait Alsing. « Il allait si vite en besogne que c'était à peine si je me sentais à la hauteur, moi qui me contentais de tenir les sondes de l'oscilloscope. » Alsing avait été conquis par son nouveau collègue presque dès leur première rencontre. Un matin, au petit jour, à l'issue de festivités réunissant le groupe Éclipse, Alsing et West, dans l'inspiration du moment, étaient allés faire une virée à Provincetown, du côté du Cap Cod. Alsing avait été stupéfait de voir avec quelle aisance West pouvait frayer avec de parfaits inconnus, et quel flair il avait pour détecter les bars les plus intéressants en jetant seulement un coup d'œil dans l'entrebâillement de leurs portes. L'espace d'une nuit, cette ville lui appartenait. C'était comme s'il y avait vécu toute sa vie et qu'il en faisait les honneurs à son ami.

Certain jour où Alsing venait de passer la nuit entière au labo, occupé à programmer tout un lot de mémoires mortes, West, l'y retrouvant au matin, s'était écrié en riant :

« Alsing! C'est une honte de s'adonner ainsi aux ROM [1]! »
Sur quoi West improvisa une chanson, sur l'air de John
Henry, où il était question de l'homme qui s'adonne aux
ROM et ne peut plus s'en passer. West avait un don pour ce
genre de jeux de mots et de trouvailles, et celle de
« l'homme qui s'adonne aux ROM » était l'une des
favorites d'Alsing. Le contenu d'une mémoire morte, en
effet, une fois programmé sur sa puce, ne peut plus être
modifié ni effacé; cette parcelle d'information ne peut
qu'être « lue ». Adonné aux ROM... La formule semblait
raviver l'éternelle question de la prédestination et du libre
arbitre de l'individu. Plus tard, Alsing devait se demander
si cette expression ne s'appliquait pas quelque peu à son
ami. La même interrogation, apparemment, traversait
parfois l'esprit de West lui-même, car un jour, au sous-sol,
durant le projet Eagle, il devait demander, ponctuant sa
question de cet étrange rire nerveux si différent de son
grand rire confiant des jours de barbecue : « Se produit-il
jamais quoi que ce soit, ici, qui soit dû au hasard? »

De West lui-même, Alsing n'avait réussi à tirer qu'une
menue glane de détails biographiques : qu'il avait fréquenté le Amherst College, où il avait obtenu sa licence de
physique; qu'il avait travaillé ensuite pour la Smithsonian
Institution, où il avait, entre autres choses, fabriqué des
horloges numériques et pas mal voyagé; puis qu'il avait
quitté cette place, comme ça, au bout de sept ans, pour
entrer chez RCA où il s'était pratiquement initié seul, en
autodidacte, au mystère des ordinateurs... Plus deux ou
trois autres renseignements d'ordre plus privé : le père de
West était un personnage important, l'un des cadres les
plus haut placés de la compagnie AT & T; West avait une
femme et des filles; West jouait fort bien de la guitare et
connaissait personnellement plus d'un chanteur de folk
célèbre. Alsing aimait écouter ses récits. West lui avait
raconté qu'une nuit, alors qu'il était en mission sur les
pistes du Mozambique pour le compte de la Smithsonian, il
était descendu de sa Landrover et avait lancé dans

---

1. Jeu de mots intraduisible : les ROM, ce sont les « mémoires
mortes » – en anglais : Read Only Memory –, et ce mot se prononce à
peu de chose près comme « rum », le rhum. En français, les ROM
deviennent les MEM. (N.d.l.T.)

l'obscurité, à tous les échos : « Massachusetts! Massachusetts! »

« Je m'étais imaginé qu'il y aurait peut-être des oreilles pour m'entendre, avait expliqué West, et qu'un jour – qui sait? – il y aurait des ribambelles de gosses, dans le secteur, répondant au nom de Massachusetts. »

Alsing en avait claqué un poing dans l'autre main, et ri à n'en plus finir. Il était insatiable et il en redemandait.

West avait visité des quantités de lieux où Alsing n'osait rêver mettre jamais les pieds. Alsing ne pouvait se retenir de l'envier quelque peu, essentiellement, peut-être, pour cette liberté qui semblait faire partie de sa nature. West était toujours un peu, au regard d'Alsing, comme ce mystérieux inconnu qui ne fait que traverser la ville. West lui avait raconté comment il avait abandonné la Smithsonian, sur un coup de tête, sur l'impulsion du moment – parce qu'une bande de ces bohémiens des temps modernes que sont certains groupes de jeunes au cœur de nomades avaient monté leur camp dans un pré non loin de chez lui. Alsing avait retiré de ce récit l'impression tenace que si ces nomades repassaient par là West pourrait bien les suivre pour de bon. Quand West parlait de sa musique, Alsing éprouvait le même sentiment troublant; il s'attendait à arriver au travail un matin pour s'entendre dire que West était parti, parti peut-être pour toujours, et vraisemblablement sans laisser d'adresse. L'idée lui semblait pleine de charme, même si elle le chagrinait un peu.

Mais les choses devaient tourner différemment. Quand la première Éclipse fut lancée sur le marché, et que celui qui avait tenu jusqu'alors le rôle de chef du groupe s'apprêta à passer la main pour aller travailler sur le projet FHP, West lui-même brigua la place. Aux yeux d'Alsing, West paraissait en bonne logique un candidat tout désigné : « C'était bien lui le plus doué du secteur. » Mais que West en personne eût présenté sa candidature lui parut pour le moins surprenant.

D'après les souvenirs d'Alsing, la réponse que reçut alors West fut qu'il n'en était pas question. On lui avait demandé, des semaines auparavant, de dessiner les plans d'un certain élément de matériel, et il n'en avait toujours pas donné le premier coup de crayon. D'où lui venait donc cette idée qu'il pourrait prendre la tête du groupe Éclipse?

West se retira dans son bureau et sa porte fut close durant près de sept semaines.

Habituellement, West et Alsing allaient prendre un café ensemble vers le milieu de la matinée, mais le rite n'en était plus respecté.

Alsing entrouvrit un matin la porte du bureau de West et passa la tête par l'entrebâillement : « Un café, Tom?

– Disparais, Carl », répondit West.

Alsing tenta de nouveau sa chance un autre jour. Sans lever les yeux de son travail, West lui dit, d'une voix monocorde : « Dehors, Alsing. »

Alsing sentait bien qu'il n'était pas personnellement visé par ces refus obstinés, et il dut reconnaître qu'il lui était impossible d'en vouloir à West. Au bout de sept semaines, West émergea, ses plans terminés sous le bras. Puis petit à petit, après cet intermède, il prit en main les destinées du groupe Éclipse. Méditant, quelques années plus tard, sur ces sept semaines de travail intense fournies par West, Alsing concluait : « Je crois bien que c'est du jour où Tom s'est enfermé dans son bureau pour faire ce truc qu'il est devenu pas commode. Je crois que c'est le jour où il a commencé à prendre les choses très au sérieux. »

Au fil des années qui suivirent, les vagues successives de jeunes ingénieurs venant se joindre au groupe en savaient de moins en moins long sur West, toujours moins que leurs prédécesseurs, jusqu'à ce que, pour finir, à l'époque d'Eagle, les nouvelles recrues ne connussent à peu près rien de lui. Ils n'entendraient jamais parler des cochons rôtis, la coutume s'en était perdue. West, ils ne l'entreverraient que par hasard, de loin en loin, entre deux portes. Il apparaîtrait, longeant un couloir, traînant contre le mur les jointures de ses doigts; peut-être passerait-il devant des membres de sa propre équipe sans même apparemment les reconnaître. Pour leur part, bon nombre d'entre eux renonceraient à le saluer. Son expression distante et ombrageuse les en dissuaderait.

De temps à autre, au sein du groupe Éclipse, on s'interrogeait sur cet impénétrable chef de groupe.

« Le bruit court qu'il aurait travaillé pour la CIA. »

« Il n'a pas été chanteur de folk, dans le temps, non? »

« Il y en a des tas qui pensent qu'il abuse des amphétamines. »

« West? résumait un jeune ingénieur. C'est un prince des ténèbres. »

Il avait changé. C'était indéniable. Bien qu'il fût, de tout le sous-sol, celui dont il demeurait le plus proche, Alsing ne le voyait plus guère après le travail, désormais. Presque tout le monde, à Westborough, était d'ailleurs dans le même cas, semblait-il. West était le supérieur d'Alsing, à présent, et cela devait entrer en ligne de compte. Mais tout de même, il avait perdu aussi cet entrain et cette gaieté dont il était si prodigue naguère, et ses plaisanteries, toujours aussi spirituelles de l'avis d'Alsing, donnaient dorénavant dans le genre sardonique. Il ne souriait plus que d'un coin de sa bouche, au lieu du franc sourire (bien symétrique) de naguère. Pourtant, à l'occasion, l'espace d'un éclair, il semblait à Alsing entr'apercevoir l'ancien West. Le phénomène se reproduisit à une certaine fréquence durant la campagne menée par West après les malheurs d'EGO, durant son démarchage assidu pour Eagle et ses tentatives, couronnées de succès, pour remonter le moral des troupes en divers points du sous-sol : alors, Alsing avait eu l'impression de retrouver le West de leur escapade à Provincetown, des années plus tôt. D'ailleurs, ainsi qu'il le remarquait, West mettait rarement beaucoup d'enthousiasme à se balader en service commandé. « Tandis que si la démarche est la sienne, ou s'il la fait sienne... »

West avait toujours un certain talent pour donner une coloration spéciale à des choses très ordinaires; en l'occurrence, la création d'une Éclipse à 32 bits se voyait promue au rang de grande aventure. L'ardeur de West pour ce projet semblait aussi contagieuse que ses tournures de langage. Et d'autres qu'Alsing se sentirent bientôt contaminés.

Chez Rosemarie Seale, la première poussée de fièvre était apparue juste après le rejet d'EGO, en ces jours où tout le monde, sauf West, semblait avoir mis une croix dessus.

« Tom vient de décider quelque chose, disait-elle. Mais quoi? Je n'en ai aucune idée. A moins que ce ne soit de

70

reprendre ses billes et de rentrer chez lui. » Plus tard, elle devait avouer : « Je mourais d'envie de travailler pour lui. Pourtant j'aurais pu être mieux payée ailleurs. Je ne savais pas pourquoi, mais je voulais travailler pour lui. Je voulais me joindre à leur effort. »

Rosemarie est une petite brune d'âge moyen. Elle parle vite, et ponctue la plupart de ses déclarations d'un rire bref et grave, qui donne un peu l'impression qu'elle glousse en parlant. « J'ai été élevée dans une famille pauvre, à l'époque de la grande Dépression. J'ai fréquenté une école de secrétariat à Boston. J'ai élevé une famille. Puis j'ai divorcé. J'ai un peu voyagé. J'étais une pauvre fille, ignorante et pas très futée, quand j'étais jeune; je crois que depuis j'ai tout de même appris quelques petites choses, mais pas tant que ça, probablement. » En 1976, Rosemarie travaillait pour le compte d'une compagnie d'assurances, où elle avait pour mission de veiller à la tenue des dossiers de souscriptions, poste qui lui avait paru présenter quelque intérêt durant exactement un mois. A son arrivée, les dossiers étaient dans un tel désordre que leur reclassement l'avait d'abord occupée à plein temps; mais une fois cette tâche achevée, le poste n'avait plus rien d'autre à lui offrir qu'un travail de pure routine. C'est alors qu'une offre d'emploi avait attiré son attention, dans les pages d'un quotidien. Elle émanait de la Data General et débutait par ces mots :

VOUS ENNUYEZ-VOUS?

« C'était s'adresser à moi! »

Elle fut affectée au groupe Éclipse, qui était alors minuscule et n'avait jamais eu de secrétaire. Les ingénieurs lui « dénichèrent » un meuble « pouvant faire office de bureau », selon ses propres termes. Elle mit le nez dans l'unique meuble de rangement de l'équipe, et le trouva absolument vide, si l'on excepte deux ou trois rouleaux de papier toilette. Il n'existait pas la moindre liste récapitulant les noms des membres du groupe. Alors elle alla trouver, un à un, tous les ingénieurs des alentours, en leur posant cette question : « Pour qui travaillez-vous? En avez-vous une idée? » C'était le début d'une longue idylle.

Pour Rosemarie, le projet Eagle fut comme un don des dieux. Elle avait tant et tant à faire, et cela tous les jours!

Des budgets à préparer, des combats à mener avec tel ou tel département, du courrier à trier tout le temps que sa distribution fut inopportunément perturbée, des coups de fil auxquels répondre, des chèques à retrouver et à faire parvenir en temps utile à leur destinataire, des documents à réunir, de nouveaux arrivants à accueillir (« Et auraient-ils au moins une chaise où s'asseoir – les conditions matérielles étaient loin d'être idéales, vous savez – et leur trouverait-on seulement un crayon?...»), etc. Chaque jour apportait sa petite crise administrative. « Ce que je faisais, c'était important », disait Rosemarie.

Elle n'était, bien sûr, pas toujours aussi certaine de sa chance et ne trouvait pas systématiquement tout très drôle. Par exemple, après avoir appris aux derniers arrivés du groupe à nouer leurs lacets eux-mêmes – sur le plan administratif, s'entend –, elle commença à s'apercevoir qu'ils la considéraient comme un substitut de mère, ce qui d'abord lui déplut, mais dont elle prit son parti : « On est ce qu'on est. Le mieux était de tâcher d'y prendre plaisir, comme à tout le reste. » Elle continua d'avoir horreur d'être obligée de répondre au téléphone, cependant. De temps à autre, il lui arrivait même de parler de départ. Plein de compréhension, Alsing lui demanda un jour pourquoi elle ne quittait pas cet emploi.

« Je ne peux tout simplement pas m'en aller », répondit-elle. Elle esquissa un sourire furtif à l'intention d'Alsing, puis un petit coup de tête en direction de la porte du bureau de West. Et elle ajouta, à mi-voix : « C'est comme pour les films d'épouvante. Il faut absolument que je reste pour voir comment les choses vont tourner. Ici, ce que je veux savoir, c'est ce que Tom va pouvoir encore inventer. »

Ainsi donc il n'était pas le seul à se régaler du spectacle. Alsing fut ravi de le savoir.

Persuadés qu'Eagle ne serait qu'une verrue, ou une poche rajoutée, ou un *kludge* [1] – et redoutant aussi qu'il ne finît comme EGO et Victor –, certains des ingénieurs du secteur, qui étaient pourtant de brillants concepteurs de matériel, ne manifestèrent pas la moindre intention de prendre part à ce projet. D'autres finirent par se laisser

1. Voir page 57.

convaincre, non sans une certaine réticence au départ pour plusieurs d'entre eux, et au tout début du printemps 1978 West avait ainsi rassemblé les éléments d'une équipe. Il avait à ses côtés Rosemarie, Alsing et une douzaine d'autres ingénieurs expérimentés, qui avaient déjà travaillé pour lui précédemment. Il crut un temps que cette escouade lui suffirait, mais ce n'était là en fait qu'une armature, un squelette d'équipe. Dès qu'ils se furent attaqués à la conception de la « logique » de leur machine, il devint évident qu'un groupe aussi réduit ne parviendrait jamais à construire en un an un ordinateur de ce calibre. « Il va nous falloir des bras », confia West à Alsing, et Alsing ne put qu'approuver.

Là-bas, en Caroline du Nord, pour recruter leurs troupes, les dirigeants avaient eu pour politique essentielle d'attirer des informaticiens chevronnés, transfuges d'autres équipes de recherches, qu'il s'agît de Westborough ou de firmes concurrentes. C'était une façon de procéder fort classique. Mais, juste à cette époque, un film vidéo circulait activement dans le sous-sol de Westborough, qui suggérait précisément une tout autre tactique de recrutement. On y voyait en effet un ingénieur – un certain Seymour Cray – expliquer par le menu comment sa petite entreprise, sise à Chippewa Falls, dans le Wisconsin, en était arrivée à construire des machines généralement reconnues comme les ordinateurs les plus rapides du monde, la fine fleur des moulinettes à chiffres. Dans l'univers de l'informatique, Cray était à lui seul une légende, or ce Cray, dans son film, déclarait qu'il préférait embaucher des ingénieurs sans expérience, tout juste sortis de leur université, parce qu'ils n'avaient, en général, aucune notion de l'impossible. L'idée plut à West. D'autant qu'il ne lui échappait pas, bien sûr, que des ingénieurs frais émoulus de leurs écoles représentaient une économie substantielle. Enfin, avantage supplémentaire, l'appel à des novices, tenus pour inoffensifs, permettrait de déguiser encore un peu mieux les intentions réelles de l'équipe. Qui donc irait imaginer qu'une poignée d'ingénieurs dépourvus d'expérience seraient capables de produire une unité de traitement de grosse cylindrée, susceptible de concurrencer ce qui se faisait en Caroline?

« Alsing, à ton avis : on embauche des novices? »

Durant une quinzaine de jours, West et Alsing pesèrent le pour et le contre. Pour garder toutes ses chances, il fallait être sûr de n'embaucher que les tout meilleurs des jeunes ingénieurs disponibles sur le marché – ceux-là en sauraient davantage qu'eux-mêmes sur les plus récentes découvertes en matière d'informatique. Mais ils conclurent d'autre part qu'il ne leur faudrait pas pour autant évincer d'autres candidats pour la simple raison que les recrues de la nouvelle vague les feraient paraître un peu dépassés; bien au contraire, ceux-là aussi seraient les bienvenus. West émit alors la remarque, en souriant, qu'avec cette politique de recrutement ils risquaient bien d'embaucher leurs propres successeurs – leurs assassins. Par ailleurs, même s'ils recrutaient des génies, rien ne prouvait pour autant que leur plan aboutirait. Peut-être était-il impossible de mettre au point une grosse unité avec de trop jeunes recrues. Il y avait là un risque énorme. Un risque à courir. L'idée avait quelque chose d'irrésistiblement attirant.

Entre le début de l'été 78 et l'automne de cette même année, les troupes de West doublèrent leurs effectifs. A la douzaine de ceux qui « avaient de la bouteille » vinrent se joindre une douzaine de néophytes, tout frais diplômés de leurs écoles d'ingénieurs en électronique et en technique de l'informatique. Ces nouveaux venus, les anciens les appelaient, collectivement, « les gosses ». West prit la tête de ses troupes, secondé d'une sorte de capitaine – un architecte de projet, sorti d'une école d'électronique – ainsi que de deux premiers lieutenants, chacun d'entre eux épaulé à son tour par un ou deux sous-lieutenants. L'un des lieutenants prit la direction de l'escouade du *hardware*, autrement dit de la machine et de ses circuits dans leur incarnation matérielle; les membres de cette équipe furent baptisés (ou se baptisèrent eux-mêmes) « les Intrépides ». L'autre moitié des troupes serait affectée à la conception du microcode, ce langage synaptique qui incorporerait dans la machine les programmes lui indiquant ce que l'on attendrait d'elle; rallier cette équipe-là, dont Alsing avait pris la tête, c'était devenir un « Microkid ». Il y avait encore un dessinateur et plusieurs techniciens. Les effectifs du groupe varièrent à plusieurs reprises, le plus souvent à la baisse, au fil des défections diverses. Mais le nombre moyen de participants au projet se stabilisa aux alentours de la trentaine.

Quel effet cela pouvait-il faire d'être l'un de ces « gosses »? Le risque de se faire mettre dehors était mince, mais les intéressés l'ignoraient. D'ailleurs, quand on vient tout juste d'étrenner un emploi, on désire en général faire bonne impression, dès le départ. Aussi peut-on estimer bon d'aller faire connaissance avec son patron, comme le crut utile l'Intrépide Dave Epstein. On entre dans son bureau, on s'avance en disant aimablement : « Salut. Moi c'est Dave. » Et ce disant on allonge le bras pour une poignée de main... Epstein n'était pas près d'oublier cette expérience : « Je suis resté la main suspendue dans le vide, littéralement. West n'a pas fait un geste, il m'a regardé avec des yeux ronds. Au bout d'une ou deux secondes, j'ai conclu qu'il valait mieux battre en retraite. »

S'embrigader dans le groupe Éclipse en manière de premier emploi risquait de signifier des débuts un peu rudes. Vous vous mettez en route pour ce premier vrai poste avec ces sentiments mêlés, faits de crainte et de solitude, qu'inspirent tous les nouveaux départs; vous laissez derrière vous votre Nord-Ouest, votre Missouri ou votre Wisconsin ou peut-être encore les campus du MIT, et à peine avez-vous réussi à repérer votre chemin sur la carte que vous vous retrouvez assis dans une minuscule cellule ou même, pire encore, parqué dans un de ces bureaux identiques au redoutable Puits de Mine de la Micro, en compagnie de trois autres nouvelles recrues dont les genoux s'entrechoquent pratiquement avec les vôtres. Vous manquez du calme et de l'intimité les plus élémentaires? Vous n'avez jamais effectué aucun travail de ce style? Qu'importe! On vous déclare qu'à bref délai vous devrez avoir digéré l'énorme masse de savoir quasi encyclopédique, fourmillant de détails techniques, que l'on vient de placer sous votre nez, et qu'après cela, immédiatement, vous devrez vous mettre à produire les pièces cruciales d'une machine d'importance capitale. Et vous tenez absolument à faire bonne impression? Ce qui veut dire que vous n'aurez plus une minute à vous pour aller voir des filles, ou pour aider votre femme à choisir vos meubles ou pour explorer si peu que ce soit cette région nouvelle pour vous. Vous travaillez, un point c'est tout. On vous chapitre : « Surtout, ne prononcez en aucun cas le nom d'Eagle en dehors du groupe. » Et on insiste là-dessus lourdement : « N'allez pas bavarder en dehors du groupe. » Votre lieu de travail ressemble étonnamment à ce que pourraient inventer des psychologues désireux de mettre à l'épreuve la résistance nerveuse de cobayes, et votre chef ne vous dit même pas bonjour.

Vétérans ou nouveaux venus, tous entonnaient le même refrain. Écoutons Chuck Holland : « Je peux difficilement dire que je fais autre chose dans l'existence en ce moment. Il me faut à peu près trois jours pour débrayer et évacuer Eagle de mes pensées, de sorte que, même en cas de week-end de trois jours, je n'ai que le temps de constater avec horreur que le lundi est de retour. » Ou l'unique femme ingénieur de la Micro, Betty Shanahan : « On finit par y passer des nuits entières. On en oublie de rentrer dîner. Mon mari se lamente d'avoir eu trois fois de suite la lessive à faire. » Ou encore Jon Blau : « C'est terrible, mais il m'arrive d'avoir du mal à trouver mes mots, ces temps derniers. Au beau milieu d'une phrase, ma pensée tourne à vide. Et puis, il y a tout un tas d'aspects de l'existence qui vous filent entre les doigts. Je suis jeune, j'ai des tas d'expériences et de découvertes à faire, je n'ai aucune envie d'y renoncer pour les beaux yeux de la Data General ou de ce projet grandiose. » Quant à Jim Guyer, l'un des Intrépides et quasiment une « vieille barbe » puisqu'il avait vingt-six ans, il avouait : « J'aime bien ce que je fais, c'est un boulot terrible et j'y prends plaisir. Mais ce n'est tout de même pas ma conception des loisirs. En dehors du boulot, je fais des tas d'autres choses, de l'escalade, des excursions... » Il marquait une pause; une remarque venait de s'imposer à lui : « Seulement, je dois dire que je n'ai rien fait de tout ça ces dernières semaines. J'ai beaucoup trop bossé pour en trouver le temps. »

Mais pourquoi donc avaient-ils tous cette pointe d'exultation dans la voix?

Au démarrage du projet, un nouveau venu pouvait espérer gagner dans les 20 000 dollars par an, tandis qu'un ancien comme Alsing devait dépasser un peu les 30 000 — et ces chiffres devaient s'élever considérablement, à la Data General comme ailleurs, dans les années qui suivirent. Mais ils ne recevaient absolument rien en compensation des heures supplémentaires. Les anciens de la maison avaient eu droit en plus à quelques promesses de parts d'actif, mais la plupart semblaient regarder cette perspective boursière comme une simple façon, pour les dirigeants de la maison, de leur dorer la pilule. Et presque tous se déclaraient d'accord avec Ken Holberger, le sous-lieutenant des Intrépides, lorsqu'il affirmait simplement : « Je ne travaille pas pour l'argent. »

Plusieurs des nouvelles recrues disaient aimer l'ambiance du groupe. Dave Keating, par exemple, un gars de la Micro, avait mis le nez dans d'autres sociétés et constaté qu'un certain code d'habillement y avait force de loi. Il appréciait le « naturel » qui régnait dans le sous-sol de Westborough. « Les jeans et tout le reste », expliquait-il. D'autres se félicitaient de la souplesse de leurs horaires. « Il n'y a personne pour surveiller le temps que vous passez au boulot », soulignait Holberger. A quoi il ajoutait, avec un large sourire : « Oh, ce n'est pas de la philanthropie de la part de la Data! Si quelqu'un tenait le compte des heures que nous passons au boulot, ils seraient obligés de nous payer fichtrement davantage. » Cependant, c'est un fait certain, et qui n'échappe pas totalement aux spécialistes de l'organisation du travail, que certaines personnes trouvent moins pénible de fournir douze heures de travail dans une journée, si le choix de l'horaire est laissé à leur guise, que d'en fournir huit seulement, mais sur horaire imposé. A la condition, bien sûr, que le travail soit intéressant. Et c'était là le plus important.

Deux gars de la Micro discutaient un jour. Il était question des emplois qu'ils avaient laissé tomber.

« A IBM, pas de problème : on n'aurait sûrement pas eu l'occasion de toucher à un projet comme celui-là. Dès que c'est un peu important, les bleus n'ont pas le droit d'y regarder.

– Les bleus n'ont le droit de toucher à des projets comme celui-là absolument nulle part. Il n'y a qu'à la Data...

– A IBM on m'avait proposé de travailler sur une puce mémoire, histoire de voir si je ne pouvais pas améliorer sa performance. Et ici, ce qu'on me propose, c'est de travailler à la conception d'une machine entière, et entièrement nouvelle, et d'une machine importante, qui plus est! Ils veulent en faire un des piliers de vente de la société. C'est à la conception de tout un ordinateur que je vais travailler, pas à l'amélioration d'une puce. Mon choix a été vite fait. »

Bob Beauchamp, autre gars de la Micro, était venu du Missouri. Il arborait une petite barbe rousse. C'était peut-être le plus facile à vivre de toutes les nouvelles recrues. Il avait du monde une plus vaste expérience que la plupart des autres parce qu'il s'était offert le luxe, au sortir de ses études, de passer un an à vivre les tournées d'un orchestre de rock ambulant. Beauchamp semblait faire partie de ces heureux mortels qui ont tout reçu en partage : un bon caractère, un physique agréable, plus l'intelligence et la modestie. Il s'était payé, durant ses études supérieures, une indéfectible moyenne de A dans toutes les matières. « Je crois qu'au fond je prenais plaisir aux examens, quand j'étais élève. Je ne déteste pas me mesurer moi-même, commentait-il. Seulement, les cinq années de collège, c'était apprendre, toujours apprendre, mais jamais réaliser quoi que ce soit. Quand je me suis tourné vers la Data, je me disais qu'il était peut-être temps de faire quelque chose; il y avait aussi que j'étais vraiment un débutant dans cet univers; et comme de toute façon je n'avais pas grand-chose de mieux à faire, même les week-ends, autant passer mon temps au boulot. » Malheureusement pour lui, la partie du projet sur laquelle il avait choisi de travailler se révéla très secondaire dans l'ordre des priorités : « Il n'y avait aucune pression. Je me sentais en dehors des grands courants. Cette tension dans l'air, pourtant, je la sentais, je sentais cette fébrilité ambiante, et j'avais terriblement envie de me lancer dedans. » Pour finir, sur une suggestion venue d'en haut, Beauchamp se vit proposer de travailler plutôt à l'élaboration d'une partie du microcode de la machine. On lui offrait là une place de forçat, et il se jeta dessus.

Souvenez-vous d'un certain Tom Sawyer et d'une certaine barrière...

Il existait, semblait-il, un mystérieux rite d'initiation auquel devait se soumettre, d'une manière ou d'une autre, pratiquement chaque membre de l'équipe. Le terme utilisé par les vétérans pour désigner ce rite (West avait inventé le terme, non la pratique) était celui d' « engage-ment ». En donnant votre engagement pour le projet, vous acceptiez implicitement de faire absolument tout ce qui se révélerait nécessaire à son succès. Vous acceptiez de renier, si besoin était, famille, loisirs, amis – si du moins il vous restait un tant soit peu de tout cela, ce qui pouvait bien n'être pas le cas si votre engagement officieux remontait à un certain temps... Vues par un meneur de troupes, les vertus pratiques du rituel étaient diverses et nombreuses. Plus de pressions à exercer sur la main-d'œuvre. La main-d'œuvre travaillait de son plein gré. Quand vous vous engagiez, en effet, c'est en fait comme si vous juriez : « Je veux faire ce travail et je m'y adonnerai corps et âme. » Les choses n'en étaient plus les mêmes. Carl Carman, qui connaissait le terme, devait dire beaucoup plus tard : « Parfois je me tourmente : n'ai-je pas poussé à la roue un peu fort ? J'essayais pourtant de ne pas forcer plus que je ne l'aurais fait pour moi-même. C'est d'ailleurs là un des avantages, soit dit en passant, de l'engagement exigé : les types savent à quoi s'attendre. »

Le rite ne nécessitait pas de déclaration formelle, d'une manière générale. On pouvait très bien s'être engagé, surtout si l'on était un ancien, en déclarant simplement : « Ouais, ça je le ferai », et l'engagement pouvait même être tacite, comme lorsque Alsing, sans même en avoir reçu l'ordre, avait pris en charge le rôle de recruteur en chef.

Les anciens connaissaient la règle du jeu et s'y prêtaient de bonne grâce. Pour les nouvelles recrues, cependant, il pouvait y avoir des équivoques.

Les postes offerts à de jeunes informaticiens dépassaient alors de beaucoup le nombre de postulants cherchant une situation. On se les arrachait littéralement. Quels appâts le groupe Éclipse pouvait-il bien faire miroiter pour attirer ceux qu'il lui fallait ? Quels charmes dont IBM ne pût faire état ? De toute évidence, et là-dessus Alsing et West tombèrent d'accord, l'atout principal du groupe était le projet lui-même. Alsing tint le raisonnement suivant : « Les écoles d'ingénieurs vous préparent à la conception de grands projets, et pourtant des tas de types finissent par se retrouver en train de bricoler vaguement sur des machines existantes, pour les améliorer, c'est tout. Une belle dégringolade, à mon avis. Ils finissent avec un bête boulot de routine, sur des équipements que tout le monde connaît comme sa poche, si bien que quand il y a un problème on n'a qu'à chercher la solution dans un livre... » Par contraste, Alsing le savait, c'était un rêve largement partagé que celui d'entrer dans la confrérie des ingénieurs de *hardware*, de participer à la conception de machines inédites – en termes de métier, c'était le boulot *sexy*. Si bien que, là encore, il y avait déséquilibre entre l'offre et la demande; mais c'étaient les postulants, cette fois, qui étaient plus nombreux que les postes. West devait résumer les choses ainsi : « Ce que nous avions là à raconter aux jeunes diplômés, c'était vraiment un truc de première bourre. Ils avaient tous entendu parler du VAX. Bon, eh bien nous, nous allions construire une machine à 32 bits moins chère et plus rapide encore. Avec un truc comme ça, vous pouvez amener des types à s'engager à n'importe quelle heure du jour ou de la nuit. Et nous avons vraiment raflé ce qu'il y avait de meilleur. »

Seulement, ces nouvelles recrues, on allait leur demander de prendre le galop immédiatement ou presque. On ne leur laisserait pas le temps de découvrir par eux-mêmes ce que signifiait « s'engager », dans le sous-sol de Westborough. Aussi était-il indispensable de les sélectionner sur le volet et de dûment les prévenir de ce qui les attendait. Tant pour respecter les règles de l'honnêteté la plus élémentaire que pour s'épargner, par la suite, de perpétuels scrupules.

Le groupe Éclipse avait donc fait appel aux candidatures. Sous la rubrique « Passe-temps favoris », l'un des postulants avait inscrit : « Vie de famille. » Ces trois mots plongèrent Alsing et un autre lieutenant de West dans une soucieuse perplexité. Non qu'ils eussent quelque chose contre les pères de famille dévoués; mais cette profession de foi leur donnait à réfléchir. « Je me demande, dit Alsing, si cela ne veut pas dire qu'il ne tient pas à s'engager. » L'autre lieutenant soupesa le pour et le contre. « Quelque chose me dit qu'il ne serait pas heureux ici », conclut-il comme pour lui-même. Les qualifications du candidat ne présentant par ailleurs rien qui sortît de l'ordinaire, il fut éliminé.

Les notes et mentions aux examens avaient leur importance dans ce premier passage au crible des candidatures reçues – non seulement parce qu'elles étaient une indication des aptitudes du candidat, mais encore parce qu'elles étaient l'indice, chez le postulant, d'une certaine capacité de résistance, de son aptitude à fournir un effort intense et soutenu. A quelques exceptions près, ceux dont les notes étaient simplement bonnes ne furent pas retenus.

Alsing avait espéré recruter quelques femmes ingénieurs, mais en 1978 l'espèce en était encore rare. Seules quelques jeunes femmes présentèrent leur candidature, et Alsing en retint une, dont les titres étaient excellents.

Quand le profil général d'un candidat leur plaisait, Alsing et son collègue convoquaient à Westborough le jeune homme en question – puisqu'il s'agissait presque toujours d'un jeune homme. Là, il devait subir une série d'entretiens en tête à tête avec les anciens de la maison. S'il s'agissait d'un Microkid en puissance, l'entretien décisif, pour lui, était celui qu'il aurait avec Alsing. L'heureuse issue d'un entretien avec Alsing équivalait à un engagement.

Alsing demandait au jeune ingénieur : « Que désirez-vous faire au juste? »

Les termes exacts de la réponse du candidat importaient peu. Alsing ne se souciait pas de son intérêt pour tel ou tel domaine de l'informatique, ni même, à la limite, de savoir si le candidat s'intéressait ou non aux ordinateurs; le fait qu'un postulant eût à la maison son petit ordinateur personnel pour faire joujou avec n'entrait pas en ligne de compte.

Si le candidat répondait en substance : « Ben voilà, je viens de terminer mes études et je fais un tour d'horizon des possibilités, sans trop savoir encore vers quel domaine je vais me tourner », alors Alsing, neuf fois sur dix, imaginait quelque formule aimable pour abréger l'entretien. Mais si le postulant disait, par exemple : « Ce qui m'intéresse, c'est de travailler à la conception de ces machines », alors Alsing cherchait à en savoir plus long. Et l'entretien idéal se déroulait de la façon suivante :

« Et qu'est-ce qui vous intéresse, là-dedans, plus particulièrement?

– Tout. J'ai envie d'en construire un, répondait la future recrue.

(Ha ha! se disait Alsing. Exactement ce que je voulais entendre. Maintenant il faut chercher à savoir si ce qu'il entend par là correspond bien à ce que j'entends, moi.)

– Et peut-on savoir ce qui vous fait penser que vous seriez capable de construire une grosse unité de traitement?

– Tiens, répondait le jeune diplômé, c'est simple. Sans vouloir vous offenser, je me suis servi de plusieurs des machines que vous avez construites, vous autres. Eh bien, il me semble qu'on doit pouvoir faire mieux...

(« West et moi, commentait Alsing au sujet de ce stade crucial du dialogue, nous avions bien sûr concocté notre petit speech sur Eagle. Mais je ne dévoilais jamais mes batteries avant que le candidat lui-même ne m'ait confié ses propres ambitions. S'il le faisait, s'il avait pour en parler des sortes d'étincelles dans les yeux – je dis dans les yeux, parce que si étincelle il y a, je ne vois guère où elle pourrait être si ce n'est là –, si même il y mettait un peu d'impertinence, alors je me disais que c'était apparemment une bonne recrue pour nous, et je sortais notre blablabla. »)

– Eh bien justement, disait donc Alsing, nous aussi, nous pensons qu'on doit pouvoir faire mieux, et nous avons mis en chantier une machine, à l'extrême pointe de la technologie actuelle. Nous sommes en train de nous lancer dans la conception de cette machine entièrement nouvelle, unité centrale et équipements compris. (Il mettait dans sa voix, de son propre aveu, des trémolos qui voulaient dire : « Tu vois, petit, la voilà, ta chance de faire ton trou dans une grande boîte où l'on invente le progrès au lieu de le suivre! ») Est-ce une idée qui vous sourit?

– Ça, pas qu'un peu, disait la recrue.

(Maintenant, songeait Alsing, on peut passer aux mauvaises nouvelles.)

– Seulement, disait-il à l'autre, ce sera dur, très dur. Si jamais nous vous embauchons, sachez que vous travaillerez avec une bande de cyniques égotistes, pas précisément commodes.

– Cela ne me fait pas peur, répliquait l'aspirant.

– Il y en a pas mal, dans ce groupe, qui sont du genre rapide, poursuivait Alsing. Ça va vraiment être un rude boulot, avec de longues heures de travail d'affilée, sans lever le pied. Et quand je dis de longues heures, je n'exagère rien.

– Ça ne fait rien, soutenait le candidat, et il ajoutait en substance : C'est exactement ce que je cherche. Pouvoir me trouver au cœur même de l'action, au stade de la mise en chantier d'un engin. Je veux travailler à la création d'une grosse machine. Je veux être là où les choses bougent.

– Bien, concluait Alsing, en se composant un visage impassible. Il est évident que nous ne pouvons prendre que les plus brillants des diplômés de cette année. Nous avons déjà engagé quelques candidats remarquablement doués... Nous examinerons votre cas et nous vous ferons connaître notre décision. »

(« Nous lui disions que nous ne prenions absolument que le gratin du gratin », commentait Alsing, « et ensuite nous le prenions... »)

Longtemps après que ce petit jeu eut pris fin, il remarquait, songeur : « Je ne sais comment dire; il me semble que c'était un peu comme le recrutement de volontaires pour une mission suicide. Vous vous engagez pour la mort, mais votre mort sera glorieuse. »

4. WALLACH ET SA MINUTE BÉNIE

Un jeune ingénieur de Westborough, reconnu pour l'un des plus compétents du sous-sol, avouait s'abandonner parfois aux délices d'un rêve éveillé, dans lequel il s'octroyait une meilleure situation que la sienne : il se voyait par la pensée concierge d'une entreprise construisant des ordinateurs et dont les produits laissaient fort à désirer sur le plan de leur conception; alors, armé de sa serpillière et de son balai, il s'introduisait dans les bureaux des ingénieurs et rectifiait à son gré leurs plans et leurs avant-projets.

Les rêves de liberté pure étaient chose courante au sous-sol. Aux yeux de ceux qu'ils venaient hanter, l'idéal était de se retrouver libres d'essayer enfin de construire l'ordinateur parfait, la machine impossible. Quel était, par contraste, le pire de leurs cauchemars? Se voir contraints de mettre au monde un de ces atroces *kludges*. Ces fibres sensibles, Tom West ne pouvait les ignorer; il lui fallait composer avec. Ce fut l'une des premières difficultés rencontrées, non la moindre.

West avait besoin d'un architecte. En matière d'ordinateurs, l'architecture représente l'aspect que revêtira la machine pour ceux qui auront à la fournir en logiciel. Non point comment elle sera construite, ni ce à quoi elle ressemblera, mais ce qu'elle saura faire, point par point. Le dessin de ce plan détaillé serait la première démarche d'ordre technique – démarche décisive – vers l'élaboration de cette fameuse machine, cet ordinateur à 32 bits qui devrait être pleinement compatible avec les Éclipse et ne pas comporter de bit de mode. West n'était pas du tout certain qu'une telle machine fût de l'ordre du possible. Mais, dans l'affirmative, quelle en serait la meilleure approche? Lui n'en avait aucune idée, mais il croyait savoir qui lui fournirait la réponse. Dès le départ il avait décidé qu'un ingénieur de la maison, un dénommé Steve Wallach, serait l'architecte d'Eagle. « Si quelqu'un peut faire ce boulot, c'est lui, disait West. Ce type-là, c'est un dictionnaire d'informatique ambulant, une véritable encyclopédie sur les ordinateurs. On n'en trouverait pas deux comme lui pour ce boulot. »

En foi de quoi, dès le printemps 1978, West avait convoqué Wallach dans son bureau pour le prier de lui dessiner l'architecture d'une Éclipse à 32 bits. Wallach, les yeux de plus en plus ronds, avait laissé West formuler jusqu'au bout sa demande. Puis, sautant sur ses pieds et martelant ses mots, il avait lancé : « Merde alors, faut pas compter sur moi! Ce n'est pas moi qui irai foutre une besace sur le dos d'une Éclipse! » Sur quoi, outré, il avait quitté le bureau de West.

Après ce coup d'éclat, ce fut Chuck Holland, un ingénieur qui faisait partie de l'équipe depuis un an ou deux, qui se chargea durant un certain temps de travailler sur l'architecture du projet. Il y abattit une somme de travail considérable, pour un résultat parfaitement honorable, dans les limites qui lui furent allouées. Aux yeux de West, pourtant, nul autre que Wallach ne pouvait convenir vraiment à cette tâche. Il se débrouillerait pour amener Wallach à s'engager, d'une manière ou d'une autre. Il était d'ailleurs convaincu que Wallach, au plus profond de lui-même, avait le désir de travailler sur une Éclipse à 32 bits, mais qu'il n'en était pas encore conscient, tout simplement. West connaissait Wallach. Et il était certain d'une chose : bien sûr, ce qu'aurait tant voulu Wallach, c'eût été de pouvoir travailler sur un projet entièrement vierge, sans contraintes ni gêne aux entournures; mais deux autres désirs l'habitaient, qui l'emporteraient sans doute. Celui d'un succès enfin tangible, et celui d'une revanche.

Wallach avait grandi à Brooklyn, où son père était typographe. Wallach père pratiquait l'art de la composition au plomb, ce métier, justement, bientôt mis en danger de mort par le secteur d'activité où devait se lancer Wallach fils. Il y a là quelque ironie, mais Wallach junior, quant à lui, n'y voyait pas de quoi se lamenter outre mesure. Il se souvenait trop d'avoir vu son père rentrer à la maison les mains et les vêtements maculés d'encre indélébile, et de l'avoir entendu déclarer qu'il ne voulait surtout pas voir son fils, plus tard, rentrer chez lui ainsi barbouillé. Les dons du jeune Wallach s'étaient révélés très tôt. Il avait souvent participé – et souvent avec succès – aux concours scientifiques pour enfants. Il avait fait ses études secondaires au Stuyvesant High, l'un des meilleurs établissements privés de la ville de New York; sa moyenne générale – il s'en souvenait au centième près – avait été de 93,67, et il était sorti quarante-huitième de sa promotion. Il avait décroché une bourse pour l'École de Brooklyn, où il avait découvert l'informatique et obtenu son baccalauréat ès sciences. Une seconde bourse lui avait permis de poursuivre ses études à l'université de Pennsylvanie où il avait fait sa maîtrise d'ingénieur électronicien. Après quoi il était entré chez Honeywell, dans le Massachusetts.

Au cours de ses débuts professionnels, Wallach avait travaillé, en tant qu'ingénieur assistant, à la mise au point d'une pièce vitale dans la fabrication d'un ordinateur de conception nouvelle. Malheureusement, juste comme la machine était sur le point de voir le jour, Honeywell avait fusionné avec General Electric et, une fois retombée la poussière soulevée par l'opération, le modèle inédit avait été écarté de la course. Il n'était jamais sorti. Si Job avait été ingénieur, sans doute est-ce par ce genre d'épreuve qu'eût débuté la série de ses coups du sort.

« Ce dont rêve tout ingénieur, c'est de créer quelque chose, disait Wallach. Si j'ai fait six ans d'études supérieures, ce n'est pas pour me contenter de la paye. Et j'avoue qu'après cette désillusion je me suis dit : eh bien bon sang, si c'est ça être ingénieur, moi je me taille! » Il avait donc suivi des cours du soir pour décrocher une maîtrise de gestion. « Là, pour le coup, je faisais la chasse au dollar. Je me voyais empocher mon MBA[1], retourner à New York et y faire du fric... » L'ennui, c'est qu'il n'y

1. MBA : diplôme de gestion des affaires (Master in Business Administration).

tenait pas tellement. Ce qui lui tenait à cœur, en réalité, c'était de construire des ordinateurs.

Il était alors entré chez Raytheon, où on l'avait affecté, au bout de quelque temps, à l'avant-projet d'un autre engin révolutionnaire, au titre ronflant d'ordinateur avionique digital avancé. L'étude en était financée par la Navy. Le plus gros du travail effectué sur cette machine avait été le fait, semble-t-il, de Wallach et d'un jeune collègue. Or, un beau jour, un groupe d'experts de la Navy avait débarqué au labo. Ils avaient décrété l'engin trop compliqué; jamais, à leur avis, les ingénieurs ne le feraient fonctionner. En quoi ils s'étaient trompés : Wallach et son compère avaient insufflé vie à l'engin. « Je crois bien que vers la fin nous avons dû trimer dessus une bonne centaine d'heures par semaine, devait se souvenir Wallach. On se bagarrait sur le moindre détail, comme des enragés, sans rien laisser passer. Et après ça on allait faire un bridge. » Mais la Navy, sur ces entrefaites, avait décidé d'abandonner la construction d'ordinateurs. « En réalité, pour être honnête, il faut dire qu'on s'en était un peu douté, et dès le début, que pour finir elle ne nous le prendrait pas. Si on s'était tellement entêtés, tous les deux, c'était surtout à cause de ces experts qui étaient allés nous dire que notre truc ne marcherait jamais. On s'était dit : merde alors, ce n'est tout de même pas eux qui vont nous dire ce qu'on peut faire et ce qu'on ne peut pas faire. » Tout bien pesé, quand il songeait à cette machine, Wallach éprouvait une sorte de satisfaction. C'était à ses yeux une jolie réussite technique, ainsi qu'un fleuron à sa réputation d'ingénieur. Il n'empêche qu'hélas, une fois de plus, sa machine, comme l'aurait dit West, « n'avait pas passé la porte ».

Wallach était entré à la Data General quelques années plus tard. Ce qui l'y avait attiré, ç'avait été la promesse qu'il participerait, dès la mise en chantier, à la réalisation d'une grande œuvre, en l'occurrence de cette machine inédite, à l'extrême pointe du progrès, qui allait devenir FHP. Une effervescence inouïe avait marqué le démarrage du projet. Les heureux élus qu'on y avait affectés y travailleraient en dehors des locaux officiels – dans un appartement privé, pour des raisons de sécurité, tant était capitale l'importance de ce projet! Il y avait eu une réunion secrète. L'un des dirigeants avait jeté sur la table un trousseau de clés, les clés de l'appartement alloué aux conjurés; et le numéro de la suite en question était celui de James Bond, l'agent secret : 007. Cette menue coïncidence avait beaucoup plu à Wallach, mais ce qui l'avait séduit encore davantage, c'était la légèreté du cahier des charges : les dirigeants ne faisaient peser aucune contrainte notable sur les ingénieurs chargés de concevoir l'engin. Ils pouvaient viser à la plus haute perfection technique, à l'excellence pure. On leur donnait carte blanche. Et Wallach s'était dit tout bas : « Du tonnerre! »

Il avait travaillé sur la grandiose machine deux années durant. Il avait beaucoup lu, potassé, ajouté quelques notions encore à ce qui était déjà un savoir encyclopédique sur tout ce qui s'était fait, dit et pensé dans le domaine des ordinateurs. Rien ne serait trop beau pour FHP. Il ne vivait plus que pour cette machine quand, brutalement, tout le projet – plans, matériel, et certains des ingénieurs, tout! – avait été transféré en Caroline du Nord. Wallach n'avait pas cru bon de suivre. Et c'était ainsi, pour la troisième fois, qu'il s'était fait déposséder d'une machine, et la plus belle de toutes.

FHP parti vers le sud, Wallach avait encore été de ceux qui, sacrifiant leurs jours et leurs nuits, avaient réussi à mettre sur pied le sémillant projet EGO. EGO balayé – une première fois –, Wallach était allé à son bureau pour y prendre ses cliques et ses claques et repartir à grand fracas. On ne le revit pas de quinze jours. C'est à peu près au moment de son retour que la DEC lança son VAX. Wallach se plongea dans les documents fournis, pour étudier l'architecture du VAX, et il en sortit écœuré. Certaines des caractéristiques du VAX correspondaient à celles d'EGO, mais ce dernier lui était supérieur, de l'avis de Wallach. Il en fut ulcéré. « Avec EGO, la DEC, on lui coupait l'herbe sous le pied. »

Ç'avait été Wallach, encore, qui avait suggéré à West l'idée de Victor. Et Wallach avait travaillé sur ce projet un certain temps. Mais Victor avait dépéri peu à peu. EGO avait paru revivre, et Wallach, quelque temps, avait cru pour de bon qu'EGO verrait le jour, finalement. Mais de Castro avait tout arrêté à nouveau.

Il y avait à présent plus de dix ans que Wallach consacrait ses forces vives à la conception de matériel informatique. Il avait apporté sa contribution à l'élaboration des plans de cinq ordinateurs – tous d'heureuse conception, à son avis. Il avait travaillé d'innombrables heures sur ces projets, des heures intenses. Il avait investi beaucoup de lui-même dans ces créatures de métal et de silicium. Pourtant il n'en avait vu qu'un seul parvenir au stade du fonctionnement réel, naître à sa vie de machine; et encore, celui-là même était mort-né, le client y ayant renoncé...

Lors de la seconde mort d'EGO, Wallach, fou de rage, était rentré chez lui une fois de plus. Une fois de plus, il avait disparu de la circulation durant une quinzaine. Mais cette fois, à son retour, il n'avait toujours pas décoléré. Et sa fureur n'avait fait que croître quand West lui avait suggéré de concevoir l'architecture d'une Éclipse à 32 bits. Les contraintes pesant sur Eagle lui paraissaient inadmissibles, un vrai carcan! Eagle serait une horreur, un monstre rétrograde! Se compromettre avec cet arriéré, quelle déchéance ce serait!

Pourtant, à n'en pas douter, pour ce qui était de « faire passer la porte » à une machine, Wallach était prêt.

Face à la porte ouverte, la première chose que l'on voyait de Wallach, c'étaient les semelles de ses bottes de cow-boy. Renversé en arrière sur le dossier de son siège, il avait les pieds sur son bureau. Mince sans être osseux, il avait une crinière brune et ondulée qu'il lissait vers l'arrière, mais sans parvenir à la dompter tout à fait. Il avait le teint pâle; il faut reconnaître que le métier d'informaticien vous tient plutôt à l'ombre, et que fort peu de vitamine D devait se frayer un chemin jusqu'au sous-sol de Westborough. Il avait dans les trente-cinq ans.

Wallach possédait son propre bureau, un vrai, en dur, avec porte – mais sans fenêtre –, sur le même couloir que le bureau de West, à quelque distance de là. Cet antre était bâti selon le même plan que celui de West, mais très différemment décoré. Ici, ce qui dominait, c'était l'impression de fougue, de bouillonnement à peine contenu. Nul plan horizontal qui ne fût envahi de papiers. Des fougères en pot descendaient du plafond. Sur les murs, criblés de punaises, s'étalaient caricatures, tee-shirts, affiches, cartes postales, sans oublier, près de la porte, un sac de papier kraft censé matérialiser, par dérision, cette fameuse besace que d'aucuns prétendaient greffer sur l'Éclipse.

L'une des affiches apposées en bonne place chez Wallach était l'agrandissement d'un dessin humoristique, bien connu, de Saül Steinberg, celui qui représente sa vision personnelle des États-Unis : New York y occupe tout le premier plan; la Californie a droit à une place à l'arrière-plan, pas bien grande, mais encore appréciable. Entre les deux, tout le reste des États est réduit à la portion congrue : guère plus de place pour eux que pour la laitue dans un sandwich. Wallach disait aimer ce poster pour sa justesse de vue. Il lui faisait songer aussi à cette fameuse Caroline du Nord, l'un de ces États réduits à rien sur la caricature. On avait proposé à Wallach de descendre là-bas, lui aussi, dans les bagages du projet FHP. On l'y avait même vivement encouragé. Pourquoi donc avait-il refusé?

« Tout simplement parce que moi, la Caroline du Nord, je trouvais ça dégueulasse. Je leur ai dit : " Ce n'est pas un endroit où j'ai envie d'installer ma femme et mes enfants, c'est tout! " On m'y a fait faire une visite guidée de Chapel Hill, et quelqu'un a dit qu'il y avait là le plus gros pourcentage de lecteurs du *New York Times* de tout l'État. J'ai dit : " Ouais, un ghetto, quoi! " Bon sang, moi, quand je me réveille le matin et que je tourne le bouton de ma radio, je veux entendre les rapports de la Bourse, et pas seulement le prix du tabac et des pourceaux. Ne parlons pas de ce qu'ils appellent de la gastronomie! Ce qu'ils mangent, je ne le souhaiterais pas à mon pire ennemi! » Ce disant, Wallach, pinçant les narines, se plissait le nez et lançait le menton en avant, comme s'il défiait un adversaire imaginaire de le frapper. Il était trop drôle. Puis sa grimace redevenait sourire.

Carl Alsing racontait volontiers qu'un jour, alors que l'un des ingénieurs du sous-sol s'étendait en long et en large sur la rude enfance qu'il avait eue en Inde, Wallach avait explosé : grandir en Inde, et alors? C'était plus facile de grandir à Brooklyn, peut-être? quand il y fallait se bagarrer, rien que sur le chemin de l'école, pour traverser les différents groupes ethniques défendant chacun son quartier!

Wallach se souvenait qu'un jour, alors qu'il était tout petit, un autre garçon lui avait flanqué un coup de poing qu'il ne lui avait pas rendu; et son père l'avait puni pour ce manquement à la riposte. Quand on lui demandait de décrire le milieu de son enfance, Wallach résumait les choses ainsi : « Ce n'est pas difficile. C'était un milieu où l'on avait vite fait d'apprendre que si jamais quelqu'un vous donne un coup, il faut le lui rendre, et deux fois plus fort, pour lui faire passer l'envie de recommencer. »

Quand je fis la connaissance de Wallach, il vivait dans un quartier résidentiel de Framingham, dans le Massachusetts, au sein d'un lotissement neuf et d'apparence cossue. Sa maison était peinte en gris et recouverte de planches en bois, dans le style colonial. C'était fort joli. Quant à l'intérieur, il était immaculé. Je revois Wallach, dans sa salle de séjour, au fond d'une chauffeuse blanche, en train de me conter ce qui revenait un peu à des souvenirs de guerre. L'un d'eux mettait en scène un des cadres de la Data dont Wallach avait cru qu'il était l'ennemi du groupe Éclipse. Wallach avait imaginé de le faire tourner en bourrique. Tout au long d'une semaine, chaque fois qu'il rencontrait l'autre, Wallach lui dédiait un sourire angélique. Mais la semaine suivante, au contraire, il se composait à chaque rencontre une mine catastrophée. Et ainsi de suite, jusqu'à ce que, pour finir, l'autre, n'y tenant plus, lui eût demandé des explications. Exactement ce qu'avait espéré Wallach.

« Steve, il y a quelque chose que je ne comprends pas : comment se fait-il que, certains jours, tu aies l'air ravi de me voir, alors que d'autres tu as tout simplement l'air de souhaiter que j'aille au diable?

– Aucune idée, avait répondu Wallach. Tout ce que je sais, c'est que je suis très lunatique. »

« Et là-dessus, se souvenait Wallach, je me suis précipité dans mon bureau pour m'y dilater la rate comme un hystérique. »

La femme de Wallach avait entendu au vol. « Steve, enfin! lui dit-elle. Tu crois que c'est bien? Dire que c'est avec ça que je vis! » conclut-elle en se tournant vers moi. Mais je pus constater qu'elle souriait.

Tandis que Wallach poursuivait dans la même veine, sa fille de quatre ans louvoyait autour des meubles sur ses patins à roulettes, à même la moquette. Eu égard à la blancheur immaculée de son siège et à sa propension aux éclats, je m'attendais à tout moment à le voir exploser en direction de la patineuse; mais j'eus tôt fait de conclure qu'il ne devait pas souvent tonner quand il était chez lui. Et quand la petite fille, toujours patinant, s'approcha de son père pour lui planter sur la joue un baiser humide et sonore, je pus le voir rayonner. « De l'intérêt d'avoir des filles », dit-il sobrement.

Il fallait comprendre dans quel type de contexte Wallach s'adonnait à sa pratique des arts martiaux. Ses armes étaient d'ordre professionnel, et il les laissait sur les lieux de son travail. Il faut reconnaître, d'ailleurs, qu'il avait là-bas, toutes ces dernières années, essuyé son content de provocations. Il s'y sentait, de son propre aveu, « comme un animal jeté dans une cage ».

Et dans ces conditions, il le reconnaissait, il pouvait avoir la dent dure. A l'occasion de l'une de ses nombreuses missions en Caroline du Nord, au cours de la « guerre d'EGO », il lui avait été fait don d'un poster représentant, en gros plan, la figure hideuse du scélérat de la Guerre des Étoiles, Darth Vader en personne. « Tiens, on a pensé que ça devrait te plaire », lui avait-il été dit. Il ne détestait pas rapporter l'anecdote.

Quand avait été annoncé le départ du projet FHP, Wallach l'avait ressenti à la fois comme une spoliation et comme un outrage. Ensuite, c'était avec une horreur stupéfaite qu'il avait pris connaissance de cet article du *Globe* où de Castro semblait jeter le discrédit sur les ingénieurs de Westborough. Pour en avoir le cœur net, Wallach avait appelé le reporter au téléphone. Se faisant passer pour une grosse légume de la maison, il avait obtenu que les notes du journaliste lui fussent lues à l'autre bout du fil. De cette enquête il avait conclu que de Castro avait été cité hors contexte. Mais cette affaire laissait tout de même un arrière-goût amer. Wallach avait entendu les partants pour la Caroline affirmer que ce serait là-bas, désormais, que l'action se passerait. Et sa conviction s'était faite que les déserteurs partis vers le Sud, tout comme d'ailleurs de Castro lui-même, avaient bel et bien conclu, une fois pour toutes, que les non-partants, ces vieilles croûtes de Westborough, ne produiraient dorénavant plus aucune machine d'une quelconque envergure. Et il prenait toute l'affaire comme une insulte personnelle. « Un camouflet en pleine figure. » Il lui fallait égaliser. Le travail sur EGO en avait été la première tentative. « Je l'ai déjà dit, je le reconnais : je suis un bagarreur. L'idée, c'était de leur prouver leurs torts à tous : au bonhomme là-haut, dans son bureau à l'angle de l'étage, et aux types de la Caroline. »

Dans cette guerre d'EGO, Wallach avait joué auprès de West le rôle d'un véritable Hessian [1]. West ne se sentait aucune raison d'en vouloir à l'équipe de la Caroline, pas plus qu'il n'avait intérêt à se montrer hostile. Mais dans les conflits, il faut ce qu'il faut; et certaines choses un peu rudes devaient être dites. Wallach excellait à les dire, et qui plus est il y prenait plaisir. Il avait donc tenu pour West, comme il devait le dire lui-même, le rôle de fusil dans les échanges de grenaille.

Et pourtant, pour finir, Wallach avait été battu. EGO s'était fait rembarrer. Non pas parce que ses plans ne valaient rien, mais parce qu'ils étaient trop bons, au contraire; ils risquaient de faire pâlir l'étoile de la Caroline. Du moins était-ce là ce dont Wallach se convainquit. West n'en fut jamais aussi sûr.

Quoi qu'il en soit, quand West s'était mis à évoquer la possible mise en chantier d'une Éclipse à 32 bits, Wallach avait eu un ricanement. Sarcasme d'autant plus motivé qu'il lui semblait que c'était là très exactement le genre de projet que ceux de la Caroline du Nord devaient souhaiter lui voir entreprendre : une machine bâtarde et minable qui ne passerait probablement pas la porte. Jamais! Il aimait mieux rester sur la touche que de se compromettre dans une entreprise pareille. Tiens, il en avait marre de se battre, et bientôt il quitterait la boîte.

Pendant ce temps, dans la place forte de son bureau, West méditait. Il décida qu'il avait commis une erreur. Pour le présenter à Wallach, il n'avait pas placé Eagle dans l'éclairage voulu. Durant les semaines qui suivirent, il eut des entretiens répétés avec l'architecte réticent. Il prêta

---

1. Hessian : aux États-Unis, désigne l'un de ces mercenaires d'origine germanique à la solde des forces anglaises, au moment de la révolution américaine; par extension, n'importe quel mercenaire. (N.d.l.T.)

l'oreille aux griefs de Wallach. Il reconnut volontiers qu'on en avait fort mal usé avec lui.

« Mais ne comprends-tu donc pas, malgré tout, que le meilleur moyen de leur prouver leurs torts, à tous, c'est de construire justement l'engin parfait? » interrogeait West, revenant à la charge. Pour finir, sous le coup de l'exaspération, mais aussi parce qu'il sentait l'autre prêt à se rendre, West frappa un grand coup : « Écoute, ou bien tu le fais, ou bien ta désignation à ce poste perd absolument tout effet! » Cette façon de mettre les points sur les i eut un énorme impact sur Wallach, qui se rendait bien compte, aussi, que West avait sans doute raison. Concevoir des architectures était bel et bien son métier, or Eagle était le seul projet, aux alentours, qui eût besoin d'un architecte. Seulement, il avait désormais vu trop de projets rejetés en dépit de leurs mérites pour croire qu'Eagle irait jusqu'au bout et sortirait au grand jour pour la simple raison qu'il pouvait promettre un gros succès commercial. Et Wallach ne voulait plus repasser par ce chemin-là. Il demanda à s'entretenir avec de Castro. C'était là une requête qui n'avait rien d'extravagant. Le bureau de de Castro, Wallach le savait, était d'ordinaire ouvert à tout ingénieur qui avait quelque chose à dire.

Selon les propres souvenirs de Wallach, en réponse à ceux qui l'interrogèrent par la suite, telle fut l'essence de cette conversation :

« Puis-je me montrer direct avec vous? » demanda Wallach.

De Castro acquiesça.

« Bon, alors est-ce qu'on peut savoir, une bonne fois, ce que vous voulez?

— Ce que je veux? Une Éclipse à 32 bits.

— En êtes-vous sûr? Et, si nous la faisons, n'irez-vous pas nous la saquer? Nous laisserez-vous la faire en paix?

— J'ai dit ce que je voulais : une Éclipse à 32 bits et sans bit de mode. »

Wallach alors revint au bureau de West, et là, enfin, après force soupirs, il laissa tomber : « D'accord, Tom. Je remets ça.

— Le dossier est à toi, répondit West. Tu as intérêt à faire vite. »

Wallach retourna à son bureau et en referma la porte. Quelques mois plus tard, un examen attentif du repaire de Wallach devait révéler, le long de ses murs, des myriades de petites entailles bordées chacune d'un soupçon de cirage, plus une grosse, située nettement plus haut. Ces meurtrissures, c'étaient les stigmates du travail de Wallach accouchant de sa part du projet.

En s'attablant à la tâche, dans la solitude de son bureau, Wallach se tint d'emblée le raisonnement suivant : puisque l'unique objet de cette entreprise ridicule était d'obtenir 32 bits – de faire passer l'espace d'adresses de l'Éclipse de 65 000 compartiments mémoire à 4,3 milliards –, autant commencer par imaginer comment ces compartiments seraient organisés et les informations qu'ils contiendraient protégées. Sa décision suivante – fruit de ce qu'il appelait une approche méthodique – fut d'accorder la priorité à l'organisation de la mémoire. Libérant une surface sur son bureau, il plaça devant lui un bloc de papier jaune et entreprit de tracer le schéma d'une adresse de 32 bits de type courant, sorte de casier rectangulaire destiné à recevoir 32 bits et se présentant à peu près comme ceci :

1 2 3 4 5 ──────────────────────── 32

Puis il commença à en subdiviser l'espace intérieur.

Si l'on poursuit la comparaison entre la mémoire d'un ordinateur et l'ensemble des postes téléphoniques d'une région, on peut rapprocher le travail de Wallach de la démarche effectuée pour mettre au point un système permettant de localiser facilement un numéro de téléphone ou un groupe de numéros (un système de codes par zones, par exemple).

A côté du bureau de Wallach, le mur était tapissé de plusieurs bibliothèques métalliques, hautes et de grande contenance. Du sol au plafond, leurs étagères affichaient complet, bourrées à craquer qu'elles étaient de gros classeurs et d'énormes volumes à la couverture sobre, portant des titres du genre : *Parallélisme entre Matériel et Logiciel – Concordances réelles et apparentes.* On pouvait trouver, sous ces reliures, le descriptif détaillé d'à peu près chaque ordinateur existant ou ayant existé, et même, pour certains, ayant failli exister. Wallach appelait ses étagères « la bibliothèque *de facto* de la Data General ». Il affirmait d'ailleurs en avoir la plus grande partie dans la tête. De temps à autre, il faisait pivoter son siège à roulettes et se penchait pour cueillir, au bas d'une étagère, un de ses gros classeurs reliés. Vers la fin de la journée, Wallach avait dégrossi son travail de subdivision d'une adresse type, et il se dit : « Voilà, pas mal. Sauf que tout reste à faire. » Et, au moment de quitter son bureau, il décocha un coup de pied au pan de mur jouxtant la porte.

Wallach n'était pas encore prêt à admettre que ce travail l'amusait bien. Mais il fut de retour de bonne heure le lendemain matin. Il tenait son plan de travail pour organiser la gestion de cette mémoire. Il lui fallait examiner maintenant comment protéger l'information engrangée.

Cette question simple en apparence était devenue un problème crucial dans le monde des ordinateurs. Il avait été soulevé, en grande partie, par l'apparition d'une pratique désormais largement répandue, celle du « temps partagé ». Dans le sous-sol de Westborough, pour prendre un exemple, chaque ingénieur disposait d'un terminal d'ordinateur (un clavier du type machine à écrire, plus un écran vidéo), et la plupart de ces terminaux étaient raccordés à un seul et même ordinateur du type Éclipse, situé à quelque distance, derrière l'une de ces portes interdites et perpétuellement closes. Tant que l'ordinateur central n'était pas surchargé, chaque utilisateur, à son propre bureau, pouvait jouir de l'illusion qu'il bénéficiait seul de l'accès à la machine, nonobstant le fait qu'en réalité elle se partageait entre tous. C'était là un système très banal. Il en existait d'autres, nettement plus élaborés. Le temps partagé ne se réduisait déjà plus au partage d'une machine entre les utilisateurs d'un même bâtiment, il se faisait d'un lieu à un autre, et même de continent à continent, par-delà les océans. De plus en plus, des ordinateurs communiquaient avec d'autres ordinateurs sans considération de distance.

Toutes sortes de sociétés et de groupements emmagasinaient dans leurs ordinateurs des informations infiniment précieuses. On peut aller jusqu'à dire, en un certain sens, que les banques entreposaient leurs sommes d'argent dans des systèmes informatiques, tout comme les compagnies pétrolières, qui stockaient aussi bien, dans leurs banques de données, les résultats de leurs études sismiques que tous leurs trésors royaux. Les cas de piraterie ou d'espionnage informatiques ne se comptaient déjà plus. Or c'était là les cas portés à la connaissance du public; les spécialistes s'accordaient en général à reconnaître que la grande majorité des malfaiteurs en la matière n'étaient jamais pris, et que ceux qui l'étaient ne se voyaient que rarement traîner en justice, soit parce que la société ainsi pillée répugnait à cette publicité embarrassante, soit encore parce qu'elle redoutait que le succès du raid ne fît des émules.

Nombreux étaient ceux qui s'étaient penchés sur ce problème, notamment un groupe d'informaticiens du MIT, techniciens et théoriciens réunis. Leur projet, du nom de MULTICS, avait été financé par le département de la Défense et, vers la fin des années soixante, ils avaient mis au point un système complexe permettant de mettre à l'épreuve des malfaiteurs les installations à accès simultané. C'était un système très élaboré, ce qui n'empêchait pas bon nombre de spécialistes de persister à croire que le système de protection à l'épreuve des malfrats doués restait encore à inventer. Une société, entre autres, s'était offert un système de protection particulièrement raffiné pour mettre à l'abri sa banque de données informatisée. Cela n'arrêta en rien une bande d'escrocs bien résolus à parvenir à leurs fins. Se faisant passer pour le fabricant du système de sécurité, ils envoyèrent à la société une série de fausses instructions prétendument destinées à rectifier le logiciel du système. Sans pour autant affecter le fonctionnement de l'ensemble, ces « rectifications » ouvraient dans le système une sorte de trappe par laquelle les malfaiteurs réussirent à soustraire à la banque de données de la firme des informations importantes. Cette anecdote était l'une des histoires favorites de Wallach. « Ce n'est sûrement pas moi qui vais me mettre à résoudre les problèmes du monde », concluait-il. Il laisserait donc de côté l'ambition de déjouer toute piraterie éventuelle et se concentrerait plutôt sur le moyen d'éviter les accidents fortuits.

Il peut arriver en effet que, par inadvertance, les utilisateurs d'un système à temps partagé altèrent le contenu de la mémoire de l'ordinateur auquel ils ont accès, et que par suite d'une fausse manœuvre ils détruisent des données précieuses ou dérèglent le logiciel de base. Des dispositifs comme le plan MULTICS offrent une protection tout à fait valable contre ce genre d'accidents.

Wallach, dans ce domaine, pouvait se permettre d'y aller à l'intuition. Durant ses deux années de travail sur FHP, il avait lu, estimait-il, absolument tout ce qui s'était publié sur les systèmes de protection. Le risque est grand, pour un architecte, en temps ordinaire, de tergiverser de longs mois sur les diverses possibilités offertes avant de prendre sa décision. Mais Wallach n'avait pas de temps à perdre. Très vite, il se dirigea vers ce qui lui semblait être la solution la plus simple, la plus générale et la meilleure, celle dont le principe émanait précisément du plan MULTICS – celle aussi, d'ailleurs, dont s'était inspiré l'architecte du VAX. Autrement dit, le système des cercles concentriques.

Imaginez un camp militaire dans lequel toutes les tentes sont disposées de manière à former plusieurs cercles concentriques. La tente du général se trouve au centre, et le général peut circuler librement d'un cercle de tentes à un autre. Dans le premier cercle à partir du centre logent, disons, les colonels, et eux peuvent circuler à leur guise de leur cercle de tentes vers n'importe lequel des autres cercles, mais ils ne peuvent approcher la tente du général qu'avec sa permission. La même règle s'applique pour chacun des cercles suivants, les résidants ne pouvant jamais circuler qu'en direction des cercles extérieurs au leur, et ce jusqu'au tout dernier cercle, où logent les simples soldats. Ceux-là n'ont aucun privilège particulier. Ils ne peuvent accéder à aucun autre cercle que le leur, à moins d'en avoir reçu l'autorisation expresse.

Reprenons à présent notre mémoire d'ordinateur. L'équivalent du cercle de tentes, c'est une partie bien définie de cette mémoire. Comment l'ordinateur va-t-il intervenir pour autoriser ou non l'accès d'un usager à telle ou telle zone de sa mémoire? Le plus souvent, en comparant deux numéros : celui du cercle auquel l'usager a libre accès et celui du cercle auquel il veut accéder. Si le cercle de l'usager porte un numéro moins élevé ou égal à celui du cercle pour lequel il réclame l'accès, l'autorisation est accordée; elle est refusée dans le cas contraire. Fort bien, mais selon quel critère attribuer des numéros de cercles aux compartiments de la mémoire? Telle était la question à laquelle Wallach se trouvait confronté.

Dans le cas du VAX, les ingénieurs de la DEC avaient traité séparément le problème de l'organisation de la mémoire et celui de sa protection. Chaque compartiment de la mémoire avait son adresse, et chacun avait aussi son numéro de cercle, fourni et vérifié par un dispositif matériel spécial. Wallach en avait étudié le descriptif. Il n'approuvait pas cette approche. Du fin fond de ses souvenirs lui revenaient des bribes d'une conversation qu'il avait eue avec un collègue, quelques années plus tôt, lors d'une rencontre entre ingénieurs de différentes sociétés. Dans ce genre de réunion, généralement, pour entamer la conversation on demande aux autres sur quels projets ils ont travaillé. Et Wallach se souvenait d'avoir entendu un ingénieur lui parler d'un système de cercles concentriques auquel il avait songé sans jamais le réaliser, et dans lequel se combinaient adresse et numéro de cercle. Wallach avait demandé à l'autre de bien vouloir lui en faire parvenir le descriptif. Mais le dispositif lui avait finalement paru un peu lourd. Pourtant, à y réfléchir de nouveau, il se disait qu'il devait y avoir là le commencement d'une bonne idée.

Wallach traça un second schéma représentant une adresse à 32 bits de type standard.

1 2 3   4 ———————————————————→ 32

segment	adresse

Les trois premiers bits de l'adresse définiraient le numéro de segment de chaque compartiment mémoire – l'équivalent, si l'on poursuit l'analogie avec le téléphone, de son code régional. Les bits suivants définiraient le reste de l'adresse; mais, pour le moment, ils n'entraient pas dans le cadre des préoccupations de Wallach. Il méditait sur les trois premiers bits. Et brusquement, sans trop savoir ce qu'il faisait, il se mit à dessiner un second casier sous le premier. Et cela donna le schéma suivant :

1 2 3   4————————————————→ 32

segment	adresse
numéro de cercle	adresse

Le numéro de segment – le code régional – se confondrait avec le numéro de cercle, celui qui définirait le degré de protection accordé au compartiment en question. Trois bits peuvent être combinés de huit manières différentes, il y aurait donc huit cercles (huit niveaux de protection) et huit segments (huit codes de zone) dans le système de mémoire envisagé.

Bien qu'ils hésitent à l'avouer quand ils viennent de vivre l'un de ces instants privilégiés, les ingénieurs évoquent volontiers cette « minute bénie » – malheureusement trop rare – où le chercheur voit soudain surgir devant lui la solution d'un problème qui le tenait en échec. La première force du schéma de Wallach, c'était sa grande simplicité. Il serait relativement facile et peu coûteux d'appliquer cette formule, tant au niveau du matériel que sur le plan logiciel. Et le dispositif ainsi créé devait être aussi fiable qu'efficace. Sitôt qu'Alsing eût jeté un coup d'œil sur le bref topo que lui présentait Wallach, il dit sobrement : « Joli ! » Mais peu après, hors de portée de l'ouïe de Wallach, il se montra plus loquace : « Les systèmes de cercles, ça n'a rien de nouveau. C'est même du réchauffé, dans un sens. Mais ce qui fait de Wallach un excellent ingénieur, bien dans l'esprit de la Data, c'est qu'à partir de ces idées rebattues il vous concocte quelque chose de tout à fait inédit, de joliment bien vu et même d'élégant – simple, efficace, ni tortueux, ni agressif, ni ruineux. Et j'avoue que je m'étonne d'adresser tous ces éloges à Wallach. »

Quant à Wallach lui-même, après avoir tracé ce schéma, il l'avait contemplé un instant, perplexe. « Tiens, mais d'où ça sort, ce truc-là? » Puis, s'étant attardé encore un moment sur ce topo, il avait décidé : « Ça n'a pas l'air idiot... »

Les deux ou trois jours qui suivirent, il joua avec cette idée, afin de bien s'assurer qu'il n'y avait pas de piège et que son invention devait pouvoir marcher. Enfin, tirant en face de lui son terminal d'ordinateur, il entreprit de rédiger une note, où il résumait comment avaient été résolues jusque-là les questions de sécurité et d'organisation à l'intérieur des mémoires d'ordinateur, avant d'enchaîner sur une rapide description du système qu'il envisageait. Vers la fin de ce mémo, son sens du sarcasme pointait : il traitait son système d'invention abracadabrante, mais très nettement moins tordue, à tout prendre, que celle dont la DEC avait équipé son VAX.

En réalité, son mur reçut encore quelques vigoureux coups de pied : car Wallach répugnait, pour tout dire, à galvauder une invention d'aussi belle venue sur cette vieille lune qu'était l'Éclipse. C'était exactement comme d'avoir dessiné un portail à l'arceau très pur pour l'entrée d'un supermarché.

En matière d'architectures d'ordinateurs, Wallach était un véritable érudit. Il connaissait par cœur les œuvres des Michel-Ange de la profession. Il se voyait déjà, une fois Eagle terminé, confronté à une assemblée de spécialistes. Tous le mettraient à la question sur l'architecture de l'engin, lançant des interrogations qui seraient autant de piques, autant de banderilles plantées dans son amour-propre : « Et pourquoi donc as-tu fait comme ci et non pas comme ça, Steve? C'était à l'évidence tellement mieux! » Et lui se défendrait de la seule parade possible, mollement et hypocritement : il n'avait pas agi de son plein gré, des diktats venus d'en haut l'avaient empêché de déployer tout son talent.

Si Wallach rongeait ainsi son mors, c'était en songeant au « jeu d'instructions ». Les instructions en question correspondent aux opérations de base pour l'exécution desquelles le constructeur a équipé sa machine. Un exemple type en est l'instruction ADD, qui indique que l'ordinateur doit procéder à une addition, un autre l'instruction « Skip on Equal », qui commande à la machine de comparer deux valeurs et de sauter l'étape suivante de son programme si elles sont identiques. A l'heure actuelle, le jeu d'instructions de la plupart des mini-ordinateurs comprend environ deux cents instructions. Une part importante de l'art d'un architecte consiste précisément à sélectionner avec le plus grand soin les instructions qu'il va faire figurer, ainsi qu'à donner à chaque instruction la plus grande souplesse d'utilisation possible. Or cet art avait beaucoup progressé depuis l'invention de l'Éclipse. Et malheureusement, pour être compatible avec les Éclipse, Eagle devrait contenir la totalité de leur jeu d'instructions dépassé. La DEC ne s'était pas donné ce mal; le VAX n'était pas pleinement compatible avec les vieilles machines à 16 bits de la DEC. Cette dernière avait renoncé à la compatibilité totale au bénéfice de ce que Wallach appelait le merveilleux, le formidable jeu d'instructions du VAX. Et c'est pourquoi Wallach s'estimait désavantagé. Le jeu d'instructions d'EGO avait été très proche de celui de VAX. Tous deux étaient les témoins de l'état d'avancée de la technique. Avec son jeu d'instructions désuet, l'Éclipse ne témoignait que du passé.

Durant des mois encore, Wallach devait continuer a porter ouvertement le deuil d'EGO et à répéter à qui voulait l'entendre que si jamais quiconque lui demandait un jour pourquoi il n'avait pas mis au point un meilleur jeu d'instructions, il ne fallait pas croire qu'il se tairait! Il irait dire à tout le monde qu'on lui avait interdit d'utiliser un bit de mode. « Je leur dirai qu'on m'avait répété que telles étaient les instructions de la direction, et que si je voulais travailler sur une machine il fallait que je suive aveuglément les instructions de la direction. » En réalité, au plus profond de lui-même, il était en train de changer de ton. Il commençait à s'attacher à cette architecture sur laquelle il travaillait, il commençait à en aimer l'allure. Petit à petit, il n'y voyait plus « une verrue sur une verrue », mais plutôt un projet de belle venue avec, hélas, une verrue dessus. La verrue, c'était toujours le jeu d'instructions d'Éclipse, qu'Eagle devrait pratiquement contenir in extenso, pour les besoins de la compatibilité. Mais il restait encore, sur sa toile de grand maître, quelques emplacements vierges où exercer ses talents; outre l'organisation et la protection de la mémoire, déjà évoquées, il lui restait à inventer, essentiellement, toutes les nouvelles instructions à 32 bits pour Eagle. Il s'y adonna de si bon cœur qu'il fit quelques trouvailles qui lui plurent particulièrement. En fait, il trouva même le moyen de glisser insidieusement quelque chose qui n'était autre qu'un bit de mode bien déguisé – innovation qui lui eût permis de définir pour Eagle tout un nouveau jeu d'instructions, sans parenté, celles-là, avec les instructions d'Éclipse. Mais il n'avait tout de même pas suffisamment camouflé son bit de mode. West le débusqua. « Non, ça, nous ne le ferons pas », dit-il simplement à Wallach. Wallach retourna à son bureau et flanqua un bon coup de poing dans le mur.

Par contre, West le laissa libre d'introduire dans Eagle quelques instructions nouvelles qui n'avaient rien à voir avec celles d'Éclipse. Toutes les idées d'instructions nouvelles ne devaient d'ailleurs pas provenir exclusivement de Wallach, du moins pas en apparence. Ainsi se déroulèrent les choses, à plusieurs reprises. Wallach allait trouver West pour lui présenter l'idée d'une nouvelle instruction. West disait que c'était bien trouvé, mais que cela ne ressemblait pas assez à une instruction Éclipse. Wallach savait très bien ce qu'il entendait par là : si cette instruction suspecte tombait sous les yeux de qui-ne-devait-pas-la-voir, il risquait d'y avoir des remous. Ceux de l'étage au-dessus et ceux de la Caroline du Nord pouvaient fort bien en déduire qu'Eagle n'était peut-être pas si innocent que ça et qu'il cherchait pour de bon, finalement, à concurrencer FHP (en quoi ils ne se seraient pas trompés). En pareil cas, Wallach apportait son idée pour une nouvelle instruction à ses amis du Logiciel. Les programmeurs du système appréciaient l'idée, et tous ensemble, Wallach et les programmeurs, ils travaillaient à définir à fond cette nouvelle instruction sans parenté avec celles du type Éclipse. Après quoi Wallach priait ses amis de rédiger une note à l'intention du groupe Éclipse, pour demander qu'Eagle soit équipé de cette instruction.

« C'étaient eux qui rédigeaient la note, avoua plus tard Wallach, parce que de cette manière, si jamais quelqu'un se posait des questions, l'idée avait l'air de venir d'eux et non de nous. » Et il ajoutait : « C'est fou le nombre de combines que nous avions ici et dont je n'ai jamais entendu parler ailleurs. Il est évident que ce n'étaient pas toujours les façons de procéder utilisées d'ordinaire.

— Mais vous ne détestiez pas ces façons de procéder? suggérai-je.

— Nous y prenions tous pas mal de plaisir, dit-il. C'est toujours plus amusant de faire les choses en catimini que de les faire au grand jour. »

Après avoir trouvé le principe de son système combinant l'organisation de la mémoire d'Eagle et sa protection, Wallach avait encore à en mettre au point le détail, ce qui donna lieu à d'interminables discussions, parfois fort animées et sonores, avec Ken Holberger, le sous-lieutenant de ces Intrépides à qui il reviendrait de matérialiser ses plans. Pour discuter technique, Wallach trouva en Holberger un adversaire à sa hauteur, et dans l'ensemble il prit un vif plaisir à leurs joutes.

Il fallut ensuite définir par le menu toutes les instructions, ainsi que le mécanisme précis grâce auquel Eagle passerait sans heurts, et sans intervention de l'utilisateur, de programmes écrits pour des Éclipse à 16 bits à des programmes écrits pour une machine à 32 bits. C'était une tâche longue et compliquée. Après quoi il restait encore à réunir dans un rapport la totalité des documents relatifs à cette somme de travail. Wallach apporta à cette tâche une patience d'orfèvre. Il appelait ce rapport « mon livre », et, par amour de la perfection, il le récrivit plusieurs fois dans les mois qui suivirent. Le résultat fut un volume de quelque deux cents pages, dont chaque chapitre comportait, en exergue, une citation plus ou moins connue.

Wallach disait ne jamais lire de textes techniques en dehors des heures de travail, et partager les soupçons de West à l'égard de ceux qui le faisaient. Chez lui, affirmait-il, il lisait surtout *Playboy*. « Je lis les articles, les nouvelles. Si, c'est vrai, je les lis! Bon, d'accord, je regarde les photos, mais j'aime bien les textes aussi. » Nos soupçons le faisaient rire. Il ne possédait pas précisément ce qu'on appelle une culture classique. Aussi les épigraphes dont il agrémenta son rapport ne lui vinrent-elles pas sans effort de sa part. Il tira ses citations de Victor Hugo, Nietzsche, Shakespeare, T. S. Eliot, Santayana et F. D. Roosevelt. Certaines étaient badines et d'autres carrément spirituelles, pour qui en saisissait le contexte. En exergue au chapitre sur le jeu d'instructions, par exemple, il plaça ces vers de Macbeth :

Nous avons encore jugement ici-bas; pour n'avoir
[donné
*Qu'*Instructions sanglantes [1]; *lesquelles ensuite s'en revien-*
[nent
Harceler leur inventeur...

En tête du chapitre où il exposait son élégant système de gestion et de protection de la mémoire, il choisit cette énigme tirée du roman fantastique de J. R. R. Tolkien, *The Hobbit,* prélude à la trilogie *The Lord of The Rings* [2] :

On ne peut me voir, ni me palper,
Ni m'entendre, ni me flairer,
Je suis derrière les constellations,
Sous les collines et sous les monts,
J'emplis les creux jusqu'à leur fin fond [2]...

Wallach avait passé une vingtaine d'heures en tout à la bibliothèque municipale de Framingham, le nez dans le recueil de Bartlett, *Citations familières,* ou en train d'effectuer quelque brève plongée dans l'une des œuvres elles-mêmes, et tout cela dans l'unique but d'orner son

---

1. *Bloody Instructions :* il y a ici un jeu de mots intraduisible. « Bloody » signifie bien au sens propre « sanglant », mais aussi, dans un sens figuré et familier, « satané ». Les *instructions sanguinaires* de Macbeth deviennent, pour Wallach, *ces bougres d'instructions.* (*N.d.l.T.*)

2. Il s'agit d'une énigme proposée par l'affreux Gollum (dont il sera de nouveau question plus loin). Pour ceux qui n'auraient pas lu *The Hobbit* – publié en français sous le titre *Bilbo Le Hobbit,* ainsi que la trilogie qui lui fait suite, *Le Seigneur des Anneaux* – voici la fin de l'énoncé :

> *Je viens par-devant et je suis par-derrière,*
> *Du rire et de la vie, je suis la fin dernière.*
> *Qui suis-je?*

Et la réponse est : *l'Obscurité.* (*N.d.l.T.*)

dossier descriptif. Mais ces citations apportaient réellement quelque chose à l'ouvrage. Et elles étaient révélatrices de la qualité des sentiments que nourrissait Wallach à l'égard de son travail. S'il était une sorte d'Hessian, c'était un Hessian passionné, et, par le choix de ses citations, il apposait sa griffe sur sa part de travail dans la création de la machine.

Wallach avait en fait passé plus de temps à réunir ses épigraphes qu'il ne lui en avait fallu pour découvrir comment organiser et protéger en même temps la mémoire de la future machine. Mais ce trait d'inspiration, cet instant béni de la découverte, avait coloré pour lui tout le reste. Comme il avait pu le constater, le restant du travail avait paru couler de source à partir de cette seule idée. Il y avait là comme un heureux présage.

D'où peuvent sourdre ces instants de grâce? «Ça, personne n'en sait absolument rien », disait Wallach. Il se souvenait seulement qu'un jour, alors qu'il travaillait pour Raytheon sur l'ordinateur de la Navy – celui qui était allé jusqu'au stade du prototype fonctionnel, pour se voir rejeter ensuite –, la solution d'un problème tout différent s'était soudain présentée à son esprit alors qu'il assistait à une noce. Il s'était empressé de la coucher par écrit sur le dos d'une boîte d'allumettes. « Je pense que ça continue à tourner en rond tout doucement dans ma tête, même quand je pense à tout autre chose, suggérait Wallach. J'imagine qu'inconsciemment je passe en revue ma banque de données. »

5. PROGRAMMEUR DE MINUIT

C'était l'heure des insomniaques. Dans le sous-sol de Westborough, corridors et cellules, déserts, étaient plonges dans l'ombre. Seul dans cette obscurité, le petit capharnaüm privé de Carl Alsing se taillait un modeste rectangle de lumière. Déployés devant moi sur toute la surface de son bureau, semblables à ces vieux papiers traînant partout après une fête, s'étalaient des douzaines de cartes et croquis grossièrement tracés. Il s'agissait surtout de cercles, au centre desquels étaient gribouillés des noms étranges, du genre Passe Maudite, Manoir des Brumes, Palais du Roi de la Montagne, Fourche du Grand Embarras, Grande Salle des Merveilles, La Courtepointe et Plus-d'Issue. Tout un réseau de lignes reliait ces cercles entre eux, chaque ligne étant annotée, tantôt de points d'orientations, tantôt des indications « vers le haut » ou « vers le bas ». De ci, de là, on pouvait lire ces précisions laconiques : « ici, pétrole », ou « ici, point d'eau », ou encore « zut pour ce pirate! ». Au centre de cette mer de papier trônait le terminal d'ordinateur d'Alsing. Sur l'écran, en lettres blanches, telle la petite voix qui sussure à l'oreille du joueur invétéré de ne pas lâcher prise, s'étalait cette exhortation :

ÊTES-VOUS SI SÛR DE VOULOIR
DÉJÀ RENONCER?

Alsing m'avait proposé un échantillon de ses « programmations de minuit » et ce soir-là, à l'entrée de l'hiver 1979, il était passé à l'acte. Assis derrière son bureau, se gardant bien d'intervenir, il tentait de réprimer un petit sourire narquois. Depuis des heures, il observait mes tribulations

107

de novice aux prises avec les traquenards du grand jeu Adventure. « Pas mal, pas mal, m'encourageait-il. Vous y êtes en plein, c'est bon. »

Depuis son apparition, le programme du jeu Adventure avait fait bien du chemin, de fil en aiguille, par monts et par vaux, dans l'univers des ingénieurs et des mordus de l'informatique. Il avait été introduit à Westborough juste à point pour distraire de leurs plaies les sinistrés de la guerre d'EGO. On le retrouvait désormais partout; les étudiants l'avaient adopté.

Dans ce jeu, le rôle de l'ordinateur est de créer pour vous tout un univers souterrain, la Caverne Colossale. En réponse à vos instructions, il vous déplace au figuré à travers cet espace truffé de chausse-trapes. Il tient en quelque sorte à la fois le rôle de plan de jeu, comme le damier ou le carton du jeu de l'oie, et celui d'arbitre et de gardien du règlement, sans oublier, quand vous vous embrouillez, celui d'assistant et d'adversaire en même temps. Vous commandez vos déplacements en tapant vos instructions sur le clavier du terminal. Et si vous tapez plusieurs fois ces instructions en toutes lettres, il vous transmettra aimablement ce message par l'intermédiaire de son écran :

SI VOUS LE PRÉFÉREZ, TAPEZ SIMPLEMENT N PLUTÔT QUE NORD.

« Tiens? Comment se fait-il qu'il en sache si long? m'étonnai-je.
– Sais pas, dit Alsing, d'un air de sainte nitouche Tantôt il est perspicace, tantôt il est bouché à l'émeri. »

Votre déplacement effectué, un message apparaît sur l'écran, qui vous indique où vous vous trouvez et sur quoi vous êtes tombé. Il vous faut réagir, en deux mots ou moins, tant aux éventuelles aubaines – découverte d'un trésor ou de quelque outil précieux sur le pavé de quelque salle... – qu'aux dangers imminents et autres défis et menaces – le gnome brandissant sa hache, le serpent venimeux, le troll qui monte la garde à l'entrée du pont, l'inévitable dragon. Si par exemple vous voulez franchir cette lourde porte rouillée qui interdit l'accès à l'une des salles, il vous faut réfléchir au moyen de venir à bout de la rouille, retrouver dans votre mémoire où donc était cette flaque d'huile rencontrée plus tôt, comment faire pour s'y rendre, et taper sur le clavier, étape par étape, la manœuvre nécessaire pour revenir sur le site en question; en pareil cas, comme l'ordinateur est juge du nombre de choses que vous avez le droit de faire à la fois, il se peut qu'il vous enjoigne l'ordre de vous délester d'un certain nombre des objets que vous transportez, outils ou butin. JE LÂCHE PIÈCES D'OR, serez-vous peut-être contraint d'écrire, avant d'être autorisé à ajouter : JE PRENDS HUILE. Attention : il est évident que, pour ce faire, vous devez être muni de quelque contenant, sinon vous vous verrez opposer une fin de non-recevoir. Après quoi il vous faudra revenir sur vos pas en direction de la porte rouillée, et taper : J'HUILE LA PORTE. Toutes ces allées et venues demandent une certaine pratique, mais au bout de quelque temps cela devient aussi facile que de conduire sa voiture. Au fond, c'est une sorte d'entraînement à l'enfer.

Un peu plus tôt, cette nuit-là, alors que je bourlinguais plus ou moins au jugé et sans l'aide des cartes, j'étais tombé sur un site que l'écran me décrivait ainsi :

VOUS ÊTES DANS UN DÉDALE DE PETITES
GALERIES TORTUEUSES,
TOUTES DIFFÉRENTES.

Aussi m'empressai-je de taper NO, Nord-Ouest, pour m'arracher de là, dans l'espoir de repartir sur mes pas. Mais l'écran répondit :

VOUS ÊTES DANS UN DÉDALE TORTUEUX DE
PETITES GALERIES, TOUTES DIFFÉRENTES.

Si vous vous êtes sincèrement pris au jeu, vous risquez de vous faire du souci pour de bon. Je me sentais comme perdu dans une forêt, et ma réaction fut celle qu'éviterait soigneusement le forestier averti : partir dans une direction, puis dans une autre, pour n'aboutir nulle part.

C'est alors que j'entendis Alsing pouffer. « Aaaah, c'est fou ce que ça me plaît... »

Je pataugeai encore un moment dans mon diabolique labyrinthe. Pour finir, j'entendis Alsing me dire :

« Regardez attentivement ce que vous dit l'écran.

– C'est toujours la même chose.

– Non, regardez bien. »

Chaque pièce de ce dédale à l'intérieur du grand labyrinthe avait son adresse propre, formé d'une combinaison particulière des mots *tortueux, petit, galerie* et *dédale*.

« Bon, et alors? Quand on est perdu, que fait-on? demanda Alsing.

– On dresse une carte, bien sûr. »

Alsing se carra dans son fauteuil, avec un sourire de maître d'école indulgent – l'un des rôles qu'il jouait volontiers dans les débuts du projet Éclipse.

Peu après, cependant, je me trouvai dans une situation réellement embarrassante :

VOUS ÊTES DANS UN DÉDALE DE PETITES GALERIES TORTUEUSES, TOUTES SEMBLABLES.

Il vous faut absolument arriver à vous y retrouver à l'intérieur de ce dédale, car c'est à l'intérieur que se trouve le distributeur automatique qui vous fournira des piles pour votre indispensable lampe de poche, sans compter que c'est aussi là que se trouve le repaire de ce pirate kleptomane qui vous suivra sournoisement partout si vous éveillez son attention, pour vous délester au fur et à mesure de tout votre butin. Si donc vous n'arrivez pas à maîtriser cette embûche, autant renoncer tout de suite à la poursuite de l'Adventure. Mais comment trouver son chemin dans un dédale de salles toutes identiques? Il faut faire, en gros, comme le Petit Poucet : laisser tomber au sol un petit quelque chose dans chaque pièce traversée, de manière à laisser une trace de son passage.

Or ce n'était pas là le pire des labyrinthes, il s'en faut! Vous pouviez vous casser le nez sur Plus-d'Issue et croire vraiment ne plus arriver à vous en sortir. Certains des fervents d'Adventure, dans le sous-sol de Westborough, qui étaient presque parvenus à se tirer de toutes les embûches du jeu, estimaient qu'il n'y avait qu'une seule façon de se dépatouiller de Plus-d'Issue : informer l'ordinateur de son intention de se saborder soi-même : COUP DE HACHE FATAL. Et cela marchait; le joueur ressuscitait peu après. Mais il y avait perdu beaucoup de points; le suicide n'était pas la meilleure des solutions.

Je n'allai quant à moi pas aussi loin que ce funeste Plus-d'Issue; j'abandonnai la partie dans le dédale des petites galeries toutes semblables. Et malgré l'évidente réticence de l'ordinateur à me laisser aller – ÊTES-VOUS SI SÛR DE VOULOIR DÉJÀ RENONCER? –, je tins bon. Alsing se leva et m'emmena à la cafétéria. Chemin faisant, il nous égara dans les couloirs du sous-sol. Très certainement l'avait-il fait exprès, malgré ses dénégations farouches. Quoi qu'il en soit, ce fut pour lui l'occasion de souligner : « Ah! Les petites galeries tortueuses de la Data General! »

Nous étions alors à cette heure de la nuit où vous revient par moments l'étrange impression de n'arriver plus très bien à démêler le réel de l'irréel, où tout semble se nimber de mystère. Je me défendais contre ce sentiment de flou indéfinissable. J'éprouvais le besoin de me répéter qu'Adventure n'est qu'un programme, une série d'instructions étape par étape incorporées dans un code électrique à l'intérieur d'un ordinateur.

Comment la machine est-elle capable de déployer autant d'astuce? La réponse, en gros, est qu'un ordinateur est capable d'exécuter des instructions assorties d'une condition. Par exemple il peut prendre deux valeurs et les comparer l'une à l'autre – ce qui revient à de la simple arithmétique – et, si on le lui demande, effectuer telle ou telle tâche selon que ces valeurs sont identiques ou non. C'est cette aptitude, incorporée à la machine, de tenir compte, pour agir, de telle ou telle condition qui confère tant de pouvoir à l'ordinateur. Vous pouvez lui soumettre, à traiter à la suite, tout un lacis d'instructions condition-nelles aux bifurcations innombrables, et la machine aura l'air, au bout du compte, d'avoir pris d'elle-même des décisions ardues.

Quand nous fûmes de retour de cette aventure qu'avait constituée la recherche d'une tasse de café, je demandai à Alsing ce qu'il pensait de la question – vieille à présent de quelque vingt ans et toujours demeurée entière – de savoir s'il est possible, en théorie, de doter une machine d'une véritable intelligence. De créer, autrement dit, ce fameux engin doué d'intelligence artificielle. Il détourna quelque peu la question. « L'intelligence artificielle vous détourne de votre propre cheminement. Ce qu'il faut faire, c'est

111

regarder tourner les rouages de la machine et, si le jeu vous amuse, y prendre plaisir. »

Aux deux ordinateurs dont se servait le groupe, les ingénieurs d'Éclipse avaient donné des noms; c'étaient Woodstock et Trixie, d'après des personnages de bandes dessinées. Et quand ils parlaient d'eux, bien souvent, c'était en les dotant d'une sorte de personnalité. Dans les cas graves de ras-le-bol, par exemple, il leur arrivait d'aller faire un tour chez Trixie pour lui lancer des injures. Alsing avait son opinion sur ce point : « Des tas de gens sont prêts à décrier l'anthropomorphisation qui s'est faite autour des ordinateurs; c'est pourtant en les anthropomorphisant qu'on a le moins de mal à s'adresser à eux, il n'y a pas de doute! On peut très bien faire la même chose avec sa voiture, par exemple, et ça marche – jusqu'à un certain point. Nous faisons de l'anthropomorphisme avec des quantités d'autres choses; les grandes sociétés, l'armée, ainsi de suite : autant de créatures bizarres auxquelles nous accordons une personnalité qui nous échappe. Je crois que c'est une réaction saine, je crois que c'est tout à fait normal. De la même façon, nous avons tendance à attribuer à l'ordinateur un caractère et des réactions d'être humain. Rien d'étonnant, il nous présente une sorte de visage, comme une personne – une personne dans sa diversité, et cela de mille et mille manières.

Il tira sa chaise jusqu'à son terminal et tapa quelques lettres sur le clavier – un bref indicatif codé qui le mettait en contact avec Trixie, la machine réservée à son équipe de microprogrammation. « Avec Trixie, nous avons poussé l'anthropomorphisme comme il ne devrait pas être permis », dit-il.

Sur le clavier, il tapa QUI.

Sur l'écran bleu sombre du tube cathodique, la réponse apparut, empressée : CARL.

OÙ, tapa Alsing.

SUR LA ROUTE, PARDI! répondit Trixie.

COMMENT.

ERREUR, afficha l'écran.

« Allons, bon! j'oubliais », dit Alsing; et il tapa de nouveau :

COMMENT S.V.P.

A TOI DE LE TROUVER, NOUS, NOUS LE SAVONS.

112

Alsing parut satisfait de la réponse et tapa : QUAND.

EN CE MOMENT MÊME, CRÉNOM.

POURQUOI, écrivit Alsing.

PARCE QUE ÇA NOUS PLAÎT, VOILÀ.

C'était l'un des Microkids d'Alsing, bien sûr, qui avait programmé Trixie de manière à lui faire donner ces réponses impertinentes. Là, en réalité, Alsing était bel et bien en conversation avec l'un des membres de son équipe. Je crois savoir – et d'ailleurs l'un d'entre eux le dit un jour lui-même – que si leur machine s'était mise un jour à leur répondre d'elle-même des effronteries de son cru, ils auraient eu tôt fait de lui arracher tous ses fils.

Doter Trixie d'une personnalité propre n'était qu'un jeu, et non le plus élaboré de ceux auxquels se livraient Alsing et ses Microkids. Les enfants terribles du groupe Éclipse, c'étaient eux, et leur ordinateur le disait sans équivoque.

Si l'on en avait dressé un portrait-robot à partir de ce qu'en décrivaient certains de ces jeunes gens, l'ingénieur type, créature peut-être mythique, était censé porter la chemise blanche, avec une pochette en plastique doublant sa poche de poitrine, afin de protéger le tissu de l'encre de ses stylos. Une calculatrice électronique – ou jadis une règle à calcul – devait battre ses flancs comme le trousseau de clés d'un gardien. A quoi Jim Guyer, l'un des Intrépides qui portait la barbe et chevauchait une grosse moto ajoutait : « Il y a des tas de gens qui se figurent qu'un ingénieur c'est quelqu'un qui s'enferme dans son petit coin, et que rigoureusement rien n'intéresse en dehors de sa petite spécialité. Bon. Il y en a qui sont comme ça, d'accord. C'est même ceux qu'on remarque le plus, parce que justement ils tranchent sur les autres. »

A première vue, Alsing répondait assez bien à la description. On pouvait même le prendre pour un habitué des lieux sombres. A cet égard, comme à d'autres, il trompait son monde.

Alsing est de grande taille, il dépasse le mètre quatre-vingt-cinq; mais il n'a pas l'air de s'en rendre très bien compte, et il ne donne pas non plus l'impression d'être si grand. Il n'est ni gros ni maigre. Il porte ses cheveux coupés assez court, et il y a souvent quelque laisser-aller dans ses vêtements; pas le débraillé étudié, non, ni le franc dépenaillé, juste un léger négligé. Il s'exprime d'ordinaire d'une voix égale et douce et cette voix, s'il force le ton, peut monter assez haut sans pour autant grincer dans les aigus. Si l'on observe ses mains, qu'il les plie sur ses genoux ou se les cale sous le menton, on est frappé par une certaine délicatesse en elles. L'une de ses connaissances disait de lui un jour : « Il a l'air de manquer de coordination. » De fait, Alsing pratique assez peu de sports, encore qu'il se soit mis, à l'occasion de vacances dans les Caraïbes, à la plongée libre. Par contre il est, de très longue date, un radio amateur convaincu. Il me semblait, en le regardant, percevoir en lui l'enfant solitaire qu'il avait dû être – le dernier que l'on choisit au moment de former les équipes pour les jeux de ballon, celui qui lance la balle comme une fille. Pourtant Alsing est extrêmement sociable et il apprécie la compagnie de ses semblables. Il s'est efforcé de cultiver, voici déjà quelques années, l'art de se comporter aimablement en société, et le résultat est là. Vous le verrez entrer dans une salle de séjour inconnue, s'y asseoir, refermer soigneusement ses mains l'une sur l'autre et poser le tout sur les genoux, puis écouter. Vous irez peut-être jusqu'à en oublier sa présence jusqu'à ce que, petit à petit, si subtilement que c'est à peine si vous vous en rendrez compte, il entre dans la conversation. Après l'avoir rencontré pour la première fois en de pareilles circonstances, plusieurs personnes me dirent de lui : « C'est vraiment quelqu'un d'intelligent et de très intéressant, ne trouvez-vous pas? »

A l'époque du lancement du projet Eagle, Alsing venait d'avoir trente-cinq ans, ce qui faisait de lui, au sein du groupe, un véritable barbon; mais il était joliment éveillé et enjoué, pour un vieux birbe. Son regard aigu ne tenait pas en place. Ses sourcils dansaient sans trêve, le dispensant de faire des clins d'œil. Quand il refermait la bouche et qu'un petit sourire venait creuser dans chacune de ses joues une ridule en demi-lune, alors il valait mieux se tenir sur ses gardes : quelque trait d'esprit allait suivre – blague, jeu de mots ou mise en boîte.

L'enfance d'Alsing ne lui avait pas laissé un trésor de souvenirs impérissables. Parmi ces derniers, pourtant, la découverte du téléphone était l'un de ses préférés. Alors qu'il avait huit ans et fréquentait l'école primaire, sa famille avait quitté le centre du Massachusetts pour venir s'installer à Evansville, dans l'Indiana. Il avait d'emblée détesté le coin. « J'étais plus petit que les autres, plus pâle, plus faible et moins dur à cuire, et par-dessus le marché j'avais un drôle d'accent. Je me souviens du jour où je compris, en troisième année, qu'il existait toute une hiérarchie, tout un système de prérogatives... " Bon sang, c'est comme une pyramide, et moi je suis tout en bas! " J'étais un gosse drôlement déprimé, à cette époque-là! » Il se rappelait par contre avec ferveur ce jour où, sautant une récréation – c'était d'ailleurs pour lui, d'ordinaire, un moment plutôt éprouvant –, il était resté à son pupitre pour tenter de dessiner le schéma d'un combiné de téléphone. Il tenait à tout prix à trouver comment diable cet appareil pouvait capter les voix. A ses yeux, la performance relevait de l'impossible, l'appareil n'aurait pas dû fonctionner. Pour finir, il démonta le combiné familial; et réussit à y voir clair, à sa grande satisfaction. « C'était pour moi aussi fantastique qu'exaltant, et c'était une chose à laquelle je pouvais me donner à plein, pour oublier tous mes problèmes avec les autres. »

Un jour, chez lui, à Evansville, il rôdait au sous-sol lorsqu'il remarqua des fils qui couraient sur le plafond du local où l'on entreposait le charbon. Suivant la piste, il constata que ces fils menaient au téléphone du rez-de-chaussée. Il se procura des piles, un microphone de réforme et une paire de vieux écouteurs, et là, au fond de sa soute à charbon, seul dans la pénombre, ses écouteurs aux oreilles, il mit sur table d'écoute le téléphone familial. Il lui arriva bien, en passant, de le court-circuiter par erreur, mais son père, qui concevait des réfrigérateurs pour la maison Westinghouse, passa volontiers l'éponge sur cet accroc.

Quelques années plus tard, la famille d'Alsing retourna en Nouvelle-Angleterre, et il s'inscrivit à l'université du Massachusetts. Ses résultats n'y furent pas fameux. Mais, l'année d'avant le diplôme, il choisit un cours sur la théorie des circuits numériques. Lequel comprenait, comme il est de règle en pareil cas, l'étude de l'algèbre de Boole. L'univers d'Alsing, après cette rencontre, fut définitivement bouleversé. En pénétrant le mystère de cette algèbre, Alsing ressentit exactement ce que ressentent d'emblée certains enfants lorsqu'ils viennent d'apprendre à lire. L'algèbre de Boole avait pour lui une raison d'être, un sens limpide; elle lui fut une denrée précieuse. Il lui trouvait de la beauté.

Au cœur de tout ordinateur se trouve un dispositif essentiellement composé de transistors. Les ingénieurs l'ont baptisé *porte,* et le rapprochement est particulièrement heureux. Comment ne pas songer, à son propos, à l'un de ces portails automatiques, ultra-perfectionnés, s'ouvrant dans la clôture électrique d'un enclos d'élevage moderne? Tant que la porte est fermée, le courant circule tout au long de la clôture; mais qu'elle soit ouverte, et le courant y est coupé. On ouvre et on ferme cette porte au moyen de signaux qui lui sont envoyés par deux câbles de commande (deux ou davantage, mais mettons qu'il s'agit de deux).

Comment additionne-t-on deux nombres au moyen de l'électricité? Cette question s'imposait à Alsing de manière aussi pressante que s'étaient imposées à lui, quand il était enfant, les interrogations concernant le téléphone. Il vous fallait supposer d'abord, dès le départ, que vous alliez effectuer cette addition en arithmétique binaire. Chose fort simple, une fois que l'on a compris le principe. On peut compter jusqu'à l'infini en arithmétique binaire, mais l'on n'y utilise que les entiers 0 et 1. Le 0 de l'arithmétique décimale familière est aussi le 0 de l'arithmétique binaire, de même que le 1 y demeure le 1; mais le 2 du système décimal devient 10 en système binaire, le 3 devient le 11, le 4 le 100, et ainsi de suite.

Là-dessus, vous décidez qu'une tension haute représentera le nombre entier binaire 1 et une tension basse le nombre entier binaire 0. Puis vous construisez votre porte, qui n'est au fond, dans la pratique, rien d'autre qu'une invention binaire : elle est faite pour être ouverte ou fermée. Si elle est ouverte, il ne circule qu'une tension basse, ce qui signifie 0; si elle est fermée, ce qui circule signifie 1. Mais ce qui est capital, dans l'affaire, c'est de déterminer comment la porte va réagir aux signaux que lui transmettent les deux fils qui la commandent. On peut la concevoir de telle manière qu'elle ne se fermera et ne laissera passer le symbole 1 que si l'un de ses fils de commande lui fait parvenir un 1 et l'autre un 0. Une porte ainsi conçue additionne donc 0 et 1 et vous donne à tous les coups la bonne réponse.

Mais si vous voulez additionner 1 et 1 et obtenir la bonne réponse, qui est 10 en système binaire, cela devient plus compliqué, vous devez modifier votre circuit, et si l'envie vous prend d'additionner entre eux des nombres élevés, il va vous falloir élaborer une impressionnante batterie de portes et de câbles de commande. Imaginons que vous désiriez construire une machine à additionner capable de combiner deux groupes de bits de 32 bits chacun. Le schéma de câblage d'un pareil circuit revêt une complexité qui peut paraître rédhibitoire. Comment s'assurer que pour chaque jeu de signaux possible introduit dans un tel circuit le résultat obtenu sera précisément l'exacte combinaison de portes ouvertes et de portes fermées produisant la réponse correcte? Il vous faut absolument un ensemble de règles. L'algèbre de Boole, par exemple.

L'ensemble de règles qu'est l'algèbre classique s'applique aux relations entre les nombres. L'algèbre de Boole, elle, exprime des relations entre des affirmations. C'est en fait un système de logique. Elle établit les conditions générales dans lesquelles diverses combinaisons d'affirmations sont justes ou fausses. En ce sens, c'est un système binaire. Ce qu'Alsing étudiait était en réalité une forme simplifiée de l'algèbre de Boole, tout spécialement taillée pour s'adapter aux circuits numériques. « Si, et seulement si, A est vrai *et* B est vrai, alors la combinaison des deux est vraie », tel est l'un des énoncés de cette algèbre. Il en est d'autres, or il se trouve que les portes peuvent être ainsi conçues qu'elles se comportent en tous points conformément aux énoncés en question. A tel point même que chaque type de porte a tout simplement reçu le nom de l'énoncé auquel elle correspond dans l'algèbre de Boole; c'est ainsi qu'il existe, entre autres, des portes ET, des portes NON-ET, des portes OU, des portes NI... L'algèbre de Boole fournit aux ingénieurs un système selon lequel élaborer leurs circuits. Sa portée générale dépasse de très loin ce caractère pratique, mais elle fut pourtant sur ce plan un outil d'une importance capitale au temps où Alsing poursuivait ses études supérieures.

C'était vers le milieu des années soixante. L'ordinateur était alors une invention déjà fameuse, mais aux secrets bien gardés; le jour n'était pas encore venu où de simples étudiants, curieux et adroits, pourraient faire l'acquisition des pièces détachées nécessaires et se bricoler leur propre machine – le meilleur moyen d'en saisir à fond le fonctionnement. Là, pourtant, dans les enseignements de ce cours suivi par Alsing, était le secret de la machine. « C'était tellement simple, tellement élégant », devait-il dire par la suite. Il décrocha un A dans cette discipline. Sur quoi il enchaîna en s'inscrivant pour un cours de programmation, où l'on enseignait l'art d'utiliser un langage de programmation évolué, le FORTRAN, essentiellement conçu pour l'usage des scientifiques. Alsing y décrocha encore un A – et il se fit recaler à tout le reste, pour l'amour d'un ordinateur, un vrai, grandeur nature.

C'était une machine IBM, désormais vouée au musée, mais tout ce qu'il y avait de plus flambant neuf à l'époque. Elle appartenait de fait à l'Université, et résidait dans une pièce où seuls avaient le droit de pénétrer, de jour, les spécialistes chargés d'elle. Mais Alsing découvrit qu'il en allait autrement de nuit : il suffisait d'entrer tout naturellement dans la pièce et l'on pouvait faire joujou avec. Alsing n'était pas un grand buveur et ne tâta jamais d'aucune drogue. « Mais j'étais une autre espèce de drogué : un programmeur de minuit », avouait-il.

Au cours des premières nuits qui suivirent son initiation à la programmation, Alsing quittait souvent, à ses heures incongrues, la pièce où se tenait l'ordinateur, pour partir à la recherche, à travers le bâtiment désert, d'une salle nantie d'un tableau noir et d'un bâton de craie. Là, il se posait à lui-même des problèmes de son cru, et tâchait d'écrire au tableau des programmes susceptibles d'être résolus par la machine. Tout le plaisir était là : pouvoir tripoter une vraie machine et la plier à ses désirs. « Je mettais sur pied un petit programme, et quand ça marchait je jubilais un bon coup avant de tenter ma chance sur un autre. C'était extra. J'adorais écrire des programmes. Je commandais à la machine. J'arrivais à faire passer en elle mes propres raisonnements. Cet engin, c'était comme un véritable prolongement de ma pensée. »

Une dizaine d'autres passionnés, étudiants comme lui,

vinrent se joindre régulièrement à ces séances de programmation nocturne. « Nous étions un réel microcosme. Il n'y a plus rien d'exceptionnel là-dedans à présent, ces choses se sont vulgarisées, mais c'était, à l'époque, un authentique culte secret, se souvenait Alsing. Le jeu de la programmation – car c'est bel et bien un jeu – nous fascinait littéralement. Nous y passions des nuits entières. Je crois que c'était pour nous une sorte de drogue. » Quelques-uns de ses compagnons de la programmation de minuit en vinrent à négliger leurs petites amies, au risque de les perdre. D'autres se mirent à somnoler dans la journée et à manquer des cours, ce qui ne manqua pas d'avoir sur leurs études un effet déplorable. Alsing et quelques comparses se firent même congédier pour résultats insuffisants.

Dans l'espoir de mieux faire comprendre l'emprise que la machine avait eue sur lui naguère, Alsing avait tenu à ce que ma rencontre avec Trixie eût lieu tard dans la nuit. Ainsi qu'on le fait d'ordinaire pour se préparer à un long voyage ou à une exécution, nous avions copieusement dîné ce soir-là. Puis nous nous étions rendus au sous-sol, et il avait décidé d'entreprendre mon intoxication méthodique par le biais d'une drogue douce – Adventure en l'occurrence. J'avais joué, joué tout mon saoul. L'un après l'autre, pendant ce temps, les oiseaux de nuit du sous-sol (l'espèce était bien représentée) avaient quitté les lieux. Et moi je jouais toujours.

Quand pour finir j'avais abandonné, j'en étais fourbu jusqu'à l'os. Je transpirais littéralement, ma chemise me collait au dos. Les objets, autour de moi, jouaient à se faire tantôt flous, tantôt nets. Je jetai un coup d'œil sur Alsing, il avait le bord des paupières rouge. Il déclara qu'il se souvenait bien avoir déjà vécu ce genre d'extrême fatigue, au temps de ses séances de programmation nocturne, mais qu'il était jeune à l'époque. L'épuisement se portait fièrement comme un insigne et faisait partie du plaisir. Certains de ses acolytes y avaient laissé des plumes, c'était certain. « Mais les étudiants sont des créatures vulnérables. Des tas de choses peuvent les démolir : les filles, la boisson, ou la programmation. » Tout de même, pour sa part, il lui semblait y avoir gagné infiniment plus qu'il n'y avait perdu.

Jusqu'à cette année où il découvrit la machine, sa vie,

sous tous les angles, lui avait paru chaotique. Il s'en était bien tiré dans une seule discipline – un cours de psychologie – mais c'était absolument tout. Il lui avait semblé acquis, à ce stade, qu'il ne serait jamais qu'un raté. Or voilà que, brusquement, il se sentait un réel intérêt pour quelque chose... Il avait abandonné ses études pour un an. Après quoi, l'année suivante, il s'était inscrit pour toute une gamme de cours concernant l'électronique et il était devenu un étudiant brillant. Il était entré à la DEC sitôt son diplôme en poche, puis, peu après, à la Data General, en partie parce qu'il s'était dit qu'on ne devait pas s'y ennuyer; il était arrivé à cette conclusion à partir des bribes de commentaires qu'il avait pu glaner dans les couloirs de la DEC, au sujet de la Data.

A la Data General, le numéro qui figure sur votre insigne de sécurité est le reflet de votre longue vie au sein de la firme : plus bas est le nombre, plus longs vos bons et loyaux services. Vers 1979, les nouvelles recrues se voyaient attribuer des numéros à cinq chiffres. Alsing portait le numéro 150, chiffre assez bas pour lui conférer un certain statut d'honorabilité et, à son avis, un certain degré de sécurité. De fait, selon diverses sources, de Castro aurait fait preuve, en des occasions variées, d'un attachement tout particulier à l'égard des vétérans de la compagnie qui lui étaient restés fidèles. A la Data General, Alsing était devenu microcodeur. En fait, il était l'un des premiers microcodeurs de la Data, et l'un des plus prolifiques.

La plupart des microcodeurs, à leurs débuts, ont le sentiment déroutant de ne pas travailler sur du réel. « Je n'avais jamais réussi à croire, avant de l'avoir vu faire ses preuves, que la microprogrammation était autre chose qu'un canular », avouait Chuck Holland, le bras droit d'Alsing, évoquant le premier travail qui lui échut. Au niveau du microcode, le concret et l'abstrait se rejoignent. C'est le microcode qui commande les circuits réels.

Une sorte d'escalier, si l'on peut dire, descend au cœur de l'ordinateur. En haut de cet escalier, on trouve les langages évolués. Il en existe un certain nombre, et bien davantage sont chaque jour mis en chantier. Ils ont une vague ressemblance avec les langues humaines, et il s'agit toujours des mêmes, quel que soit l'ordinateur sur lequel travaille le programmeur. Alsing tint à me faire écrire un petit programme dans ce langage évolué qu'est le BASIC, qui ressemble à du petit-nègre. A un certain point de mon programme, j'avais à commander la simple division d'un nombre par un autre, instruction qu'en BASIC on représente par une barre oblique : « / ». J'introduisis le programme destiné à Trixie par l'intermédiaire du terminal d'Alsing. Qu'advint-il de ma barre oblique?

A l'intérieur du système de stockage de Trixie se trouvent un certain nombre de programmes nommés programmes d'interprétation ou interpréteurs. Il en existait un pour le BASIC, et ce programme d'interprétation se mit à l'œuvre sur mon programme évolué. En clair, l'interpréteur donna à Trixie des instructions lui permettant de commencer à traduire mon programme en instructions plus simples, auxquelles les circuits de Trixie sauraient réagir. Pour faire des calculs, les ordinateurs doivent d'abord faire des calculs. Le programme d'interprétation du BASIC fit transformer par Trixie ma barre oblique en son équivalent dans une autre langue, le langage d'assemblage.

Le plus souvent, de nos jours, les programmeurs s'en tiennent exclusivement à leurs langages évolués et ne mettent jamais le nez à l'intérieur de leurs machines. De l'avis d'Alsing, ils y perdent beaucoup. Il se souvenait d'avoir appris le langage assembleur au temps de ses exercices de programmation nocturne. « C'était chouette à apprendre. Je pouvais me passer d'intermédiaire et m'adresser moi-même directement à la machine. Et je trouvais ça formidable, c'était comme une langue d'initié, de grand prêtre. Je pouvais m'adresser à Dieu, tout comme IBM. » Inscrit à l'extérieur de la machine, en rappel, le langage assembleur est une liste de symboles mnémoniques, tels que ADD, MULT, etc. Il contient l'intitulé des quelque deux cents opérations de base que Trixie est capable d'exécuter. Ces opérations portent le nom d'instructions. A l'intérieur de la machine, c'est sous la forme de charges électriques, bien sûr, que ces instructions existent. Dans le jeu d'instructions de Trixie, la barre oblique n'avait pas son équivalent sous la forme d'une instruction unique. La barre oblique devenait toute une série d'instructions discontinues.

121

Peu d'années auparavant, dans la plupart des ordinateurs, cette fameuse barre oblique, une fois traduite en instructions constitutives du langage assembleur, aurait été introduite telle quelle dans les circuits. Un ordinateur dont l'escalier de descente s'arrête ici, au niveau du langage assembleur, est dit « à fonctions câblées ». Ses circuits sont spécialement conçus pour accomplir chaque opération de base du jeu d'instructions de la machine. Mais, dès les années soixante-dix – et là encore, pour la plupart des ordinateurs –, le langage assembleur ne s'adressait plus directement aux circuits, mais il était à son tour traduit en un autre langage, le microcode.

Pour chaque instruction en langage assembleur, il existe un microprogramme, et la plupart des microprogrammes sont formés de plusieurs micro-instructions. Chacune des micro-instructions de Trixie, à son tour, est constituée de 75 bits. Couchée sur une feuille de papier, une micro-instruction n'est qu'une procession de 0 et de 1. Ceux-ci correspondent directement, bien sûr, à des séries de tensions hautes et basses rangées dans un emplacement bien précis de l'ordinateur – dans un coin de « micromémoire ». Chaque train de 75 bits est divisé en fragments, et chaque fragment est destiné à quelque endroit bien précis des circuits de la machine. Les 75 bits de chaque micro-instruction sont eux-mêmes les signaux qui commanderont l'ouverture et la fermeture des portes du circuit selon le schéma adéquat. C'est ainsi que ma barre oblique était devenue une liste discontinue de quelque chose comme une dizaine d'instructions en langage assembleur, dont chacune était devenue un microprogramme comprenant en moyenne trois micro-instructions, dont chacune était formée de 75 bits. Cette simple barre oblique s'était transformée en un régiment de signaux, envoyés en salve les uns après les autres; en réponse à ces signaux, les circuits de Trixie s'emparaient des deux nombres que je leur avais donnés à diviser, les traduisaient en code électrique, déterminaient lequel devait être le dividende et lequel le diviseur, les faisaient passer par l'Unité Arithmétique et Logique de manière à effectuer la division (passage lui-même fortement labyrinthique), et pour finir entreposaient la réponse quelque part pour la prochaine étape du programme. Dans la réalité, le tout était passé par quantité d'autres micro-étapes escamotées ici. En fait, la machine ne réagit réellement qu'à la microprogrammation. Et c'étaient des micro-instructions, en fin de compte, qui avaient traduit ma barre oblique en micro-instructions. On peut dire en ce sens que l'ordinateur se mord la queue.

Ainsi que je l'avais demandé, le résultat de cette opération comprise dans mon petit programme – le quotient de ma division – fit le trajet inverse suivant un autre processus tout aussi complexe, pour finir par réapparaître sur l'écran du terminal d'Alsing sous forme d'un nombre décimal. Le trajet complet, entre l'instant où j'avais lancé mon programme et celui où apparut le résultat de la division, s'était déroulé dans un laps de temps imperceptible, aussi bref et insaisissable que le temps qu'il faut à la lumière pour s'éteindre après que l'on a actionné un interrupteur. Mais cette rapidité était au fond moins impressionnante que tout le volume d'action mis en œuvre. J'eus cette petite révélation : sous le nom de division se cachait, après tout, quelque chose de fort compliqué.

Certains ordinateurs modernes, plus particulièrement ceux que construit Seymour Cray [1], restent des machines à fonctions câblées. Ils réagissent directement à l'équivalent électrique du langage assembleur. Le microcode n'aboutit en fait qu'à un langage plus précis, plus explicite. Il est un peu, en ce sens, comme le très ancien anglais, dans lequel il n'existait pas de mot pour désigner un combat, de sorte que le poète qui voulait évoquer l'idée de bataille devait en décrire une.

L'intérêt principal du microcode est sa souplesse, dont le bénéfice essentiel revient aux constructeurs d'ordinateurs. Dans le cas, par exemple, où des défauts inattendus se révèlent dans une machine qui vient d'être mise sur le marché – et c'est ce qui se produit presque toujours –, le fabricant peut souvent y remédier sans pour autant devoir changer les cartes de circuits imprimés. Plus généralement, c'est le microcode que l'on modifie en pareil cas, et ce à un coût considérablement moindre. Eagle devait être conçu de manière à permettre des modifications de cet

1. Dont il a été question plus haut. (Cf. p. 73.)

ordre particulièrement indolores et bon marché. Le code serait inscrit sur ce que l'on appelle une disquette, une sorte de quarante-cinq tours, au lieu de l'être sur d'immuables mémoires mortes à l'intérieur de la machine. Chaque matin, au moment de mettre en route l'ordinateur, l'opérateur ferait passer ce disque dans les circuits de la micromémoire d'Eagle. S'il fallait modifier le code, les ingénieurs se contenteraient de modifier le disque souple et d'envoyer un nouvel exemplaire de ce dernier à leurs clients.

La microprogrammation, cela dit, n'a rien de simple. Le microcode, par définition, est extrêmement complexe. Pour faire en sorte que la machine soit en mesure d'exécuter une seule de ses deux ou trois cents instructions de base, le programmeur doit ordinairement prévoir le passage de centaines de signaux à travers des centaines de portes. Les restrictions d'espace l'obligent à l'économie; il lui fait faire en sorte qu'une micro-instruction donne lieu à l'exécution de plusieurs tâches au lieu d'une seule, par exemple. Ce qui ne doit pas l'empêcher de veiller, dans le même temps, à ce qu'aucune micro-instruction n'aille interférer sur le travail de sa voisine.

Alsing avait produit des masses énormes de microcode, de manière d'ailleurs assez spéciale. L'Éclipse avait été la première machine construite par la Data à recevoir un microcode. Alsing s'était engagé à faire le travail – on s'engageait déjà, dans ce temps-là –, après quoi il n'avait cessé de temporiser. Mois après mois, son chef de groupe lui demandait comment avançait le travail, et Alsing répondait évasivement : « Ça marche. Deux ou trois problèmes, mais ça avance. » En vérité, pourtant, il n'en avait pas encore écrit la première ligne. Pour finir, il sentit que son chef et certains de ses collègues commençaient à perdre patience; son manquement était en train de devenir quasiment palpable – comme une paire de phares s'avançant vers lui du mauvais côté de la chaussée. Prenant peur, il réunit en hâte les documents nécessaires, diagrammes de circuits, schémas divers, plans et manuels, et il s'en fut s'installer à la bibliothèque municipale de Boston.

L'Éclipse comprenait 195 instructions de langage assembleur, qu'Alsing finit par transcrire sous la forme de quelque 390 micro-instructions, dont beaucoup pouvaient accomplir de multiples tâches. D'après lui, il écrivit le plus gros de ces micro-instructions à la bibliothèque de Boston, en l'espace de deux semaines. West, quant à lui, était convaincu qu'Alsing avait effectué ce travail en deux jours et deux nuits. « Il n'y a pas passé plus de temps, ça ne fait même pas l'ombre d'un doute », insistait-il.

Avec Alsing, c'était toujours ainsi. L'été d'avant les débuts du projet Eagle, on lui avait attribué la tâche de rédiger le code d'une nouvelle Éclipse. Comme toujours, il avait traîné, cherché à gagner du temps, jusqu'au jour où, sentant venir les ennuis, il s'était retiré chez lui, les bras chargés de bouquins.

Il habitait à une bonne vingtaine de kilomètres de la Data, dans une maison neuve, du style ranch. « Voilà, ça c'est ma microvéranda », dit-il le jour où il m'introduisit, chez lui, dans cette petite galerie vitrée. De là nous avions vue sur le bosquet de pins tout proche, et l'odeur de leurs aiguilles jonchant le sous-bois parvenait jusqu'à nous. La pièce était garnie d'un tapis de sol d'un vert vif, de ceux que l'on peut laisser dehors, d'un barbecue électrique et d'une table au plateau de verre accompagnée de quelques chaises en fer forgé, peu confortables en apparence. Cet été-là, il avait prié sa femme de tenir leur trio de garçons à l'écart pour quelque temps et, après avoir étalé sur la table tout son assortiment de livres, il s'était mis à réfléchir pour de bon, talonné par la nécessité, sur le travail qu'on lui demandait. Cette fois encore, le tout avait été effectué d'un seul trait, et terminé au bout de deux semaines. « Vite fait bien fait », disait-il.

La conception des ordinateurs se fait, pour une large part, incognito, dans le silence, alors que les ingénieurs, muets, longent leurs couloirs, ou qu'ils fixent sans les voir leurs pages blanches. Pour ce plongeon dans la réflexion, Alsing avait un faible pour sa véranda et pour le bosquet de pins dans lequel se perdait son regard. Faire de la microprogrammation, d'après lui, lui donnait souvent l'impression qu'il était lancé dans une partie d'échecs où il avait affaire à un partenaire coriace. Et il ajoutait : « Rédiger des micro-instructions ne ressemble absolument à rien de ce que je fais d'autre dans la vie. Pendant des jours et des jours, rien ne sort. Mon bloc-notes reste là, devant moi, parfaitement vierge, à me rappeler sans cesse mon insuffisance. Et puis ça finit par venir. Je me sens mieux, je me sens bien. L'un renforçant l'autre, j'entre finalement dans une sorte d'état second où je deviens littéralement une machine à microprogrammer. Un peu comme quand on joue à Adventure et qu'on se laisse emporter par le jeu. Le monde d'Adventure est un monde complètement artificiel et dingue, mais quand on est dedans, on y est, et bien.

« C'est qu'il faut d'abord bien comprendre le problème à fond, et aussi avoir réfléchi aux milliers de combinaisons possibles pour agencer entre elles vos micro-instructions. En quelque sorte, vous disposez d'une centaine d'éléments de construction en L pour construire un bâtiment. Vous prenez tous ces blocs, vous les combinez, vous défaites votre travail, vous recommencez. Au bout d'un certain temps, vous êtes comme un gosse habitué à la cage à grimper de son terrain de jeux; vous connaissez par cœur tout l'agencement de la structure, et vous pouvez vous élancer d'un élément à l'autre les yeux fermés.

« J'ai fait ce genre de choses à de brefs intervalles, chaque année, durant une brève période chaque fois. Dans le laps de temps qui précède, vous êtes sous faible tension, et quand tout est fini, la chute est brutale. Il y a toute une période de récupération, durant laquelle, parfois, vous vous sentez plutôt bizarre, épuisé, vaguement estourbi, et vous auriez envie de dire à vos amis : Hé là, je suis de retour! »

Si c'est la simplicité qui fait l'élégance, alors le micro-code conçu par Alsing pour Éclipse était plutôt du genre baroque – du genre *kludge*. Il regorgeait d'astuces et de détails subtils; mais ces acrobaties n'avaient rien de gratuit : elles lui étaient imposées par de sévères restrictions d'espace de mémoire. Mais le produit ainsi concocté, en définitive, se révéla fonctionner au mieux. Nul besoin de faire de gros efforts, pourtant, pour imaginer quels affreux cauchemars le style d'Alsing pourrait provoquer chez quiconque voudrait aborder la technique de l'ordinateur au travers de son œuvre. Après coup, lorsque la première Éclipse fut lancée sur le marché, Alsing éprouva de la fierté. « J'ai fait du sacré bon boulot », se dit-il. Il lui sembla alors, il lui semblait toujours, qu'un peu de gloire l'avait effleuré. On le pria d'assister à la séance de présentation au cours de laquelle les ingénieurs commerciaux de la maison devaient se faire initier aux subtilités du nouveau modèle. Le sourire jusqu'aux oreilles, Alsing se commémorait la scène; il revoyait l'un des dirigeants de la firme dire aux vendeurs : « Parfait, voici vos brochures. Vous n'avez plus qu'à les potasser dans l'avion du retour. » Alsing avait été convié à prononcer quelques mots. Les commerciaux l'avaient applaudi. « C'était quelque chose, pour moi! Sortir de mon alvéole et me faire acclamer comme ça, quelle expérience inédite! »

Il n'empêche que sa fâcheuse tendance à ne se mettre au travail qu'à la dernière minute, quand tout était presque perdu, lui fit probablement du tort. Durant ces mois de temporisation, il s'était demandé avec anxiété pourquoi il n'arrivait pas à se mettre au travail, et il en était arrivé à la conclusion que ce devait être bêtement de la paresse; il lui semblait que certains indices – sa manière de détourner le regard, de laisser tomber ses épaules – corroboraient cette hypothèse, à ses yeux comme à ceux d'autrui. Peut-être est-ce en partie pour cette raison, et sans doute aussi pour l'anxiété que son attitude engendrait? Toujours est-il qu'il ne reçut pas, pour son travail sur Éclipse, le substantiel paquet d'actions auquel d'aucuns eurent droit en récompense.

Un jour, à l'étage, West venait d'évoquer dans la conversation le nom d'Alsing, et le cadre de la maison avec qui il discutait fit alors remarquer : « Vous savez, c'est bizarre, mais quand on y pense, c'est Alsing qui a rédigé, à peu de chose près, tout ce qui s'est fait comme microprogrammation à la Data General, de la première à la dernière ligne. » Et c'est un fait qu'Alsing se faisait facilement oublier. De son propre aveu, d'ailleurs, il se cachait délibérément dans l'ombre de West. Il était entré sous les ordres de West, disait-il, après que ce dernier eut pris en main le groupe Éclipse, essentiellement parce qu'il lui avait paru plus sûr d'être aux côtés de West que de l'autre bord. Il faut dire que West, quasiment du jour au lendemain, était devenu redoutable. Aux yeux d'Alsing, West était à la fois un tampon et un bouclier. Mais il avait encore d'autres raisons pour s'engager à aider West à réussir le projet Eagle.

Le mot de *kludge* évoquait pour Alsing une roue faite de

briques, calée par des coins de bois; pareille invention fonctionnerait peut-être, mais son inventeur n'aurait pas de quoi pavoiser. Or Alsing penchait du côté de ceux qui affirmaient qu'Eagle, de par sa définition même, ne pourrait échapper à cette triste catégorie d'engins élaborés de bric et de broc. Il voulait bien croire West, par contre, quand ce dernier soutenait qu'Eagle mettrait du beurre dans les épinards de la Data, mais l'expérience du passé le faisait douter de ses chances de bénéficier peu ou prou de ce butin. Il lui arrivait même de songer que s'il se rangeait plutôt du côté de ceux qui continueraient de sortir à la chaîne des Éclipse à 16 bits, sans plus jamais travailler sur quelque nouveau modèle ambitieux, il risquerait peut-être de s'ennuyer un peu, mais se la coulerait douce. En dépit de quoi, Alsing resta aux côtés de West dès le démarrage du projet Eagle, pour le meilleur et pour le pire, sans broncher.

« Côté technique, West n'est pas un génie. Mais il est parfait pour faire tout fonctionner. Lui, il faut qu'il avance. Il n'est pas du genre à mettre de côté, comme je le fais, le gros problème embarrassant. Il est audacieux, c'est un grand stratège, il n'en fait qu'à sa tête, et il lui arrive d'être sans pitié. » Alsing entrelaçait ses phalanges pour former une sorte de voûte sur laquelle il posait le menton. Pourquoi West avait-il à ce point l'obsession de cette machine? Comment toute l'affaire se terminerait-elle? Il arrivait à Alsing de se demander s'il n'avait pas rejoint l'équipe en grande partie par curiosité. Ainsi analysait-il la chose : « Du temps de la première Éclipse, je m'en souviens, le boulot m'empoignait si fort que je me suis vu aboyer ou pleurer sur une porte NON-ET ou autre chose du même genre, mais maintenant je suis trop vieux pour prendre une machine à cœur à ce point-là. Et je crois que ce serait triste comme la pluie si je faisais ce travail pour quelqu'un d'autre. Mais West est intéressant. C'est lui ma première raison de faire ce que je fais. »

En observant tout autour d'eux ce qui se passait dans leur sous-sol, certains des jeunes ingénieurs de l'équipe, les toutes nouvelles recrues, se demandaient parfois ce qu'il adviendrait d'eux, passé le cap de la trentaine. Leur âge tendre leur permettait bien sûr d'éluder la question, le

cœur léger, comme cette heureuse nature qui déclarait :
« Quand les informaticiens se font vieux? Ou bien on les
envoie au pré, ou bien on en fait de l'aliment pour chiens. »
La Data General était une firme jeune, aussi ses ingénieurs
étaient-ils plutôt jeunes. Et s'il existait, certes, de par le
vaste monde, des spécimens d'informaticiens d'âge moyen
et toujours en activité, il semblait bien pourtant qu'il y eût,
pour les ingénieurs informaticiens, un réel tournant dans
la vie aux alentours de la trentaine.

Chez les ingénieurs, d'une manière générale, l'ambition
la plus courante – et la mieux reconnue sur le plan de la
société – est celle de passer du côté des dirigeants. Si vous
n'avez pas franchi le pas, arrivé à un certain âge, soyez
certain qu'aux yeux de vos pairs vous passerez pour un
raté. Chez les ingénieurs informaticiens, il semble que ce
désir soit exacerbé jusqu'à en devenir, virtuellement, un
instinct. La brièveté des cycles de production dans la
branche fait que bien des projets se déroulent dans une
atmosphère de crise, de sorte que le travail de l'ingénieur,
déjà ardu en soi, n'en est que plus tendu encore. Les
journées de travail sont longues, les nerfs mis à rude
épreuve. A quoi il faut ajouter que la technologie évolue
constamment. Si bien qu'il faut se démener, et chaque
année davantage, pour se maintenir au niveau des jeunes
ingénieurs frais émoulus de leurs écoles. Cette « lassitude à
long terme » dont parlait si joliment l'un des autres
compagnons de West a tôt fait d'envahir les informaticiens
approchant la trentaine.

Dès les débuts d'Eagle, Alsing avait pris ses distances à
l'égard de la partie technique du projet. Il dirigeait l'équipe
de la Micro, mais en restant quelque peu à l'écart. Eagle
contiendrait plus de microcode qu'aucune machine de la
Data avant lui – autant qu'Alsing en avait écrit durant
toute sa carrière. Il n'était pas question pour lui de faire
toute cette microprogrammation à lui seul, même s'il en
avait eu le temps. Il n'arrivait tout simplement plus à
retrouver l'exaltation de naguère sur les beautés des portes
et des bits. Et il lui semblait, qui plus est, que s'il ne pouvait
pas faire ce travail dans sa totalité, il ne pouvait pas en faire
une seule ligne. Ses jeunes émules, il le voyait bien, avaient
une tout autre façon que la sienne d'aborder le travail. Ils y
mettaient un acharnement régulier, travaillant d'arrache-

pied jour après jour, nuit après nuit. C'était une bonne chose, d'ailleurs, une bénédiction pour l'équipe. Alsing admirait leur volonté, qui lui semblait grandement excéder la sienne. Aussi abandonna-t-il la rédaction des micro-instructions à une demi-douzaine de ses nouvelles recrues, et la tâche de superviser leur travail, pour l'essentiel, à deux ou trois sous-lieutenants.

Il se tourmentait parfois au sujet de son détachement. « J'ai beau dire, par moments, que cette fois-ci les choses ne me tiennent guère à cœur, si je devais perdre tout ceci – si j'étais mis à la porte ou bien transféré sur un autre projet, plus terre à terre –, je dois dire que je serais, sans exagération, bien malheureux. Peut-être que je commence à considérer cette place comme un dû...? » remarqua-t-il un jour.

Durant quelque temps, au fil de ses études, Alsing avait songé devenir psychologue. Il en adoptait un peu le rôle à présent. Et s'il s'efforçait de ne pas perdre de vue, bien sûr, la progression du travail de ses troupes, il exerçait surtout la fonction de meneur d'hommes, non seulement pour son équipe de la Micro, mais encore, bien souvent, pour tout le groupe Éclipse. Dans les débuts du projet, Chuck Holland s'en était d'ailleurs plaint : « Travailler pour Alsing, ce n'est pas une sinécure, parce qu'il est de ceux qui sont tout le temps sur votre dos, et qui vont dire à vos hommes de faire tout autre chose que ce que vous leur aviez dit. » Mais Holland reconnaissait aussi : « Ce qu'il y a de bien, avec lui, c'est qu'on peut aller le trouver et discuter le coup. Sur ce point là, il est réglo – bien plus que la plupart des chefs. »

C'est Alsing qui avait mis sur pied l'équipe de la Micro. Secondé par Rosemarie Seale, il avait lui-même sélectionné ses recrues et s'était chargé de leur initiation. Pour créer un ordinateur, de nos jours, il faut l'aide d'un autre ordinateur, surtout quand il s'agit d'en concevoir la microprogrammation. Alsing avait décidé qu'avant de lancer ses Microkids sur quoi que ce fût d'autre, il devait leur apprendre à maîtriser Trixie. Il ne voulait surtout pas déposer sous leur nez une pile de manuels en leur disant : « Débrouillez-vous. » Il eut l'idée d'inventer un jeu. Au fur et à mesure de l'arrivée de ses recrues, l'une après l'autre ou deux par deux, durant l'été 78, il invita chacun à tâcher d'écrire un certain type de programme dans le langage assembleur de Trixie. Ce programme devait retrouver, puis imprimer, le contenu d'un fichier bien précis, à l'intérieur de l'ordinateur. « De cette manière, ils apprenaient à s'y retrouver dans le système et ils en étaient enchantés », disait Alsing. « Seulement, quand pour finir ils arrivaient au fichier en question, c'était pour découvrir que l'accès leur en était refusé. »

L'accès à ce fichier était en effet réservé à ceux que l'on appelait les « usagers privilégiés ». Alsing avait prévu que ses novices apprendraient à retrouver le fichier, et que par la même occasion ils se familiariseraient avec le système. Mais la suite l'intéressait tout autant, ainsi que la question de savoir ce qu'allait faire le nouveau venu, après avoir découvert que le fichier lui était refusé.

Et le même scénario se reproduisit chaque fois. « Je l'ai presque », venait dire la nouvelle recrue. « Presque, mais pas tout à fait », répondait Alsing.

Pour finir, la plupart des Microkids se tournèrent vers Rosemarie. Rosemarie dont Alsing avait fait sa complice : elle avait reçu le mot d'ordre d'accorder son aide aux astucieux qui viendraient la lui demander. Là encore, il y avait pour eux une leçon à tirer, songeait Alsing. « Celui qui est capable d'aller trouver la secrétaire qu'il faut et de prononcer les mots qu'il faut, celui-là s'en tirera toujours. C'était une solution tout à fait valable – l'une de celles que j'espérais leur voir imaginer. »

De fil en aiguille, ce jeu conduisit à d'autres. Peu après la fin du recrutement, naquit la « guerre des écrans ». En règle générale, la joute opposait Alsing à ses recrues. Le coup classique, c'était celui des fichiers. Assis à son terminal, un Microkid ordonnait à Trixie de lui ouvrir les fichiers d'Alsing. Après quoi il s'empressait d'en transférer le contenu ailleurs. Quand il revenait de prendre son petit café, ou son repas de midi, Alsing ne retrouvait plus ses fichiers. Il entendait des rires étouffés dans les cellules avoisinantes. Encore un coup des guérilleros.

« Quel tour m'avez-vous encore joué? lançait-il par-dessus la cloison.

– Trouve-le toi-même, gros malin! lançait une voix. »

Les Microkids n'étaient pas les seuls à jouer des tours par

ordinateur interposé, dans le sous-sol. Sous les ordres de Rosemarie travaillait une jeune femme, célibataire et, de l'avis unanime, bien faite de sa personne. Or voici que chaque jour, durant une quinzaine de jours, au temps du projet Eagle, on venait « l'attaquer », anonymement, à son bureau : elle accomplissait tranquillement son secrétariat électronique quand soudain ses appareils se mettaient à dérailler, tout son travail était réduit à rien, tandis qu'apparaissaient sur son écran vidéo des suggestions lascives et obscènes. « Quel qu'en soit l'auteur, devait dire West, il avait une mentalité de tueur. ».

West pria Alsing de prendre l'affaire en main. Alsing confia à quelques-uns de ses équipiers le soin de piéger le système; l'idée était de pouvoir remonter jusqu'au terminal de l'agresseur macho. Mais l'autre parvint à déjouer tous les pièges. Il n'hésita même pas, une fois, pour se tirer d'affaire, à mettre brutalement hors service la totalité du système sur lequel reposait le fonctionnement de tout le département de Recherches. Cela ne pouvait plus durer, et Alsing finit par trouver un suspect sur lequel pesaient de lourdes présomptions. Alsing eut avec lui une conversation à bâtons rompus sur les merveilleuses farces que l'on pouvait faire au moyen du système informatique de la maison; et les messages obscènes ne réapparurent pas. Le sous-sol, au moins sur ce plan, retrouva sa salubrité d'antan. « Dites plutôt que c'est aseptisé », regrettait un jeune ingénieur.

Ce qu'avait de lâche et cruel le jeu du coureur de jupons, comme le soulignait Alsing, c'est que la victime ne pouvait riposter. Dans la guerre des écrans, à l'inverse, les adversaires s'affrontaient à armes égales. Ces joutes n'avaient rien de nocif, au contraire, puisqu'elles détendaient l'atmosphère. Un jour, en revenant de déjeuner, Alsing s'installa à son terminal. Tout semblait en bon ordre, y compris ses fichiers. Jusqu'au moment où il entreprit de s'en servir. Car il s'aperçut alors qu'ils étaient tous entièrement vides. « C'était comme d'ouvrir un classeur et de découvrir qu'il n'y a rien dans les chemises. C'étaient des fichiers postiches. Il me fallut une heure pour retrouver les vrais. Si bien que maintenant je ne sais jamais trop, quand je fais ma procédure d'entrée, si ce que je vais trouver ne sera pas du toc. »

132

Mais Alsing riposta. Il conçut un fichier chiffré et infligea à son équipe le supplice de Tantale : « Dans celui-là, ce qu'il y a, ce sont des documents érotiques. Si vous arrivez à mettre la main dessus, vous avez le droit de les lire. » Tous s'y essayèrent, et tous finirent par abandonner, y compris Bob Beauchamp. Mais Alsing vint relancer Beauchamp, qui fit une dernière tentative. Et Beauchamp, cette fois, parvint à écrire un programme qui déjouait le système de chiffrage d'Alsing. « Il m'a battu », dit Alsing. « Mais je le crois trop gentleman pour avoir lu ce qui était dedans. »

Alsing protégea dès lors le secret de ses dossiers d'un double code de chiffrage, et durant quelques mois il les estima en sécurité. Beauchamp abandonna sa première manière de faire, la jugeant quelque peu grossière. Il entreprit à la place de bricoler légèrement Trixie pour en modifier le fonctionnement : en gros, dorénavant, selon les instructions qu'il lui avait données, chaque fois qu'Alsing chiffrait un message, la machine s'empressait de faire parvenir aux fichiers de Beauchamp un exemplaire du message non chiffré. Ce fut la plus grandiose des victoires enregistrées lors de ces épisodes guerriers, d'autant plus qu'Alsing ne conçut pas un soupçon jusqu'au jour où Beauchamp lui-même vendit la mèche.

La guerre des tubes ne prit fin que fort lentement. Au plus fort des hostilités, chaque fois que j'entrais chez Alsing, je ne manquais pas de jeter un coup d'œil sur son écran vidéo. Il venait s'y inscrire, neuf fois sur dix, quelque chose d'un peu spécial, quelque message ou graffiti scabreux, envoyé depuis son terminal par quelque ingénieur facétieux : le dessin d'un poing fermé dont saillait le majeur, par exemple, ou encore un petit texte dans le genre du suivant :

VIE SEXUELLE
D'UN ÉLECTRONICIEN (CHAP. 3)
AU PAROXYSME DE L'EXCITATION,
MILLE AMP MARMOTTAIT :
OHM! OHM! OHM! OHM!

Alsing avait organisé la tenue régulière de diverses assemblées et rencontres, entre autres la réunion hebdomadaire de toute l'équipe de la Micro, autour d'une table de travail, dans le cadre ingrat d'une petite salle de conférences éclairée d'une unique et minuscule fenêtre. Après avoir rappelé à l'ordre son petit monde, il lui lisait deux ou trois déclarations et nouvelles, puis s'offrait en cible aux exercices de tir à blanc de ses équipiers.

« Je viens de lire l'histoire, disait-il par exemple, d'un type qui avait fait une étude sur le personnel de sa boîte, pour découvrir finalement qu'il en était le membre le moins important. Il donna sa démission...

— Adieu, Carl, on te regrettera! lui lançait alors l'un de ses Microkids. »

Il y eut aussi de longues discussions autour de l'idée d'Alsing d'attribuer à certaines personnalités extérieures à l'équipe le titre de Membre Honoraire de la Micro.

« Je crois qu'on devrait le décerner à West, disait l'un. Comme ça, quand il nous en ferait trop baver, on pourrait le lui retirer.

— Membre de l'équipe Micro? disait un autre. Pas question. Qu'il se débrouille avec ses oignons. »

Il leur arrivait même de discuter travail pour de bon, dans ce merveilleux langage de la micro-électronique, aussi impénétrable que chargé de poésie à mes oreilles de profane. Il y revenait souvent des mots au mystère insondable, comme *adresse hexadécimale, mantisse à virgule flottante, base implicite, zone de travail...*

« La zone de travail ne se réveille pas sur CPD [1] avant une seize, disait l'un.

— Autrement dit, tous les tests de pile sautent! s'écriait l'autre.

— Exactement. »

Des rires s'élevaient autour de la table. Le calme à peu près revenu, une suggestion s'élevait :

« Dites, on pourrait peut-être accélérer l'empilage d'Eagle en lui ajoutant une zone de travail?

— Et que diriez-vous, suggérait encore un autre, de déposer aussi dedans une gentille petite bombe? »

Paisible, les mains jointes, Alsing souriait imperceptiblement. Il rappelait un gros matou béat. Nul n'avait besoin de déclarer que la séance était levée. Elle se dissipait dans les rires.

1. CPD – abréviation ésotérique compréhensible uniquement pour les ingénieurs travaillant sur ce projet (*N.d.l.T.*)

Pourtant certains éprouvaient quelques ressentiments, presque toujours dirigés contre Alsing. L'intrigue mesquine avait cours. Certains des membres de son équipe finirent par baptiser les microréunions d'Alsing « les No-Op hebdomadaires d'Alsing » – No-Op désignant, en langage assembleur, une instruction ineffective. Pendant longtemps, malgré tout, la grande majorité des nouveaux venus apprécièrent ces réunions, tout comme la guérilla des écrans vidéo et autres occasions de se défouler un peu, toutes orchestrées par Alsing. Il se faisait un plaisir autant qu'un devoir de partager le déjeuner avec les uns ou les autres, plusieurs fois par semaine. Et c'était quelqu'un avec qui l'on pouvait parler, toujours. Ces rapports amicaux étaient aussi fort appréciés.

Il semblait à Alsing que les chefs de groupe, en ce qui concernait les nouvelles recrues, pratiquaient la politique connue sous le nom de « culture des champignons ». L'expression était déjà ancienne, et avait cours dans d'autres entreprises, de par toute l'Amérique. Les dirigeants du groupe Éclipse résumaient à leur façon cette recette pour faire de leurs recrues de valeureux équipiers : « Maintenez-les dans l'ombre, nourrissez-les de fumier, et vous les verrez prospérer. » C'était une boutade, mais seulement à moitié, se disait Alsing; et il lui semblait que ce traitement pour champignons appelait quelques compensations de temps à autre. Il s'était engagé quant à lui à soulager quelque peu de leur dur labeur les tout jeunes ingénieurs sous ses ordres. West lui cria casse-cou plutôt deux fois qu'une. « Si tu te permets trop de familiarités avec tes subordonnés, Alsing, tu finiras par t'en mordre les doigts. » Mais West choisit de ne pas intervenir, et cessa bientôt de prodiguer ses conseils de prudence.

Un soir qu'il était seul dans le bureau de West, Alsing lui dit : « Tom, auprès de nos jeunes, tu passes pour un ogre. Tu ne les salues même pas. »

West sourit et répondit : « Mais toi tu fais les choses à merveille. »

6. VOLER LA TÊTE EN BAS

West déclarait souvent que c'était à un jeu qu'ils jouaient, un jeu dont le but était de faire franchir les portes de la Data à une machine signée de leurs noms. Quelles étaient les règles du jeu ?

« Il y a une chose que vous êtes sûr d'apprendre, à la Data, si vous y travaillez un certain temps », affirmait Ed Rasala, le lieutenant de West pour le matériel. « C'est que jamais rien n'arrive si vous ne forcez pas un peu les choses. » Pour un certain nombre des dirigeants de la firme, à l'étage au-dessus, cet état de choses était un effet voulu, l'instauration d'une sorte de lutte pour la vie au sein de l'entreprise. Une stratégie qui n'avait rien de bien nouveau : « Sachez lancer des défis », écrivait déjà Dale Carnegie dans *Comment se faire des amis et acquérir de l'influence,* cette vénérable bible des stratèges, présentée sous la forme d'une suite d'homélies.

Sous un certain angle, déjà, la concurrence occulte entre le projet Eagle et celui de la Caroline du Nord était institutionnalisée : chaque projet relevait du domaine d'un vice-président différent. Mais cela aurait pu être considéré comme accidentel. Carl Carman, supérieur immédiat de West et vice-président de l'ingénierie, faisait remarquer que chez IBM, où il avait travaillé quelque temps, la concurrence d'un département à l'autre était assez féroce pour faire paraître les rivalités entre équipes de la Data, par contraste, aussi attendrissantes que l'École du dimanche. De plus, toujours d'après Carman, dans une société comme la Data General, où la ligne de produits est parvenue à maturité, il est inévitable d'en arriver à ce que

136

les besoins en nouveaux gros modèles soient insuffisants pour que chaque équipe ait la garantie d'en voir sortir un de son cru. « Bon, et puis, il faut bien le dire, poursuivait Carman, la concurrence interne est sciemment entretenue ». Il avouait que de Castro ne détestait pas voir ses équipes faire un peu la course. Qu'ils se livrent bataille à coup d'idées novatrices, et les mauvaises idées, tout comme les mauvais aspects des bonnes, avaient toutes les chances de se faire repérer à l'intérieur de l'entreprise et non plus tard, une fois le produit sur le marché. Tel était en gros le raisonnement des stratèges de la Data, selon Carman. Ce qui se traduisait à l'étage au-dessous, pour ceux du groupe Éclipse, de la façon suivante : non seulement il leur fallait inventer leur nouveau modèle, mais encore il leur faudrait se battre pour acquérir les moyens nécessaires à sa concrétisation. Ces moyens impliquaient, entre autres choses, l'active coopération de groupes dits de soutien, comme celui du Logiciel, par exemple. Il fallait à tout prix convaincre ces groupes-là du grand mérite de votre projet et de ses chances immenses de voir le jour, sans quoi leur aide vous serait chichement mesurée – et c'est pour le coup que votre machine n'aurait guère de chances de jamais sortir !

Voici comment la situation apparaissait aux yeux de West : la société ne pouvait pas s'offrir le luxe de lancer en même temps deux nouveaux modèles importants : la Data General venait de faire un gros investissement en Caroline du Nord, précisément dans le but d'en faire le centre de recherches d'où sortiraient les gros modèles; et les ingénieurs du groupe Éclipse avaient beau pouvoir se targuer de jolies références techniques, celles des vedettes de la Caroline du Nord étaient plus fameuses encore. Le grand favori était la Caroline du Nord, et tous les groupes de soutien le savaient.

Aussi West entreprit-il de présenter Eagle comme une assurance, un recours; Eagle serait là au cas où, sait-on jamais? un pépin surviendrait, là-bas, au sud. Ainsi évitait-il un combat de front et ainsi pouvait-il plaider que les groupes de soutien, par sagesse, avaient tout intérêt à ne pas mettre tous leurs œufs dans le même panier et donc à faire un petit quelque chose pour son projet à lui, aussi. Quant à la prétendue supériorité des ingénieurs de

Caroline du Nord, West affectait de la juger surfaite et il répétait inlassablement à ceux de Westborough qu'on avait sous-estimé leurs talents. Bref, son message se résumait ainsi : montrons-leur ce que nous sommes capables de faire.

De la première règle énoncée – selon laquelle il faut se battre pour obtenir les moyens de ses fins – il découlait que si votre équipe disputait à une autre le droit de faire voir le jour à un nouveau modèle, il fallait alors promettre de terminer le vôtre plus vite, ou au minimum aussi vite que l'avait promis l'autre équipe. West avait affirmé que le groupe Éclipse réaliserait le projet EGO en un an. Aussitôt la Caroline du Nord avait dit : « C'est entendu, pour nous, pas de problèmes non plus, notre machine sera prête dans un an. » A son tour, à présent qu'il s'agissait d'Eagle, West assurait que sa machine serait viable dans un an. En pareil cas, disait-il, l'échéance qu'il fallait se donner, à son avis, c'était « la-plus-proche-date-dont-vous-ne-pouvez-affirmer-à-coup-sûr-qu'elle-est-trop-proche-pour-en-avoir-fini. » « De toute façon, insistait-il, nous devons le faire en un an si nous voulons avoir une chance de réussir. » D'autant que seule une échéance aussi rapprochée pouvait démontrer aux grands manitous de votre firme la force de vos résolutions.

Promettre de tenir un délai quasiment surhumain était encore une façon de s'engager – l'objet de la troisième règle, à ce que je vis. Votre engagement impliquait, bien sûr, que vous désiriez ardemment conquérir le droit de construire votre machine, et que par conséquent vous feriez tout ce qu'il faudrait faire pour aboutir au succès, y compris accepter des heures supplémentaires sans supplément de paye.

La quatrième règle semblait énoncer qu'en cas de succès tous ceux qui se seraient engagés dans le grand jeu se verraient attribuer une récompense. Nul n'était prêt à assurer qu'il s'agirait à coup sûr d'un paquet d'actions; rien n'avait été formellement promis – « mais on nous l'a tout de même sacrément suggéré! » disait l'un des Microkids. Tous les membres de l'équipe insistaient sur le fait qu'avec ou sans l'appât du gain, pour eux cela revenait au même : ils étaient prêts à travailler dur. Il n'en est pas moins vrai que dans un premier temps, au moins, cette promesse implicite avait eu le don de donner des ailes à un moral qui était d'ailleurs, de toute façon, généralement situé assez haut.

Telles étaient, sauf erreur, les règles selon lesquelles se déroulait le jeu, et le jour où j'en énonçai certaines devant quelques dirigeants de la firme ils me parurent les reconnaître eux aussi. Mais Alsing estimait qu'il en existait une dernière : « L'observance des règles susdites ne doit jamais être explicite. » Quant à West, il faisait remarquer qu'il était exclu de dégager quelles règles avaient réellement force de loi, attendu que les seules règles valables ne pouvaient émaner que de de Castro, et que l'on citait de lui cet aphorisme : « Il n'y a qu'une seule bonne stratégie – celle que vous êtes le seul à comprendre. »

Ils vivaient dans un univers de reflets et de brumes. La politique de la champignonnière semblait pratiquée à tous les niveaux au sein de leur équipe. A moins qu'il ne s'agît d'une vivante incarnation du système de sûreté de Wallach, le principe des cercles concentriques : West n'était jamais très sûr des sentiments et des intentions de l'étage supérieur au sujet de son équipe; ses propres lieutenants, à leur tour, ne savaient trop à quoi s'en tenir sur ses intentions à lui; quant aux nouveaux venus, les tout jeunes ingénieurs, ils étaient laissés dans l'ignorance la plus complète, ou peu s'en faut, des enjeux réels, des intentions et des tactiques qui se cachaient derrière ce qu'on leur demandait de faire. Pourtant ils se donnaient à fond. Le descriptif architectural de Wallach commençait à sortir assez joliment. Les premiers efforts pour transformer ce qui n'était qu'idées en silicium, en câbles et en microprogrammes venaient de débuter. Ce qu'il fallait faire, à présent, c'était coucher sur le papier un avant-projet complet, et le faire sans tarder. Carman prescrivit de laisser les membres de l'équipe organiser leurs horaires de travail plus ou moins à leur guise. C'étaient de jeunes ingénieurs pleins d'assurance et de mordant – des « pur-sang », aimait à dire West – et on ne tarderait pas à les soumettre à un régime de tension extrême. Carman escomptait bien, en les laissant aller et venir à leur gré et quitter le sous-sol quand ça leur chantait, ostensiblement et sans crainte de représailles, qu'il leur fournissait ainsi une soupape de sécurité.

Finalement, dès l'automne 1978, tout était en place. Les nouvelles recrues avaient été selectionnées, leur engagement solennel obtenu, les promesses subtilement évoquées et la soupape de sûreté mise en place. C'est alors que West enclencha le mouvement.

Mettons que vous êtes un Microkid, comme Jon Blau par exemple. Vous êtes entré ici cet été, et depuis vous avez appris à maîtriser Trixie. Votre supérieur immédiat, Chuck Holland, vient de vous donner une bonne idée d'ensemble du jeu de micro-instructions qu'il va falloir rédiger, il a découpé le travail en plusieurs tâches plus maniables et il vous propose de choisir la vôtre. Vous avez décidé que vous rédigeriez une bonne partie de ces micro-instructions qui correspondent, dans le jeu d'instructions d'Eagle, aux opérations arithmétiques. Vous avez toujours aimé les mathématiques et il vous semble que ce travail vous permettra de les saisir sous un angle neuf, de l'intérieur en quelque sorte. Et vous vous êtes mis au travail sur votre part du puzzle. Vous vous rendez parfaitement compte que c'est une tâche considérable, mais vous êtes certain de pouvoir en venir à bout. Pour le moment, vous vous plongez dans des tas de lectures, histoire de vous préparer. Vous êtes précisément assis à votre bureau, absorbé par l'étude d'un algorithme de Booth, une très élégante procédure pour effectuer la multiplication, quand Alsing fait irruption dans votre cellule et vous annonce : « Il y a une réunion. »

Vous vous levez pour aller rejoindre le troupeau de vos confrères, nouvellement engagés comme vous, dans une salle de conférences; grosses blagues et petits rires nerveux, mais là, ce qui vous attend, ce sont les gros bonnets du secteur : le vice-président de l'ingénierie, un autre chef un peu moins haut placé, mais néanmoins respectable, et West, assis dans un coin, mâchonnant un cure-dent. Les discours sont brefs. Vous les captez attentivement. Vous entendez d'abord un bref historique des superminis à 32 bits. Ils existent depuis quelque temps, mais ils se vendent décidément de plus en plus comme des petits pains. La DEC écoule ses VAX comme d'autres leurs salades, et le bruit court qu'elle devrait en sortir un nouveau modèle dans huit ou neuf mois. Personne n'a dit que c'était de votre faute, mais Eagle a du retard, beaucoup de retard. Il faut absolument avoir mené toute l'affaire – conception, réalisation d'un prototype et essais – d'ici avril au plus tard. Sans faute. Dans six mois. Ce ne sera sûrement pas facile, mais les gros bonnets pensent que vous devez y arriver. C'est d'ailleurs pourquoi on vous a engagé : vous êtes la fine fleur d'une moisson déjà belle. Et maintenant, tout dépend de vous, voilà ce qu'ils vous disent.

Vous sortez de là fier de vous et fier de ce que vous faites. Vous retournez droit à votre bureau, bien sûr, et reprenez l'algorithme de Booth. Au bout de quelque temps, malgré tout, vous éprouvez le besoin d'une petite pause. Vous faites un petit tour, à la recherche d'un semblable avec qui aller prendre un café. Mais chacun travaille avec assiduité, pas un voisin qui n'ait le nez dans un manuel ou le regard rivé à un écran de terminal. Vous retournez à votre lecture. Mais, au bout d'un moment, vous êtes assailli par une impression étrange, il vous vient comme une coulée de sueur le long du dos. « J'ai intérêt à me dépêcher, venez-vous de songer. Il faut que je finisse de lire ça et que je m'y mette tout de suite. Toutes ces micro-instructions. Celle-ci n'est qu'un petit détail. Il y en a des centaines de semblables à voir. Je ferais bien de terminer au moins ce petit bout-là ce soir. »

Et vous ne relèverez pratiquement pas le nez d'ici minuit. Mais vous aurez terminé ce que vous vous étiez assigné. Vous quittez alors le sous-sol en songeant : « Voilà, ça, c'est ce qui s'appelle vivre. Se réaliser pleinement. Relever des défis. J'ai la responsabilité d'un élément capital de cette grosse machine. » En vous installant à votre volant, vous jetez un dernier coup d'œil au bâtiment 14A/B qui vous tourne le dos, aveugle et monolithique, et vous vous dites : « Ah! Quel formidable lieu de travail! » Demain, vous devriez vous attaquer à l'instruction FFAS. Ce ne devrait pas être trop terrible... Dès la première minute de conscience, pourtant, le lendemain, FFAS vous revient. « Miséricorde! FFAS. Il leur faut cette micro-instruction pour la semaine prochaine. J'ai intérêt à ne pas traîner. »

« Cette urgence, devait dire Blau, il me semblait la ressentir de l'intérieur. »

Dans une autre cellule, à peu près à la même époque,

Dave Epstein, l'un des Intrépides, était en train de cogiter sur les circuits d'un dispositif appelé le microséquenceur. Rien d'autre ne pourrait fonctionner sans cette pièce matérielle.

Quelques semaines auparavant, Ed Rasala avait demandé à Epstein : « En combien de temps comptes-tu nous le faire?

— Environ deux mois avait répondu Epstein.

— Deux mois. Tant que ça? » s'était récrié Rasala.

Si bien qu'Epstein s'était repris : « Bon, d'accord, six semaines. »

Epstein avait eu l'impression de signer son propre arrêt de mort. Jamais six semaines ne lui suffiraient. Du coup il s'était mis à y consacrer la moitié de ses nuits, de sorte que tout était allé plus vite qu'il ne l'avait cru. Il en avait alors conçu une joie si grande qu'il n'avait pu se retenir d'aller trouver Rasala : « Tu ne sais pas, Ed? Je crois bien que je vais y arriver en quatre semaines!

— Ah bon? Excellent! » avait dit Rasala.

Mais maintenant, de retour dans sa cellule, Epstein venait de réaliser l'horreur de la situation : « Je me suis engagé à faire le travail en quatre semaines!

— Tu ferais bien de ne pas lambiner, mon vieux Dave.

— Je ne suis même pas sûr d'avoir envie de gémir, pourtant, disait-il. Je dirais même que je ne me plains pas. Je travaille mieux sous pression. »

De fait, Epstein devait terminer son travail dans les délais, un travail qui se révélerait pratiquement exempt d'erreurs.

Mais ces conditions de travail ne réussissaient pas à tout le monde. Et tout le monde n'était pas d'avis que le jeu en valût la chandelle. Déjà un ou deux ingénieurs avaient laissé tomber. D'autres étaient rien moins qu'heureux. Josh Rosen, un Intrépide, n'en croyait vraiment pas ses yeux. Il devait se souvenir de cette discussion, par exemple, mettant aux prises Microkids et Intrépides. Un Microkid désirait voir le matériel accomplir une certaine fonction. « Pas question, lui opposait un Intrépide. Moi j'ai déjà prévu mon plan pour que ce soit la microprogrammation qui donne ça... » Pour finir, ils marchandaient. « Je te fais passer cette fonction-ci dans la programmation si tu te débrouilles pour inclure cette autre fonction dans ta quincaille. » « D'accord. »

Eh bien, si c'est ainsi qu'on compte créer un grand ordinateur! « Il n'y a aucun projet d'ensemble, pas de grand plan général, songeait Rosen. On allonge les bras dans le noir, à tâtons, on rencontre d'autres mains. » Rosen avait des problèmes avec sa partie du projet. Il savait pouvoir les résoudre, c'était une simple question de temps. Mais le temps manquait, justement. Les chefs n'arrêtaient pas de leur dire. « Pas le temps, il faut faire vite. » Bon. D'accord. Le temps pressait. Mais tout de même! C'était complètement ridicule. Personne n'avait l'air d'être aux commandes. Rien n'était jamais expliqué. Dame, si vous faisiez des sottises, par contre, les gros bonnets vous tombaient dessus de tous les côtés à la fois.

« Tout l'état-major, oui, disait Rosen. A la Harvard Business School, n'importe qui en aurait vomi. »

En des temps relativement sereins, quelques années avant le projet Eagle, West et sa femme s'étaient liés d'amitié avec un électricien de leur localité. Il s'appelait Bernie. Il possédait un petit avion de tourisme. La propriété des West étant située dans le prolongement de l'une des pistes du petit aérodrome local, il arrivait souvent à Bernie de survoler leurs terres. A cette occasion, il ne manquait pas de saluer les West à sa façon : il imprimait un léger mouvement à ses ailes, ou bien effectuait un rapide tonneau, ou encore, parfois, il s'extirpait à moitié de sa carlingue et faisait en direction du sol de grands gestes d'amitié. « Bernie adore voler la tête en bas », remarquait West, et sa femme et lui riaient de bon cœur à cette idée.

Alsing avait souvent entendu cette expression, « voler la tête en bas », revenir dans la bouche de West. Apparemment, pour ce dernier, cela signifiait prendre de gros risques, et de la manière dont il plaçait ces mots dans la conversation il ressortait qu'il s'agissait là d'une activité hautement désirable, l'essence même d'une existence digne d'être vécue.

Ed Rasala avouait que West avait apporté à leur coin de sous-sol une sorte d'atmosphère de drame qui n'y était pas auparavant. Pourtant ni Rasala, ni Alsing, ni Wallach ne songèrent à se dérober quand West leur annonça qu'il allait falloir voler la tête en bas. Sur ce nouveau projet rôdait le souvenir d'EGO, EGO de sinistre mémoire. Personne n'aime voir réduire à rien des semaines de dur labeur, or EGO, sur ce plan, avait bien été un désastre. Mais ce projet n'avait duré que quelques mois, et impliqué seulement une poignée d'ingénieurs. Ils étaient une trentaine à travailler sur Eagle, à présent. L'idée de voir à son tour ce projet-là jeté au panier, quelque part en cours de route, était proprement insoutenable. Et pourtant, ils le savaient, c'était une chose qui pouvait arriver. West avait estimé qu'il lui fallait promettre de réaliser Eagle en un an s'ils voulaient avoir une chance de le faire; voilà qu'à présent il avait décidé de croire qu'il leur fallait bel et bien tenir ce délai absurde s'ils voulaient que leur machine passât la porte! Qui plus est, ils étaient tenus de produire un engin parfait – parfait sur le plan commercial. L'entreprise était périlleuse, dès le départ. Dans le droit fil du gros risque pris, West en assuma, au nom de l'équipe, une foule de plus petits.

« Nous partons toujours du principe que tout va tourner rond, et à notre avantage », faisait remarquer Alsing. West considérait comme acquis, par exemple, que la coopération du Logiciel interviendrait quand le besoin s'en ferait sentir. Et tous admettaient que des débutants frais émoulus de leur université étaient capables d'élaborer un gros ordinateur de conception nouvelle, même si aucun de ces novices n'avait jamais tâté d'un travail du même genre.

A l'affût d'un hypothétique avantage technique, West avait pris le pari que l'avenir, en matière de circuits intégrés, appartenait à une puce commercialisée sous le nom de PAL. La fabrication des circuits intégrés semble être une industrie à hauts risques : on parle de fabricants dont la production aurait tourné court, du jour au lendemain, pour des raisons mal définies et probablement assez troubles. De sorte que traditionnellement la sagesse recommande, à qui s'est donné pour but de fabriquer un nouveau type d'ordinateur, d'éviter à tout prix de prévoir l'utilisation de quelque nouveau modèle de puce que ce soit, à moins qu'il n'en existe au minimum deux fournisseurs distincts. Or, à l'époque, un seul fabricant, et encore pas bien gros, pouvait fournir des circuits PAL. Seulement, si les PAL étaient réellement l'avenir du circuit intégré, ce serait un joli coup de flair que de les avoir utilisés. West décida de tenter le coup.

144

West estimait aussi que le groupe Éclipse devait pouvoir faire état d'un avancement rapide et constant de ses travaux s'il tenait à voir les différents corps de la firme y prêter intérêt et accorder leur aide. Dans cet esprit, et peut-être aussi pour maintenir au sein de ses troupes un état de tension permanente, il avançait des prétentions extravagantes. Avant que Wallach eût entièrement achevé le descriptif architectural, West lançait son équipe sur la conception des cartes qui équiperaient cette architecture; avant que le travail ait eu le temps d'être bien léché, West avait commandé des cartes prototypes à connexions enroulées; avant que les connexions enroulées aient eu la moindre chance d'être vraiment au point, West prenait ses dispositions pour l'élaboration des cartes de circuits imprimés ; et longtemps avant que nul ne pût dire si Eagle deviendrait un jour un ordinateur en état de fonctionner, West avait collé ses créateurs devant une caméra de télévision, avec pour mot d'ordre de décrire chacun la partie de la machine dont la conception lui revenait. Le résultat de cet acte de foi, témoin d'un aplomb frisant le délire, fut une extravagante bande vidéo d'une durée d'environ vingt heures. West avait l'intention de s'en servir, le jour venu (si du moins ce jour venait), pour répandre la bonne nouvelle de la naissance d'Eagle aux quatre coins de Westborough. « Un petit coup de culot », disait-il en désignant du menton, avec son sourire en coin, l'étagère bourrée de cassettes vidéo.

Un soir, West prit le temps de me dire : « Il faut toujours que je fasse tout à tombeau ouvert, c'est dans ma nature. Complètement débile. Un vrai désastre. » Un silence. « Mais c'est fou ce que ça peut être drôle. »

Il avait établi les grandes règles selon lesquelles Eagle serait conçu, et il veillait à leur stricte application. Il faudrait utiliser le moins de silicium possible, pas plus que quelques milliers de dollars de circuits intégrés. L'unité centrale devrait tenir sur moins de cartes, beaucoup moins, que les vingt-sept dont était faite celle du VAX, et chacun des éléments majeurs de cette unité centrale devait tenir sur une seule carte. S'ils arrivaient à remplir ces conditions, Eagle coûterait moins cher à construire que le VAX. D'autre part, il avait tout intérêt à travailler plus vite que le VAX, pour des raisons évidentes. Et il devait être capable de traiter avec une armée de terminaux. Une unité centrale n'est pas un système informatique complet; Eagle devait également être compatible avec toute la gamme des périphériques existant déjà au catalogue de la Data, ainsi qu'avec le logiciel d'Éclipse.

Dans son bureau, sur son tableau blanc, West avait inscrit cet énigmatique aphorisme :

Tout ce qui vaut la peine d'être fait ne vaut pas forcément la peine d'être bien fait.

Prié de le traduire en clair, il souriait et disait : « Si vous pouvez faire quelque chose à la six-quatre-deux, mais qui marche, alors faites-le. » Souciez-vous d'abord, en d'autres termes, de l'apparence que revêtira Eagle aux yeux d'un acheteur en puissance; faites-en une machine peu coûteuse, mais puissante – et ne vous souciez pas de ce que voudront y voir les bigots de la technologie, s'ils vont mettre le nez dedans. West avait fait siens ces quelques principes sur la conception des ordinateurs : « Pour aboutir à un produit qui soit un succès commercial, il y a des quantités de choses qui entrent en ligne de compte. La réussite technique est une chose, mais vous pouvez très bien y parvenir et déboucher tout de même sur un échec. Il faut donner à vos ingénieurs des lignes bien précises à suivre si vous voulez les conduire au succès. " Débrouille-toi pour faire ça, ça et ça sans t'empêtrer dans les petits et cætera. " Par exemple. » Un second précepte était : « Ni sonneries ni sifflets. » Et le troisième : « Quand on a dit à un type de faire ceci-cela, et sur une seule carte, je ne veux plus entendre parler de lui jusqu'à ce qu'il ait trouvé le moyen de le faire. »

West surpervisa tous les avant-projets. Il lui arrivait de condamner d'un trait de plume des détails auxquels leurs inventeurs tenaient tout spécialement, les estimant élégants et bien venus. Il semblait sous-estimer systématiquement le côté subtil de ce qu'ils tentaient de faire. Pour toute explication, les jeunes concepteurs n'avaient guère droit qu'à trois formules de commentaires, selon le cas : « Ça, c'est bon. » « Ça, c'est mauvais », ou « Ça, on n'a pas le temps de le faire. »

Cet examen critique de leur projet parut à certains un acte arbitraire et brutal, voire la preuve d'une courte vue sur le plan technique. Pourtant, avec le recul du temps, l'un des Intrépides au moins devait reconnaître que ses chefs savaient à l'époque une chose qu'il ignorait encore : à savoir que le plan parfait n'existe pas. La plupart des ingénieurs informaticiens expérimentés avec lesquels j'ai discuté s'accordaient à dire que cette simple leçon était la première à assimiler pour qui voulait un jour concevoir une machine viable. Fréquemment, d'après eux, ce sont les ingénieurs les plus brillants qui ont le plus de mal à admettre qu'il vient un moment où l'on doit sagement renoncer à la quête de la perfection. West était la voix de l'oracle s'élevant de sa caverne : « Vu. Ça ira comme ça. Envoyez. »

West demeurait donc l'autorité ultime sur le tracé des circuits. Par contre, pour leur orchestration, il relâcha nettement les rênes. Comment les Intrépides s'y prirent-ils pour concevoir un plan d'ensemble de la machine telle qu'elle devrait se présenter sous sa forme matérielle? « En gros, devait dire Ed Rasala, une poignée de types et moi-même avons discuté le coup et décidé ensemble de quels éléments nous avions besoin. » De l'autre bord, du côté de la Micro, ce fut Chuck Holland qui prit sous son bonnet d'organiser la microprogrammation, bien qu'il n'en eût jamais reçu l'instruction officielle. Chuck Holland et Ken Holberger jouaient les médiateurs dans les tractations entre Intrépides et Microkids, mais en règle générale les vétérans les laissaient s'arranger entre eux. Tout le groupe Éclipse, et plus que quiconque ses dirigeants, semblait naviguer à l'intuition. Il ne semblait exister officiellement entre ses membres que les accords les plus simples. Ni liste, ni organigramme, ni tableau de programme – rien de formel ni d'explicite. Mais tout un réseau de responsabilités à imbrications mutuelles, volontairement acceptées en vertu de ce fameux « engagement » général : voilà ce qui cimentait le groupe. Bien sûr, aux yeux d'un nouveau venu, cela pouvait sembler chaotique. Bien sûr encore, pour quelqu'un de convaincu qu'un ordinateur est un engin dont la conception exige une lente maturation et des quantités d'essais préliminaires, il y avait de quoi tomber malade d'horreur. Ce genre de critiques paraissait charmer West. « Que l'on me démontre en quoi j'ai tort », disait-il avec son petit sourire.

De fait, son équipe conçut sa machine en l'espace

d'environ six mois, ce qui pourrait bien être un record en la matière. Car la tâche n'avait rien de simple.

La machine se concrétisa donc une première fois sous forme de papier – en un épais volume de feuillets entièrement recouverts de suites de 0 et de 1, accompagné de classeurs reliés aussi imposants que des atlas, et qui renfermaient tous les graphiques détaillés des circuits concernés, tracés méticuleusement par le dessinateur du groupe. Cette petite bibliothèque de micro-instructions et schémas pouvait faire songer à une sorte d'anthologie des pensées des ingénieurs sur des sujets variés. En réalité, bon nombre des sujets ainsi déguisés sous ce langage ésotérique étaient aussi familiers que la multiplication.

Je m'étais imaginé, jusqu'alors, que le travail de l'informaticien devait rappeler celui de l'électricien qui veille sur les installations domestiques, mais il m'apparaissait à présent que le plus gros de la tâche consistait à élaborer de savants embrouillaminis de connexions logiques, et n'avait qu'un lointain rapport, au moins à ce stade, avec l'électricité. Autre sujet d'étonnement pour moi : pourquoi semblaient-ils tant peiner à faire tenir l'unité centrale d'Eagle sur sept cartes - sept était l'objectif fixé – alors que par ailleurs d'autres ingénieurs, tous les jours, casaient des unités centrales complètes sur une unique et minuscule puce? La réponse était en gros qu'une unité centrale à cartes multiples est capable d'effectuer simultanément des opérations qu'une unité centrale monopuce ne peut traiter que séquentiellement. Si vous créez une UC sur plusieurs cartes, elle pourra donc travailler beaucoup plus vite que sa consœur logée sur une seule puce. Je crus comprendre que le jour viendrait sans doute où les composants agiraient à si grande vitesse qu'alors la distance que les signaux devraient parcourir aurait une influence déterminante sur la rapidité de la plupart des ordinateurs commercialisés. Mais ce temps n'était pas encore venu.

Dans la conception d'Eagle, les ingénieurs allaient bien au-delà de ce qui pouvait être fait sur un seul circuit intégré. Bon nombre des puces qu'ils utilisaient leur arrivaient toutes prêtes à effectuer certains types d'opérations. Ce qui leur épargnait tout de même une bonne part d'efforts. La décision prise par West de faire appel à ces nouvelles puces du nom de PAL présentait pour ses concepteurs des avantages certains. A coup sûr cela permettait à certains de travailler beaucoup plus vite. Quand Ken Holberger, par exemple, abordait dans son travail un passage délicat, dont la mise au point s'annonçait longue et laborieuse, il lui suffisait souvent, pour le moment, d'esquisser une case sur son schéma et de la laisser en blanc. « Ici, PAL », se contentait-il d'écrire. En effet, une seule PAL programmable pourrait exécuter toutes les opérations nécessaires en l'occurrence. Il y reviendrait plus tard et programmerait la puce PAL. En attendant, on pouvait déjà construire des prototypes du modèle à l'étude. Naturellement, pour finir, les concepteurs auraient à programmer toutes les puces PAL, jusqu'à la dernière. Il leur faudrait inventer l'organisation interne, étonnamment complexe, de chacune de ces pastilles de silicium. Il leur faudrait déterminer ce que chaque puce était censée faire. Or il y aurait des milliers de puces dans un Eagle.

Certains ingénieurs comparaient les puces aux blocs d'un jeu de construction, rassemblés en tas, dans le désordre. D'autres les considéraient – conception et fabrication comprises – comme « de la technologie », sous-entendant par là que le fait de les assembler pour en faire un ordinateur était tout à fait autre chose. Ce pourrait être l'optique d'un agriculteur : « la technologie », ce serait cette nouvelle semence hybride mise au point par des techniciens et livrée à la ferme par chemin de fer, tandis que la faire pousser serait tout à fait autre chose – de l'agriculture, tout simplement.

Les ingénieurs qui conçurent Eagle adoptèrent pour partie des idées qui avaient déjà largement cours dans la branche. Ils reprirent aussi, dans leurs propres dossiers, une partie du matériau élaboré au temps d'EGO ou de Victor; pour les détails, en particulier, ils s'inspirèrent largement d'EGO. Il n'empêche que pour l'essentiel ils firent du neuf, et qu'ils inventèrent la plus large part d'Eagle à leur idée, et cela en cinq ou six mois, entre la fin de l'été 1978 et le début de l'année suivante.

D'une certaine façon, la tâche qui leur était assignée se résumait à obtenir une machine capable d'effectuer – à toute allure et sans faute – chacune des quelque quatre cents opérations énumérées dans son jeu d'instructions. Un soir, après le travail, le Microkid Jon Blau voulut bien décrire à mon intention le cheminement, à travers la machine, d'une seule de ces instructions en langage assembleur, pour exécuter l'opération de base correspondante.

Jon Blau habitait un appartement près de Natick, dans le Massachusetts. Ses pénates étaient bien rangées, mais son mobilier monacal : un vieux divan, un siège du type poire, une étagère à livres garnie de manière éclectique : son régime intellectuel semblait se composer de science-fiction, de romans bien accueillis par la critique, de philosophie, de maths et de physique. Un vélo à dix vitesses s'appuyait contre un mur de sa chambre. Pour lit, il avait un matelas posé à même le sol. Le réfrigérateur était vide, et il s'en excusa gentiment. C'était l'appartement d'un jeune homme qui se rend ailleurs, et je m'en sentis vieux.

Avec l'aide de Blau, je m'enfonçai, si l'on peut dire, dans les entrailles de la machine. Il me désigna les organes essentiels d'Eagle en parlant d'eux comme s'il s'agissait d'objets capables de sentir, de poser des questions, d'analyser les réponses, d'envoyer comme de recevoir des messages. C'est une façon d'appréhender les machines informatiques qui met fort mal à l'aise certaines personnes, mais c'était pour Blau l'une des meilleures manières d'envisager l'engin quand il y travaillait.

Quand il s'agit d'exécuter une instruction fournie par un programme d'utilisateur, entreprit de m'expliquer Blau, la machine doit en premier lieu exécuter toute une série d'autres tâches. Posons en hypothèse qu'un programme spécial – un programme de programmes, mettons – est déjà en cours. Ce programme est en relation avec les utilisateurs de l'ordinateur, et il travaille pour eux. Il se charge de lancer en bon ordre tous les programmes d'utilisateur en cours et de surveiller leur déroulement. Il trouvera aussi un programme demandé par l'utilisateur. Ce programme de programmes comporte des instructions d'entrée et sortie en langage assembleur, qui indique à l'IOC [1] – le contrôleur d'entrée/sortie – comment faire

---

1. IOC : Input/Ouput Controller.

circuler l'information, dans les deux sens, entre la machine et les terminaux des usagers. (L'IOC permet à l'ordinateur de communiquer avec le monde extérieur; en gros, il joue le rôle d'un interprète polyglotte. Il peut faire en sorte que l'information circule très vite, ou s'arranger pour permettre la communication avec les appareils de l'usager qui travaillent relativement lentement. C'est un dispositif compliqué.)

Bon, disait Blau. Imaginons maintenant qu'il y a quelqu'un, là, devant son terminal, qui veut lancer un programme. Le programme FOOBAR, si vous voulez. Au moyen de son terminal, cet usager va indiquer au programme des programmes : prière de lancer le programme FOOBAR. Le programme des programmes indique à l'IOC de faire passer *une partie* de ce programme d'un disque de mémoire où il se trouvait, en dehors de l'unité centrale, vers la mémoire centrale, à l'intérieur de l'UC, cette fois – et de le faire très vite. Une fois que c'est fait, le programme des programmes s'occupe de lancer le programme FOOBAR. Et la machine commence à exécuter les instructions du programme FOOBAR, l'une après l'autre.

Avant d'exécuter une instruction, la machine doit d'abord la trouver, c'est évident. Ensuite, il faut qu'elle la rapporte et la décode. Et nous en arrivons à cette carte de circuits imprimés connue sous le nom de *processeur d'instruction*. Or ce processeur d'instruction, cet IP comme disait Blau, est quelque chose d'aussi compliqué qu'astucieux. Il n'a à sa disposition qu'une mémoire relativement réduite et son rôle, en quelque sorte, est de supposer par avance quelles vont être les prochaines instructions du programme de l'usager, pour les entreposer dans sa mémoire, prêtes à l'usage. Selon ces suppositions, il cherche, ramène et décode les instructions avec un temps d'avance. Avec lui, c'est « du tout cuit ». Pour cette raison, il est aussi connu sous le nom d'accélérateur; il n'exécute rien d'autre que ce que tout ordinateur doit faire, mais il le fait en avance.

Imaginons pourtant, disait Blau, que le programme FOOBAR tourne depuis un certain temps et que l'IP découvre, comme cela arrive de temps à autre, qu'il ne dispose pas de l'instruction suivante dans sa propre

151

mémoire. Il envoie alors un message a l'unité de traduction d'adresses qui a, entre autres rôles, charge de conserver le plan de la mémoire centrale de l'engin. Dans ce message, le processeur d'instructions demande à l'unité de traduction d'adresses quel est l'emplacement du prochain bloc d'instructions dans le programme d'usager FOOBAR.

Supposons, poursuivait Blau, que l'unité de traduction d'adresses retrouve ce prochain bloc d'instructions sur son plan. Cela signifie que les instructions recherchées sont situées dans la mémoire centrale. L'unité de traduction d'adresses sait où; elle transmet l'information au processeur d'instructions. Ce dernier, alors, renvoie un message à un autre accélérateur, connu sous le nom de *mémoire cache,* pour lui demander ces fameuses instructions.

Peut-être cette mémoire cache possède-t-elle elle-même ce bloc d'instructions. Si c'est le cas, nul besoin de chercher, nulle attente, elle le passe directement au processeur d'instructions, et c'est autant de temps gagné. Si, à l'inverse, elle ne trouve pas ces instructions dans sa mémoire à elle, elle va les chercher dans la mémoire centrale pour les transmettre au processeur d'instructions.

« Seulement, voilà, repartait Blau, ce fameux bloc d'instructions peut ne pas se trouver non plus dans la mémoire centrale. » La machine a d'autres utilisateurs, qui font passer d'autres programmes. La mémoire centrale est spacieuse, mais elle ne l'est pas assez pour contenir la totalité de tous ces programmes en même temps. D'ordinaire, elle ne contient que certaines parties de chaque programme. Si bien, disait Blau, qu'il nous faut imaginer maintenant que la suite du programme FOOBAR est stockée en dehors de l'unité centrale, qu'elle est encore, pour le moment, dans un rangement périphérique, sur un disque. En pareil cas, l'unité de traduction d'adresses ne trouve pas trace du prochain bloc d'instructions sur son plan. Aussi envoie-t-elle un message au microséquenceur. (Le séquenceur contient la microprogrammation et il convient de noter – Blau insistait là-dessus – que la majorité des actions qui se sont déroulées jusqu'ici ont été accomplies selon les directives de la microprogrammation.) Le microséquenceur réagit au message de l'unité de traduction d'adresses en lui transmettant un certain microprogramme, qui fait passer le travail de recherche sous la responsabilité du logiciel de base. Le logiciel de base, à son tour, convoque ce que l'on appelle le « programme de besoin de page », qui contient des quantités d'instructions en langage assembleur, et par conséquent des quantités de microprogrammes. Ce programme de besoin de page devrait indiquer à la machine comment trouver ce prochain bloc d'instructions du programme FOOBAR et comment l'introduire dans le système de mémoire.

Et maintenant imaginons – cela ne devrait pas arriver, ou ce serait le symptôme d'une erreur de logiciel –, imaginons pourtant que les instructions nécessaires à ce programme de besoin de page ne se trouvent pas dans le système de mémoire, mais sur un disque quelque part. Pour pouvoir obtenir les instructions du programme de besoin de page rangées sur ce disque, Eagle devrait exécuter un programme de besoin de page, mais il ne pourrait exécuter ce programme de besoin de page pour obtenir ces instructions, faute d'avoir ces instructions elles-mêmes! Ce serait comme d'avoir refermé une armoire en laissant la clé à l'intérieur, faisait remarquer Blau. « Ou comme d'être pris dans une série de miroirs sans fin. »

Pareil vice de conformation est désormais trop connu pour qu'on le rencontre souvent, mais les concepteurs d'Eagle ne s'en méfiaient pas moins de lui, sait-on jamais? Par l'intermédiaire du pupitre de commande, m'expliquait Blau, Eagle est intimement relié à un micro-ordinateur, un modèle ordinaire de microNova, fabrication maison, qui joue en quelque sorte, auprès d'Eagle, le rôle de thérapeute. Au cas où Eagle se mettrait à dérailler, la micro-Nova continuerait à fonctionner; elle pourrait donc passer des programmes de diagnostic, dans le but de rechercher ce qui ne tournerait pas rond chez la grosse machine sa sœur, y compris si celle-ci était K.O... Par ailleurs, elle est constamment en train de tripatouiller à l'intérieur de sa grosse collègue, à la recherche de ses travers et de ses défaillances. Si elle détecte un vice criant, comme la présence d'un besoin de page à l'intérieur d'un besoin de page, le tableau de commande en sera alerté, et il renverra un message à la microNova, qui transmettra à son tour un avertissement à la console du système, cette sorte de grosse machine à écrire installée à côté de l'unité centrale d'Eagle, laquelle imprimera en toutes lettres :

BESOIN DE PAGE SANS FIN. UC STOPPÉE.

Si c'est vous l'opérateur du système et que ce message apparaît sous vos yeux, vous vous précipitez, fou d'angoisse, pour appeler la Data sur-le-champ.

Maintenant, supposons que rien de tout cela n'a eu lieu, enchaînait Blau. Supposons que le prochain bloc d'instructions nécessaire à la poursuite du programme FOO-BAR a été trouvé sans mal. La mémoire cache envoie ce bloc au processeur d'instructions. Ce dernier libère un autre bloc d'information pour faire de la place à celui-là, et la recherche est enfin terminée. Eagle peut se mettre à exécuter l'instruction suivante dans son programme FOO-BAR.

Le processeur d'instructions examine l'instruction codée et il établit qu'il s'agit d'un « Skip On Equal » – une instruction qui indique à l'ordinateur qu'il doit comparer deux valeurs et, selon le résultat, suivre l'une ou l'autre de deux voies possibles. En langage assembleur, elle s'écrit WSEQ (à vos souhaits). Pour être précis, disons que cette instruction ordonne à la machine de comparer deux valeurs et, si elles sont égales, de sauter l'instruction suivante dans le programme en langage assembleur, pour passer directement à celle d'après. Supposons que ces deux valeurs – transcrites en code électrique, cela va de soi – aient trouvé leur chemin dans l'Unité Arithmétique et Logique, l'ALU [1] (encore connue sous les noms de « croque-nombre », machine à calculer, ordinateur principal, bref, le cœur même de tout ordinateur). De l'instruction WSEQ, le processeur d'instructions a déduit plusieurs informations. La plus importante est l'adresse du microprogramme qui indiquera à Eagle ce qu'il lui faut faire au juste pour sauter l'instruction qu'il doit négliger s'il trouve les deux valeurs égales.

Le microséquenceur demande à présent l'adresse du prochain microprogramme. Le processeur d'instructions

1. L'abréviation française devrait être UAL; mais les informaticiens la prononcent... ALU! (*N.d.l.T.*).

envoie alors cette adresse au séquenceur et ce dernier lance le microprogramme. Le processeur d'instructions vient aussi de déterminer, dans l'intervalle, où sont situées les deux valeurs qui vont devoir être comparées. Ces groupes de bits sont déjà dans l'ALU. Le processeur d'instructions indique à l'ALU où ils se trouvent exactement.

« Et maintenant, poursuivait Blau, nous allons descendre encore d'un degré dans l'abstraction. Nous descendons au milieu du microcodeur. »

A l'intérieur d'Eagle, il y a une horloge. Elle tictaque à peu près tous les deux cent vingt milliardièmes de seconde. Entre chaque tic-tac de l'horloge, Eagle exécute une micro-instruction.

« Tic », dit Blau.

Le séquenceur envoie la première micro-instruction du microprogramme WSEQ. Cette micro-instruction est de 75 bits – 75 fois une tension basse ou haute. Les bits se distribuent à travers les circuits. Les uns vont vers l'ALU à laquelle ils disent de soustraire l'une des valeurs de la seconde. D'autres de ces bits vont vers le processeur d'instructions, d'autres vers l'unité de traduction d'adresses et vers le contrôleur d'entrée/sortie, d'autres encore retournent droit au séquenceur, à qui ils donnent l'adresse de la prochaine micro-instruction du microprogramme WSEQ.

« Tic », dit Blau.

Le séquenceur envoie cette seconde micro-instruction. Une partie des bits ainsi lâchés s'en va rejoindre l'ALU, pour lui dire d'examiner le résultat de sa soustraction. Si ce résultat n'est pas 0 (en d'autres termes, si les deux valeurs ne sont pas égales), alors l'ALU envoie une tension basse dans un fil déterminé. La micro-instruction a prévenu le microséquenceur qu'il lui fallait surveiller ce fil. Sitôt que ce dernier y trouve une tension basse, il arrête là le programme WSEQ; et il envoie un message au processeur d'instructions pour lui dire, en substance : « Valeurs non égales, on ne saute rien cette fois-ci. Prendre la prochaine instruction en langage assembleur dans le programme de l'utilisateur. »

Par contre, si le résultat de la soustraction effectuée par l'ALU est effectivement 0 (autrement dit, si les deux valeurs sont bel et bien égales), alors l'ALU envoie une tension haute dans ce fil que surveille le microséquenceur. Ce dernier interprète le signal et envoie dans ce cas la troisième et dernière micro-instruction du microprogramme WSEQ.

« Tic. »

C'est alors la dernière ligne du microprogramme qui intervient; elle indique à toutes les cartes de se mettre en attente, excepté le processeur d'instructions. Celui-là reçoit l'ordre de sauter la prochaine instruction en langage assembleur dans le programme de l'usager et de reprendre le travail avec l'instruction d'après. C'est ainsi, finalement, qu'Eagle saute par-dessus un carrefour dans un programme et repart le long d'une nouvelle voie.

J'avais entendu West déclarer que concevoir un ordinateur est « un jeu de l'esprit ». Je demandai à Blau si suivre le cheminement d'une instruction au travers de la machine, comme nous venions de le faire ce soir-là, était le genre de jeux auxquels on se livrait pour concevoir un ordinateur. « Tiens, bien sûr! » s'écria-t-il. Seulement, ce petit jeu-là, ils avaient à y jouer des centaines et des centaines de fois. Et rien que pour équiper Eagle de l'instruction WSEQ, le jeu était plus compliqué, infiniment plus, que Blau ne pouvait me l'exposer en une seule soirée.

Pareilles acrobaties de logique, surtout si l'on s'y livre dans la fièvre – quand il faut faire vite et voler la tête en bas – peuvent marquer votre pensée au point de la déformer pour un temps. Après vous être adonné à ce genre de jeu un moment, vous relevez la tête, apercevez un arbre et, tiens, tiens! il est frappant comme un arbre a tout d'un ordinateur. Et cette rue, formant un réseau avec ses rues adjacentes, n'est-ce pas qu'elle ressemble à s'y méprendre à un programme? Chuck Holland affirmait que cette espèce de sensation désagréable, l'impression d'être enfermé dans la machine, ne s'atténuait d'ordinaire pas avant trois jours – dans les très rares occasions où il s'éloignait du sous-sol pour une pareille durée.

Assis à son bureau, des heures durant, West contemplait en silence les plans du matériel dessinés par son équipe; il se livrait à ses propres jeux d'esprit sur le résultat des jeux d'esprit des autres. Ceci fonctionnera-t-il? Et combien coûtera cela? Un jour, quelqu'un passa devant sa porte avec un bébé braillard, et il fallut à West une heure pour retrouver le cheminement de sa pensée le long du circuit qu'il était en train d'étudier. Des rires provenant de l'extérieur avaient souvent le même effet, et de temps à autre il en avait les mains qui tremblaient de rage – plus particulièrement s'il n'appréciait pas tellement, déjà, le plan qu'il examinait.

En règle générale, quand il quittait le travail, West s'éloignait de Westborough le plus rapidement possible. « Je ne peux pas parler de la machine, me dit-il un soir, penché sur son volant. J'ai intérêt à séparer radicalement la vie et les ordinateurs, sans quoi je deviendrais fou. »

7. LA MACHINE

Un matin, peu après la remise des avant-projets, West était assis dans son bureau, porte close, et il examinait des diagrammes.

Les dates limites étaient à présent toutes proches. L'un des vétérans du groupe, qui fut témoin de la scène depuis les abords du bureau de West, devait dire par la suite : « La tension chez nos jeunes était phénoménale. C'était une impression physique. » Or voici que, dans la cellule située juste en face du bureau de West, deux membres de l'équipe de la Micro venaient de se mettre à rire. D'abord l'un, puis l'autre, puis les deux ensemble, de plus en plus bruyamment.

Peu après, le téléphone sonnait sur le bureau d'Alsing.

C'était West. « Si tu ne fais pas taire ces deux crétins tout de suite, je les descends! »

« Il était fou de rage », se souvenait Alsing. « Il fallut que j'aille trouver ces deux types pour leur dire de ne pas rire. C'était monstrueux. Et je n'étais pas fier de moi. Je me faisais l'impression d'être l'un de ces vieux contremaîtres des années 1800, qui engageaient des enfants et les faisaient trimer dix-huit heures par jour. »

West prit une journée de congé et s'en fut regarder des voiliers.

Un dimanche matin – jour de repos officiel pour toute l'équipe –, alors que West, chez lui, s'efforçait de trouver l'oubli dans la lecture d'un quotidien, on vint lui annoncer que la pompe à eau de la maison venait de tomber en panne. Repoussant son journal, il descendit au sous-sol pour réparer l'engin. Pour lui, c'était de la routine. Il savait comment procéder. Il venait à peine de s'y mettre, pourtant, qu'à la première manifestation de résistance de la part de l'engin il l'empoignait à pleines mains et l'envoyait voler à l'autre bout de la pièce. Après quoi il resta là un temps, à le regarder fixement. S'il avait été capable de faire cela, de quoi serait-il capable ensuite? Plutôt que de chercher à le savoir, il remonta l'escalier, dit à sa femme d'appeler un plombier, et s'en alla se coucher, au beau milieu de la journée.

Qu'était-ce donc qui n'allait pas? Le plus dur n'était-il pas derrière eux, à présent qu'ils avaient terminé les plans? West ne voulait pas répondre. Il se contentait de hocher la tête.

Déjà, pourtant, en ce tout début d'année, quelque chose existait qui ressemblait à l'ordinateur, sous la forme de deux prototypes partiellement montés. Mais Eagle n'était même pas encore l'équivalent d'une calculatrice de poche. Il leur restait à en faire un engin qui fonctionne. Cette partie du projet, la phase de mise au point, ils l'appelaient le « debugging [1] ». West avait demandé à Rasala de dresser

---

1. *Debugging* : ici, cas de conscience du traducteur – évoquons-le une fois pour toutes. Si ce terme anglais a été conservé tel dans cette phrase, c'est qu'il était entre guillemets dans le texte anglais, et qu'il n'existe pas d'équivalent français spécifique (« mise au point » convient en général assez bien dans le contexte de cet ouvrage, mais n'a pas ce petit parfum de jargon du métier, et ne mérite pas de guillemets). Mais *debugging* vient de *bug,* un terme qui lui-même soulève quelques questions. Le *bug,* c'est le petit défaut – imperfection de la machine ou du logiciel, peu importe – qui empêche un programme de tourner rond; et ce *bug* est plutôt sympathique, puisqu'il s'agit en fait d'une « bestiole » (plus exactement d'un coléoptère); on tombe sur un *bug* comme on tombe sur un os, mais l'image de l'insecte qui fait tout coincer est sans doute plus amusante. Bref, nous pourrions naturaliser le *bug* sans aller lui chercher la petite bête, en l'écrivant « beugue » (?) par exemple. L'ennui, c'est qu'il aurait tendance à nous imposer sa famille : car il existe encore, donc, *debugging, debugger* et *to debug* – en ferions-nous « débeugage », « débeugueur » et « débeuguer »? L'informatique individuelle – l'informatique de plaisance – a proposé quant à elle de remplacer le *bug* par la « bogue » (épineuse comme il se doit); ce qui donne « déboguer », « débogage » et « débogueur ». L'usage et le temps seront juges... Dans le présent ouvrage, nous n'avons gardé que quelques *bugs* (au moins au sens propre...), pour la couleur locale; les autres membres de la famille ont été évincés sans trop de mal. (*N.d.l.T.*)

un plan de mise au point qui permît à Eagle de voir le jour en avril, l'échéance fatidique qu'il avait indiquée à ses chefs. Il avait obtenu du département de la Fabrication qu'on lui envoie quelques techniciens qualifiés depuis l'usine de Portsmouth, dans le New-Hampshire, tant pour étoffer les troupes affectées à la mise au point que pour mettre la Fabrication dans le coup. Rasala avait partagé les Intrépides en deux équipes destinées à se relayer. West avait prescrit huit heures de travail le samedi. Le travail avait avancé, mais il ne progressait plus qu'à grand-peine et avec une extrême lenteur. Dans le langage du cru, c'était « du trois pas en avant, deux en arrière »; quant à leur calendrier de mise au point, toujours selon eux, il « dérapait » d'une semaine chaque semaine.

West était parti du principe que la mise au point d'Eagle ressemblerait à celle des Éclipse. Et il s'était trompé. Il apparaissait à présent qu'avant de commencer à régler Eagle, il fallait d'abord arriver à faire fonctionner la plus grande partie de ses éléments – cela en raison de certaines caractéristiques, tout à fait nouvelles, dont il était muni, et que chacun s'accordait à trouver « excitantes ». West ne pouvait pas se mettre la tête sous l'aile : il ne savait pas comment procéder à la mise au point de cette machine, et il n'arrivait pas à se persuader non plus que Rasala et ses Intrépides s'en sortiraient tout seuls.

Cet automne-là, West avait inclus un terme nouveau dans son vocabulaire. C'était le mot *confiance*. « La confiance, c'est le risque, et la règle du jeu, en affaires, c'est de jouer avec le risque », avait-il dit un jour. Il avait décidé que son équipe serait liée par des rapports de confiance mutuelle. Quand quelqu'un s'engagerait à faire un boulot pour lui, il lui ferait confiance en retour, lui laisserait la pleine responsabilité de sa tâche, sans aller la lui mâcher d'avance au point de la rendre aussi ennuyeuse qu'aisée.

Aux yeux d'Alsing, West avait toujours le chic pour transformer la pire banalité en quelque chose de très spécial, et quand West parlait de « confiance », Alsing en arrivait à se demander s'il avait déjà entendu prononcer ce mot. L'ennui, en l'occurrence, c'était que West excellait, de notoriété publique, à ce travail de mise au point d'une machine – il en était d'ailleurs assez fier – et qu'il brûlait du désir, se disait Alsing, d'aller voir au labo et de mettre la main à cette machine pour lui insuffler vie. Seulement, s'il allait maintenant mettre son nez là-dedans, ce serait en quelque sorte admettre qu'il ne faisait après tout pas tellement confiance à son équipe... Voilà pourquoi West se tenait à l'écart du labo et pourquoi, par compensation, il bannissait les rires derrière sa porte et envoyait valser les pompes à eau. Presque chaque jour, désormais, West convoquait Alsing dans son bureau, refermait la porte, et demandait : « Alors, au labo? Comment cela se passe-t-il au juste, au labo, Alsing? »

Tout cela n'était-il pas excessif? Quand on s'est fixé une échéance par trop contraire au bon sens, ne doit-on pas se faire une raison si l'on est contraint de la reculer un peu? Bien sûr que si, disait Alsing, mais là n'était pas la question. « Le problème, c'est que si vous dites que vous allez faire la chose en un an, et que vous ne vous prenez pas au sérieux, dans ce cas il vous faudra trois ans. Le petit jeu qui consiste à fixer des échéances impossibles, c'est un jeu contre soi-même, pour s'obliger à remuer. »

Mais c'était un jeu dans lequel intervenaient sans cesse de nouvelles donnes, comme au poker peut-être. West et son état-major s'étaient donné pour échéance avril et, dans le même temps, étaient convenus de faire au moins semblant de prendre cette date limite au sérieux. Des mois plus tard, Carl Carman devait dire qu'absolument personne, à l'étage supérieur, n'avait cru une minute qu'Eagle serait terminé dans ce délai. Certains soirs, au sous-sol, West semblait émettre le même doute.

« On aura fini ce bidule pour avril, Alsing », disait-il.

« Ouais, Tom. Pas de problème. Pour avril », reprenait Alsing.

Et ils échangeaient un sourire.

En d'autres occasions, par contre, quand par exemple Alsing lui annonçait en entrant que l'une des échéances intermédiaires ne serait probablement pas respectée, l'équipe de la Micro ayant pris du retard, West en prenait ombrage : « Dis donc, Alsing, ce calendrier, à ton avis, il est fait pour qui pour quoi? »

Or voici qu'un soir, au tout début de 1979, Carman vint rapporter à West cette nouvelle capitale : l'équipe de Caroline du Nord avait pris un retard énorme; elle ne tiendrait pas ses délais, tant s'en fallait.

Que fallait-il en déduire? Que le petit jeu de la compétition interne était pour ainsi dire terminé, et qu'à présent commençait une partie serrée vis-à-vis du monde extérieur, une course contre le calendrier? West avait toujours maintenu qu'Eagle était pour la Data d'une importance vitale. Et voilà que les événements se chargeaient de lui donner raison. Il n'y avait pourtant pas de quoi se réjouir. Car cette absurde échéance d'avril, qui devait trouver Eagle en parfait état de marche, n'était plus seulement affaire de point d'honneur : son respect devenait, pour la firme, une nécessité capitale.

Du moins tel fut le message que West crut percevoir sous la nouvelle transmise par Carman – ou le message qu'il décida de recevoir, quoi qu'il en soit. Et il fit retraite dans son bureau pour méditer là-dessus, longuement.

Selon la position que l'on occupait à la Data, on pouvait voir dans l'étroit bureau de West soit le repaire d'un ogre, soit un havre disposant d'une porte derrière laquelle s'exprimer en privé. Et dans la seconde hypothèse, selon le jour de la semaine et selon l'heure du jour, ce havre pouvait être le lieu où l'on évoquait anxieusement les dernières catastrophes imminentes, ou au contraire un lieu de détente paisible. Chaque semaine, Wallach, Alsing et Rasala se réjouissaient d'avance de leur petite réunion hebdomadaire dans le bureau de West. Elle avait lieu d'ordinaire le vendredi à 15 heures. Ensemble ils expédiaient quelques affaires courantes, West se faisait la gazette des derniers potins de la maison; après quoi il se soumettait, comme le faisait Alsing avec ses propres subordonnés, à ce jeu de massacre dont il était la cible, pour la récréation de ses troupes. « Et tout ça pourrait nous valoir de gros ennuis », disait-il par exemple à propos du dernier problème en cours. A quoi l'un des trois autres répliquait malicieusement : « Dis plutôt que ça pourrait *te* valoir de gros ennuis. C'est-y pas plutôt ça, non, Tom? » On était vendredi, on serait bientôt dans ses pantoufles, on commençait à se détendre, à oublier à moitié que dès le lendemain on serait de retour ici.

Le matin, d'ordinaire, quand West convoquait Alsing dans son bureau, c'était pour le soumettre à des questions du genre : « Ceci est-il sérieux? » « Cela marchera-t-il? » Alsing intitulait cette phase matinale « l'heure d'angoisse ». Le soir, par contre, lors même qu'il posait des questions identiques, West les accompagnait de ce sourire en biais qui semblait vouloir dire : « Drôle d'aventure dans laquelle nous sommes embarqués, pas vrai, Alsing? » Et la question de savoir si tel projet était « sérieux » amenait couramment une petite méditation à deux voix sur le sens du mot lui-même.

Alsing, de temps à autre, conseillait vivement à des membres de la Micro d'aller rendre visite à West, dans son bureau, après 18 heures. Ils y prendraient plaisir et s'en féliciteraient, leur promettait-il. Il ne semble pas qu'aucun d'eux suivît jamais ce conseil, et pourtant Alsing avait raison. En cette heure vespérale, moment de transition, avant de se hâter de regagner sa ferme, West laissait sa porte entrouverte, comme une invitation, et, carré dans son siège, les mains au repos, il était prêt à accueillir quasiment tout visiteur.

Mais ce jour où West apprit la défaillance de la Caroline, le soir tombant n'apporta nulle détente. Le petit jeu sus-évoqué, celui de prétendre viser la-plus-proche-date-dont-vous-ne-pouvez-affirmer-à-coup-sûr-qu'elle-est-trop-proche-pour-avoir-terminé-le-travail, ce petit jeu se retournait contre lui. Ou peut-être était-ce lui qui le retournait contre lui-même; la différence n'était pas bien grande. La mise au point d'Eagle se révélait laborieuse, et West, dans son bureau, avait tout de la bête fauve mise en cage.

Il se mit à parler, les mains sur les genoux, en se tournant les pouces pour les maintenir actives. Mais elles lui échappaient, il leur fallait remuer davantage. Elles s'affairaient à repousser ses cheveux en arrière; elles venaient glisser leurs index sous la monture de ses lunettes; elles se refermaient et serraient les poings pour se rouvrir soudain, en une explosion de tous les doigts. « Moi, jusqu'ici, j'étais la roue de secours. Mais maintenant, crac, ça y est, le grand coup de dés; toute la mise sur un seul chiffre. Et maintenant, à moi de trouver le moyen de nous en sortir, au bord du gouffre, avec la perspective joyeuse qu'en cas d'échec c'est la culbute pour la boîte; un trou dans le tiroir-caisse si rien n'est là en avril – dix mille emplois dans la balance, et encore il faut que je fasse comme si tout allait bien – ce n'est pas rien. Or je ne peux même pas me payer le luxe de laisser voir que je me fais des cheveux blancs. Je n'en parle même pas. Pour commencer, en dehors du groupe, personne ici n'a rien à y faire; et puis je ne vais pas aller trouver les gens pour leur dire : " Tenez, regardez donc comme je vous tiens entre mes mains. "

« Carman me dit que la société court de très gros risques si notre engin n'est pas prêt pour avril. Ah ouais? Et si je démissionnais? Après tout, je pourrais très bien dire : " Démerdez-vous ", et aller voir ailleurs... La prochaine machine, ce n'est pas moi qui la ferai. Je laisserai à un autre les chances de se casser le nez. Je vais même complètement laisser tomber les ordinateurs. »

West arrêta là un instant ce long monologue anormalement amer, puis reprit : « Non, non, ce ne serait pas la catastrophe. Nous arriverions à encaisser le coup. » Il semblait vouloir dire qu'il fallait absolument qu'il se persuadât lui-même que si son équipe ne tenait pas ses délais un désastre s'ensuivrait. Un point qu'il éclaircit peu après : « Ça devient tellement affolant! Je ne peux même plus en parler. Peut-être que je devrais prendre Rasala avec moi au labo et travailler sur le truc, moi-même, douze heures par jour? Quand vous faites ça, vous l'emportez partout avec vous. Arrivé à un certain point, je n'ai plus en face de moi que moi-même. Je serais bien mieux, tiens, à travailler sur cette machine, comme un as, tous les matins. Tous les matins, il faut que je me dise au réveil : Oh, Seigneur, est-ce que je peux le faire? » Il avait empoigné les bras de son fauteuil de bureau, comme s'il s'apprêtait à s'en extraire pour se ruer incontinent vers le labo. « Rester là, tranquillement, à me balancer sur mon siège et à parler d'aller le faire, c'est une chose, mais ça n'arrange rien. Ça me donne même la nausée, parce que je n'en fais rien. »

West ne se rendit pas au labo ce soir-là, ni durant les heures de travail. Un matin, pourtant, un dimanche de janvier, alors que toute l'équipe était censée se reposer, un Intrépide eut par hasard à se rendre au labo et il y trouva West, installé face à l'un des prototypes. Un autre dimanche, il n'y était pas; après cela, d'ailleurs, ils ne le virent que rarement au labo, et pendant très longtemps il ne parla plus du tout de remettre les mains à l'intérieur d'une machine.

164

Avait-il ou non bricolé quelque chose, lors de son tête-à-tête dominical avec Eagle? Nul ne le sut jamais. Mais il devait leur dire plus tard : « Nous sommes très au-delà de ce qui peut être fait par un seul homme. C'est beaucoup trop complexe. »

L'un des vétérans de la Micro avait exprimé le désir de mettre au point pour Eagle des microprogrammes de diagnostic spéciaux; West l'avait éconduit, estimant que des programmes de diagnostic ordinaires devraient suffire, à condition de choisir les plus évolués, ainsi qu'ils l'avaient fait pour la mise au point des Éclipse. A présent il revenait sur sa décision. Plus tard, de fait, ces microdiagnostics devaient se révéler fort précieux. Pour l'heure, les opinions variaient sur le degré d'aide qu'ils fournissaient réellement, encore qu'il semble bien qu'ils aient aidé les Intrépides à franchir ce premier cap redoutable : comment donner suffisamment forme à leur machine pour pouvoir enfin commencer à lui donner forme pour de bon!

Durant quelque temps encore, West conserva l'habitude de prendre Alsing à part pour lui demander si les choses, là-bas, au labo, progressaient réellement. Petit à petit, cependant, ces questions elles-mêmes prirent fin. Il sembla dès lors à Alsing, qui avait souvent l'impression qu'il suivait un long film, qu'un épisode venait de se terminer. Son personnage principal venait d'apprendre la réserve, et dans la sorte de petite chronique qu'il tenait au jour le jour par mon intermédiaire, Alsing nota : « Cette semaine, Tom a décidé finalement de se cramponner aux bras de son fauteuil et de faire confiance à Rasala. »

Quand il parlait des autres ingénieurs de son état-major – Wallach et Alsing – West avait tendance à insister fortement sur leurs mérites de techniciens. De Rasala, il disait plutôt : « Sa grande force, à celui-là, c'est qu'il ne lâche jamais le morceau. Quand les autres s'en vont parce qu'ils en ont ras-le-bol, lui, il est toujours là. » Des lieutenants de West, Ed Rasala était le plus digne de confiance.

Du sommet de son crâne, quelque peu dégarni, à ses pieds d'ordinaire chaussés de grosses bottes, Rasala donnait l'impression d'être grand et fort. Il portait la barbe et une mince moustache. Il avait la poignée de main ferme et lançait de cordiaux bonjours. « 'ment va? » disait-il. « Il parle vraiment très vite », remarquait Alsing. « C'est à la limite du défaut de langage. J'ai quelquefois envie de lui donner une dose de Valium et puis de lui dire : Bon, et maintenant, Ed, répète-nous ça. » Détail étrange, quelquefois, même pour dire simplement « salut! », Rasala avait dans la voix une sorte d'accent sarcastique, comme s'il se moquait de lui même pour ce qu'il était en train de prononcer.

Un soir, vers la fin de janvier, Rasala me conduisit jusqu'à l'une des portes interdites, l'ouvrit avec sa clé et la franchit pour m'emmener, en ouvrant le chemin, le long d'un corridor. Un virage à prendre, une seconde porte à franchir, et nous nous trouvions dans une pièce aux murs de parpaings jaunâtres d'un côté, et refermée par une cloison mobile de l'autre. Ce n'était guère plus grand que la salle de séjour d'un logement de banlieue, et probablement plus encombré. Le sol était recouvert d'un lino et la pièce, au-dessus de nos têtes, n'était pas plafonnée, offrant au regard un réseau inextricable d'entretoises métalliques, de tuyaux de chauffage, sans oublier, descendant vers le sol, d'innombrables câbles électriques noirs. Sur une table métallique s'étalaient quantité de gros classeurs reliés et de dossiers cartonnés s'ornant de titres comme EAGLE MICRO SEQ 2 ou ATU PALS. Sur les étagères d'une grande bibliothèque métallique adossée à un mur s'alignaient de gros volumes porteurs de titres du genre *Bipolar TTL Data Book*. Rasala se planta à peu près au centre de cette retraite insolite et déclara, les bras croisés sur la poitrine, en désignant du menton le fond de la pièce : « Voilà, vous avez ici sous vos yeux deux spécimens de ce qui se fait de mieux, en ordinateurs, à l'heure actuelle. »

Il était donc là, pour finir, le double objet de leur anxiété : une paire d'Eagle, dressés contre le mur de ciment, à quelques mètres l'un de l'autre. Ce n'étaient que deux carcasses de métal bleu, qui devaient arriver à l'épaule de Rasala. Les machines, à ce stade, sont comparables à des écorchés. A l'intérieur de chaque carcasse, à nu – et cela semblait bizarrement inconvenant –, s'offraient au regard des alignements de ce que l'on appelle des cartes à connexions enroulées : des plaques minces,

166

recouvertes chacune, sur une face, d'un fouillis de minuscules fils électriques. De petits câbles, plats comme des ténias, circulaient entre les plaques et, plus au fond, sous l'étagère, pendaient d'innombrables faisceaux de fils multicolores. Seigneur, qu'il y en avait, des fils! A la base de chaque carcasse, dans de petites loges de métal, tournaient les ventilateurs évitant la surchauffe. Leur ronronnement régulier semblait emplir toute la pièce.

Les deux prototypes paraissaient identiques, seuls leurs noms les différenciaient. Sur le haut de chaque carcasse, on avait scotché un bout de papier. COKE, proclamait l'un, GOLLUM, déclarait l'autre. Au début, l'équipe avait pensé baptiser ses machines Coke et Pepsi, mais Ken Holberger avait tenu à tout prix à nommer l'une d'entre elles Gollum, du nom de cette créature sinistre et perfide, Gollum le poseur d'énigmes, dans *Bilbo le Hobbit*, de Tolkien; et de fait, durant quelque temps, cet hiver et ce printemps-là, Gollum se révéla, de loin, la plus facétieuse des deux machines, celle qui leur soumettait les problèmes les plus complexes.

« Il faut avouer que pour le moment elles n'ont rien de bien impressionnant », dit Rasala. Il faisait allusion à l'aspect des machines, non à leurs aptitudes – encore qu'il n'eût pas eu tort non plus dans le second cas. Le matériel qui les entourait avait beaucoup plus d'allure que les malheureux Coke et Gollum. Sur chacun des deux prototypes trônait une microNova, revêtue de sa carrosserie de plastique bleu et chargée de la surveillance médicale de son grand confrère. Une console de système – chaise, imprimante et machine à écrire – était allouée à chacun des deux Eagle, et Coke bénéficiait en plus d'un dérouleur de bande magnétique. A la télévision, ou au cinéma, l'apparition d'un dérouleur de bande magnétique est souvent utilisée pour signifier la présence d'un ordinateur au travail. Probablement est-ce à cause des saccades qui animent les bobines au fur et à mesure du défilement de la bande, image évocatrice d'une action en cours; en fait, dans un ordinateur, les bandes magnétiques sont parmi les organes les plus lents et de moindre importance. L'action, la vraie, c'est au cœur des cartes qu'elle se déroule. Pour l'observer, il faut des instruments spéciaux. Lesquels figuraient là aussi, bien sûr; c'étaient de petites machines, à l'allure générale de boîtes, nommées analyseurs logiques.

Les analyseurs étaient placés sur des sortes de chariots peu élevés, comme du matériel chirurgical. Ils étaient couverts de commutateurs divers, et disposaient chacun d'un petit écran d'oscilloscope. A l'instant même, par exemple, sur l'un des écrans, se détachait en blanc, immobile, une étrange forme linéaire, tandis que sur un autre dansaient des formes géométriques sans cesse renouvelées. En gros, m'expliqua Rasala, ces machines étaient des appareils photographiques. Elles étaient faites pour prendre des clichés de ce qui se passait à l'intérieur de l'ordinateur. Les analyseurs ne pouvaient pas regarder à l'intérieur des puces, mais l'on pouvait connecter leurs sondes aux broches de l'une de ces puces ou aux fils raccordant les cartes, et prendre différents types d'instantanés, en quelque sorte, des allées et venues des signaux. Les analyseurs étaient aussi équipés d'une petite mémoire. Quand l'horloge émettait l'un de ses tic-tac, à l'intérieur de Coke ou de Gollum, toutes les deux cent vingt nanosecondes – autrement dit, tous les deux cent vingt milliardièmes de secondes –, l'analyseur prenait un cliché. Il pouvait prendre et mettre de côté deux cent cinquante six clichés d'affilée durant un laps de temps donné, et les restituer sur demande.

« C'est rigolo, disait Rasala, mais je me sens tout à fait à l'aise quand je parle en nanosecondes. Devant l'un de ces analyseurs, les nanosecondes, ça paraît spacieux. Enfin, ce que je veux dire, c'est que j'arrive à les voir défiler. Nom d'une pipe, je me dis, ce signal met douze nanosecondes pour aller de là à là! Quand je travaille sur un ordinateur, tout cela me paraît tout à fait concret et tangible. Et pourtant, quand je me mets à y réfléchir, à songer que le temps d'un claquement de doigts, à côté, c'est une éternité, alors je ne sais plus très bien, concrètement, ce que c'est qu'une nanoseconde. » Il releva les yeux vers moi. « Le temps, en informatique, est un concept captivant. »

Après quoi il me pria de l'excuser. Le temps, sous toutes ses formes, faisait pression sur lui, et pour le moment il était l'heure de se mettre au travail.

Nous étions arrivés pour la relève des équipes. La seconde équipe, qui devenait souvent une véritable équipe

168

de nuit, était juste en train d'arriver, avec un peu d'avance, comme à l'accoutumée – chacun arrivait tôt et repartait tard, ces temps derniers. Ken Holberger, petit et tout en finesse, était assis face à Gollum. Rasala vint l'y rejoindre. Holberger était le second de Rasala, et à en juger par le franc sourire que lui adressait ce dernier, on pouvait les deviner amis.

« Pas moyen de lui faire faire une boucle pour extraction », dit Holberger à Rasala, en guise de salut.

Manches de chemise, pantalons de velours ou jeans; moustaches et barbes, cheveux courts ou mi-longs, coiffure nette; chaussures de sport ou croquenots tout terrain : telle était, apparemment, la tenue vestimentaire de règle au labo. J'étais à peu près au centre de la pièce. J'entendis Rasala s'écrier : « Whoa! Qu'est-ce que tu as entré, comme adresse?... La garce, on peut lui mettre partout du zéro pointé... Hou là! Ça n'a pas l'air d'aller tellement mieux comme ça! » D'un peu partout fusaient des questions, qui ne semblaient jamais recevoir de réponse. Installé en solitaire devant Coke, un ingénieur constata : « Voilà que mon programme vient de me filer sous le nez... Aucune idée de ce qu'il est devenu... » Mais il semblait parler pour lui-même.

Petit à petit, la scène se transforma. Certains des Intrépides enfilèrent leur manteau et s'en furent. Quelques autres arrivèrent encore. Rasala s'installa à la table centrale et souleva une liasse de papiers. Il s'agissait des fameuses notes de modifications techniques, les ECO. Ces notes contenaient la description des récents « bricolages » effectués par les équipes sur les cartes des prototypes. Elles avaient leur importance, puisque les ingénieurs travaillaient les uns et les autres sur différents problèmes à l'intérieur de chaque machine. Quand on venait de porter remède à un problème sur l'une des machines, il fallait rédiger une de ces notes, pour permettre d'effectuer la même opération sur l'autre. Dans son règlement en dix-sept points pour le bon fonctionnement du labo, Rasala avait inscrit ce commandement : « Toutes les cartes devront être remises au point chaque matin, de manière à garantir qu'elles sont rigoureusement dans le même état de part et d'autre. » Manifestement, ses troupes avaient cette corvée en horreur. « C'est un travail qu'ils remettent toujours à plus tard, disait Rasala. Pour foncer vers de nouveaux problèmes. Il va falloir que je trouve le moyen de renforcer cette règle. »

Il se renversa dans sa chaise. « Voyons ce qu'il nous reste à faire. » Les autres s'étaient tournés vers lui. Il feuilletait l'épaisse liasse de notes accumulées, en énumérant tout haut : « ATU, ATU, ATU, ALU, ALU, ALU... Et naturellement, il y a le problème de l'anonymat. » Il fit une vilaine grimace.

Les autres s'étaient rapprochés – avec circonspection, semblait-il. Holberger prit la parole : « Bon alors, chef, qu'est-ce qu'on fait? » Rasala lui jeta un coup d'œil par-dessus ses lunettes cerclées de métal, et avec un soupçon de sourire à la West il brandit à bout de bras la liasse de notes.

Josh Rosen, un jeune ingénieur aux cheveux d'un brun sombre, protesta aussitôt : « Oh, non. Pas moi. J'ai déjà fait ça hier soir. » Il se détourna, et Rasala le suivit des yeux, avec insistance, les sourcils légèrement baissés. Puis son visage se radoucit, il leva les yeux sur Holberger, qui dit aussitôt : « Bon, ça va, je vais faire l'AUT. »

Rosen était de retour devant Coke. Rasala, Holberger et un technicien allèrent alors s'asseoir devant une longue table adossée au mur opposé. Chacun déposa devant lui une carte à connexions enroulées.

Sur l'une des faces de chacune de ces cartes s'alignaient de sages rangées de petits boîtiers contenant les puces. Sur l'autre face, par contre, c'était un pandémonium. Des enchevêtrements de fils ténus se raccordaient aux centaines de broches qui hérissaient les boîtiers et traversaient la plaque par autant de trous minuscules. Ces cartes à connexions enroulées évoquent irrésistiblement le phénomène Docteur Jekyll et Mister Hyde. Chacun des hommes installa sa carte la face Hyde tournée vers lui, et chacun braqua dessus une puissante lampe. Holberger amenait de temps en temps sa propre plaque quasiment sous son nez, comme s'il était myope, et scrutait longuement ce plat de spaghetti. Rasala laissait la sienne sur la table, mais se penchait dessus jusqu'à la toucher presque. Et tous procédaient selon la même routine méticuleuse : localiser les broches dont il fallait, d'après leur ECO, détacher un fil; s'assurer que les broches en question étaient bien les bonnes en procédant à une mesure à l'ohmmètre; dérouler délicatement le fil au moyen d'un petit instrument approprié; rejeter au loin ce fil indésirable; localiser les broches auxquelles attacher un nouveau fil; enrouler ce nouveau fil; refaire une mesure à l'ohmmètre; et passer à la note de modification suivante.

Une dizaine de minutes s'écoulèrent dans un parfait silence. Puis Holberger dit, sans lever les yeux de son travail : « J'ai un deux-A, ici. C'est significatif?

– Ouais », dit Rasala, sans même lever les yeux.

Une demi-heure passa. Rasala recula sa chaise, releva ses lunettes et se frotta les yeux. « Ah! L'exaltant travail de mettre au point une machine! » me dit-il. « Nous aimons mieux faire cela nous-mêmes, ajouta-t-il, plutôt que de le faire faire par des câbleuses. C'est fou ce qu'on a vite fait de se tromper, dans ce boulot. Nous sommes peut-être un petit peu plus méticuleux que d'autres. Encore que – il ramenait sa chaise vers le plan de travail – ce n'est pas prouvé. »

Les ventilateurs des Eagle ronronnaient doucement derrière le dos courbé des ingénieurs changés en câbleurs. Au bout d'un moment, Rasala se retourna de nouveau vers moi, en brandissant sous mes yeux une paire de brucelles. J'y regardai de plus près. La pince tenait entre ses branches un minuscule vermiceau de fil. « L'un des fauteurs de troubles », dit-il. Rien n'est plus facile, m'expliqua-t-il ensuite, que de laisser tomber par mégarde un infime bout de fil électrique, pas plus gros que celui-là, dans l'épais enchevêtrement de fils du recto d'une plaque. Et si ce morceau minuscule va se loger là où il ne faut pas, la machine risque de se mettre à dérailler inexplicablement. Des dépanneurs avertis passent parfois des heures, voire des jours, avant de dépister pareille source d'erreurs.

« C'est comme de la chirurgie, remarquai-je.

– A vrai dire, non, pas tout à fait, dit Rasala. La plupart des problèmes que nous créons sont réparables. »

Je ris.

Mais il n'avait pas terminé sa remarque. « Ce que font les chirurgiens l'est rarement », ajouta-t-il en se remettant au travail.

Quand il travaillait sur la machine, Rasala n'était pas homme à laisser une pensée inachevée.

« Je suis issu d'un milieu conservateur, de la génération des buveurs de bière – ma vie, c'est le sport, celle de ma femme, c'est sa maison –, alors les rêves de grandeur, ce n'est pas pour moi, et je n'ai pas pour ambition fondamentale de bâtir l'informatique de demain. »

Les deux ou trois premières fois où j'eus l'occasion de bavarder avec lui, Rasala se définit lui-même à l'aide de phrases interminables comme celle-ci, débitées sur le mode rapide, et je percevais dans sa voix un accent railleur qui voulait dire : « Si vous vous figurez que c'est comme ça que vous allez arriver à me connaître... »

« Je suis un petit Polonais pauvre, j'ai grandi dans les bas quartiers de New York, j'ai l'équivalent du baccalauréat, et j'aimerais mieux taper dans une balle de softball [1] », voilà ce que j'appris de lui pour commencer. Plus tard, en fait, il rétablit la vérité. Son père venait réellement de Pologne, et Rasala avait grandi dans un appartement de Brooklyn. Mais ce n'était pas dans les bas quartiers, et ce dont il se souvenait, en réalité, c'était d'un foyer où l'on mangeait toujours à sa faim et où l'on savait, dès son plus jeune âge, qu'on ferait des études supérieures. Ses parents travaillaient tous deux à l'extérieur. Son père, serveur dans un restaurant de la chaîne Child, lisait énormément à ses moments perdus, et il avait appris, en autodidacte, à dépanner les postes de télévision, activité qu'il pratiquait à mi-temps. « Mes deux parents sont tous les deux très intelligents », disait Rasala. Son frère aîné était « un aigle en maths », au point de terminer major de sa promotion à l'université de Columbia. « Pas mal, disait Rasala, quand on songe que ma mère n'a qu'un petit diplôme d'études secondaires, et que mon père a quitté l'école au niveau de la cinquième. »

Sans être, tant s'en fallait, un mauvais élève, Rasala avait eu l'infortune de suivre son frère et, tout du long de sa carrière scolaire, depuis les petites classes de l'école primaire, ses enseignants n'avaient cessé de lui remémorer son frère. « Depuis l'entrée à l'école, c'était toujours la même chose : je pouvais mieux faire », se souvenait-il. Il n'y mettait d'ailleurs nulle amertume. C'était la simple constatation d'une pure fatalité.

1: Softball : variété de base-ball.

172

Rasala fut élève de l'Institut Polytechnique Rensselaer, où il fit ses études d'ingénieur électronicien. L'enseignement comprenait même un cours de structure logique, mais c'était au début des années soixante, et Rasala dut attendre, pour approcher un ordinateur, d'être entré chez Raytheon, ses études sitôt terminées. Il n'avait pas souvenir, à l'inverse de tant de ses collègues du groupe Éclipse, d'avoir vu soudain sa vocation se révéler à lui dès l'instant où il avait touché un ordinateur. Et il lui avait fallu sept ans, disait-il, pour découvrir que « le travail a ses agréments et peut même être un plaisir ».

« Pour moi, l'important, c'était de jouer au softball, prendre des leçons de karaté, faire une bonne partie de cartes à l'heure du déjeuner. » Chez Raytheon, il s'était creusé son petit trou, confortable et sagement dans l'ombre, où il se cantonnait dans des tâches de routine. Le jour où, finalement, on lui assigna une tâche qu'il ne pouvait pas remplir en se contentant de chercher la réponse dans un livre, il travailla d'arrache-pied et s'en sortit, à sa propre surprise d'ailleurs. Or, ce travail le mit en appétit. Seulement, il le savait, il s'était fait chez Raytheon la réputation d'être « un type quelconque », si bien qu'il n'avait guère de chance de voir revenir de sitôt un travail intéressant. Pour en finir avec cette réputation, il décida donc de changer d'enseigne pour repartir à zéro.

C'est alors qu'il avait vu, dans la presse spécialisée, une offre d'emploi émanant de la Data General. Non, pas l'une des premières annonces, cyniques et agressives, une offre d'emploi classique : « On demande ingénieurs... » Sans réfléchir, il avait pris sa voiture, s'était rendu au siège social de la firme, et là, en substance, il avait dit : « Me voilà. » Des ingénieurs et des dirigeants, Carl Carman y compris, s'étaient entretenus avec lui sur-le-champ, et Rasala en avait été vivement impressionné. « Chez Raytheon, disait-il, je n'avais jamais ne serait-ce qu'entr'aperçu qui que ce soit du niveau hiérarchique de Carman. » La Data lui proposa un poste le jour même, et il en accepta tous les termes sans l'ombre d'une discussion. « Je ne devais pas être doué pour le marchandage, j'imagine. » Et c'est ainsi qu'il se mit au travail, non sur la tâche pour laquelle il se figurait avoir été engagé, mais sur un élément du matériel qui allait devenir la première Éclipse. « J'avais été eu », se souvenait-il, mais il en souriait.

A l'époque de son arrivée à la Data, tout ce qu'il restait à faire sur l'Éclipse en question se ramenait, en ce qui concerne le corps même de la machine, à de simples touches de finition. West, qui n'était alors qu'un ingénieur parmi d'autres, remarqua pourtant Rasala. Il appréciait chez lui ce goût du fignolage, cette quête opiniâtre d'un travail bien léché. Comme Rasala lui-même devait le souligner, beaucoup plus tard : « Chez West, ce qui compte le plus, ce sont ces deux pour cent de la fin. C'est ce que j'appelle maintenant "l'aptitude à mener le produit jusqu'au bout – jusqu'à lui faire passer la porte". » Ce disant, Rasala me regardait droit dans les yeux, avant d'ajouter : « Je ne suis peut-être pas le plus brillant des concepteurs, ni un géant des unités centrales, mais je suis assez buté pour ne pas lâcher le morceau avant la fin. »

West se disait « mécanicien dans l'âme », signifiant par là qu'il était de ceux qui peuvent prendre les idées d'ingénieurs plus brillants et les traduire concrètement, en faire quelque chose qui marche. Il lui semblait avoir repéré cette même caractéristique chez Rasala, et il voulait tâcher de la mettre en avant. Il s'arrangea pour le placer à la tête des équipes travaillant sur le matériel. Pour finir, il lui confia la responsabilité du hardware pour la plus grosse des Éclipse à 16 bits, le modèle M/600. Ainsi qu'il arrive souvent, le rythme du projet s'emballa au point de devenir frénétique. Ce fut pour Rasala une année entière d'un travail de plus en plus prenant, dont il sortit vraiment fatigué. Il s'était mis en quête d'une besogne aisée quand West vint lui demander de prendre en charge la partie machine du projet Eagle. Rasala déclina l'offre.

Dans son bureau, porte close, West rechercha une tactique. « Comment faire pour amener Rasala à s'engager, à ton avis ? » demandait-il à Alsing.

A la différence de Wallach, Rasala n'était pas un cinglé d'architecture de pointe. Ce n'était pas l'éventuelle inélégance d'Eagle qui le chagrinait : il était tout simplement fatigué. Lui offrir une occasion de se venger n'était guère un moyen de l'émouvoir, puisqu'il n'avait rien à venger : durant la guerre d'EGO, justement, il s'escrimait sur son M/600. De plus, il était dur à cuire, et West le savait. Le conduire à s'engager, c'était d'abord et surtout affaire de persévérance. West lui présenta Eagle comme une épreuve de force. Pourraient-ils, oui ou non, sortir cette machine à temps? Il s'employa à répéter à Rasala, inlassablement, que la firme avait de cette machine un besoin désespéré. Jamais Rasala ne dit : « Oui, j'accepte ce travail. » Un beau jour, pourtant – du moins est-ce ainsi qu'il vit les choses –, il se retrouva en train de le faire.

Par la suite, durant des mois, lorsqu'il rentrait chez lui le soir et que sa femme lui demandait : « Alors, cette journée? », il répondait invariablement : « Difficile. » Mais au fur et à mesure qu'il s'étendait sur les événements de la journée, sa femme remarquait qu'il s'animait de plus en plus.

« C'est peut-être du masochisme, disait Rasala. Mais je crois que si je fais ce travail, malgré tout, c'est pour une raison fondamentale : c'est qu'il y a une certaine satisfaction à construire une machine comme celle-ci, d'une importance capitale pour la boîte, laquelle est en passe de devenir une société milliardaire. Or ça ne court pas les rues, de par le monde, les chances de se trouver là où se passent les choses, là où il y a de l'action, et de l'action qui compte. » Il lui semblait paradoxal, pourtant, de voir tant d'énergie et de passion, aussi bien de sa part que de celle des collègues, déployées pour une cause indiscutablement commerciale. Car cette cause n'était pas la sienne. Il avait pris plaisir aux années passées chez Raytheon; la vie là-bas lui avait paru douce et plaisante, et il y avait fait preuve d'une heureuse nature, sans exigences particulières. Or voici qu'à présent, au sein du groupe Éclipse, et depuis plusieurs années d'affilée, il faisait des heures supplémentaires sans contrepartie financière et dans une atmosphère qui n'avait rien de bon enfant. Qu'était-il donc venu chercher à la Data, et pourquoi venait-il de s'engager à nouveau, sur Eagle cette fois-ci?

Rasala s'expliquait, en énumérant sur ses doigts : « Je recherchais des occasions favorables, des responsabilités, des horizons dégagés. »

Mais qu'entendait-il au juste par là?

Rasala haussait les épaules : « Tout simplement, je voulais voir ce que je valais réellement. »

Plus que quiconque dans le groupe Éclipse, Rasala avait adopté des expressions venues de West : *fondamentalement; à la base; battant; quelque idée de; à la six-quatre-deux;*

l'omniprésent *canard* ; sans oublier cette façon de traîner longuement sur la conjonction *et,* avant un verdict abrupt. Par exemple : « Untel *et* Untel prétendent ceci *et* cela, *eeeeeeet* c'est un canard. » Par contre, Rasala avait tendance à analyser et à développer sa pensée, comme s'il redoutait les ambiguïtés, alors qu'au contraire West était porté sur la petite phrase courte et incisive. Les mots et les expressions de West ne rendaient pas le même son dans la bouche de Rasala.

L'équipe avait des difficultés avec l'un des groupes de soutien. Il leur semblait que ce groupe freinait sciemment la mise au point d'Eagle. Ce groupe n'y mettait pas assez d'ardeur – entendons par là qu'il ne consacrait à Eagle strictement que les heures ouvrables. « Ils croient qu'Eagle a perdu d'avance », songeait Alsing; il assurait pouvoir le lire dans leur regard. J'entendis un jour West discuter de ce problème, dans un couloir, avec Rasala. « Ces types-là, je m'en vais te les faire sauter à la dynamite », disait West d'une voix parfaitement égale et tranquille, comme s'il parlait d'un voyage d'affaires. Peu après, sans se départir de son calme, il parlait sérieusement d'expédition punitive. « On les pendra la tête en bas », assurait-il.

Des mois plus tard, avec le recul du temps, Rasala devait conclure que lorsque West s'en prenait à des représentants d'autres groupes, avec l'intention avouée de « leur tanner le cuir », puisque tel était le but avoué de l'opération, il le faisait de manière remarquablement calculée, « bien plus pour intimider que pour faire mal ». Il en voulait pour exemple ce cas tout à fait typique, un jour que l'un de ces groupes de sous-traitants avait pris un retard fâcheux. A l'occasion d'une réunion, West avait soumis le chef de ce groupe à la question. Ce dernier avait plaidé non coupable : c'était une pièce d'équipement qui n'avait pas encore été livrée. Mais West n'accepta pas d'en rester là. Il voulait savoir le pourquoi de ce retard à la livraison et les mesures qui avaient été prises alors. West était de ceux qui « poussent toujours tout à fond », remarquait Rasala. Mais il était finalement moins redoutable en actes qu'en paroles : ce qu'il faisait en réalité n'était jamais aussi dramatique que ce qu'il menaçait de faire ou assurait avoir fait. Pendant longtemps, pourtant, Rasala prit tout ce que disait West pour argent comptant, comme l'exemple du meilleur comportement à adopter dans le travail et, quand il avait affaire à l'un de ces fameux groupes extérieurs récalcitrants, il abattait son poing sur la table et aboyait d'ouvertes menaces. Je le rencontrai un jour qui regagnait sa cellule au sortir de l'une de ces confrontations épiques. Il était écarlate. « Moi je n'ai aucune envie de casser les reins de qui que ce soit! », se lamenta-t-il en laissant tomber ses bras. « Je ne veux pas jouer les salauds. Tout ce que je demande, c'est qu'on fasse le travail. » Il prit quelques profondes aspirations, puis entreprit de m'expliquer qu'en fait les gars du groupe n'étaient pas réellement à blâmer. Eagle n'était pas leur machine, on ne pouvait pas attendre d'eux qu'ils missent autant de cœur à l'ouvrage que les équipiers du groupe Éclipse.

Pour illustrer le contraste de tempéraments entre West et Rasala, Bob Beauchamp racontait quelques anecdotes, remontant à ses débuts. Il se souvenait de West lui donnant une série d'instructions. « Voilà, il faut que tu fasses ça », disait West, et, d'après le ton dont ces mots étaient prononcés, Beauchamp comprenait qu'ils voulaient encore dire : « Je ne veux pas de si, ni de mais, ni quelque commentaire que ce soit. Tâche de trouver par quel bout prendre ce travail et fais-le. »

« Et ça marchait, cette manière de donner les ordres?

— Oh, pour ça oui, ça marchait! dit Beauchamp. Quand Tom avait dit quelque chose, tout le monde faisait vinaigre... Rasala s'essayait à cette tactique, je crois. Il aboyait bien, lui aussi. »

Beauchamp riait de bon cœur. Rasala et lui étaient de bons amis, à présent. Du temps où ils ne l'étaient pas encore, dans les débuts du projet, Beauchamp s'attardait, un soir, à flâner et bavarder tranquillement avec un autre Intrépide, quand Rasala surgit de sa cellule et, les dévisageant tous deux de la tête aux pieds, s'enquit tout à trac : « Dites, les gars, vous n'avez donc rien à faire? »

« Non mais? » songea Beauchamp en son for intérieur. « Le travail, pour aujourd'hui, c'est terminé. » Et il répondit simplement à Rasala : « Non. »

A sa grande surprise, Rasala ne dit rien de plus. Tournant les talons, il repartit dans sa cellule.

« J'avais compris », disait Beauchamp.

Rasala avait pris part à la campagne menée par West pour créer l'illusion d'une machine avant que celle-ci eût acquis une existence réelle, et il approuvait, au moins en gros, cette stratégie. Mais il se tourmentait beaucoup. Manifestement, il n'arrivait pas à prendre les choses comme les prenait West. « Avec tout ça, maintenant, nous entraînons dans notre galop tout le reste de la compagnie, et nous pourrions très bien nous ramasser une pelle. Et moi, ça me fait peur, parce que nous poussons à fond. » Pour répondre aux insistances de West, il avait mis sur pied un programme de mise au point qui devait rendre Eagle opérationnel pour avril. Puis il en avait refait un autre qui devait obtenir le même résultat pour mai. Vers la mi-mars, alors qu'il savait que cette seconde échéance les prendrait de court elle aussi, il était allé à une réunion où se trouvait West, et il l'avait entendu soutenir auprès d'un certain nombre de représentants d'autres groupes que les derniers problèmes de mise au point seraient éliminés pour mai. « Et voilà, disait Rasala en sortant de cette réunion, cette fois, c'est sûr, l'échéance fatidique est fixée au premier mai, et nous devons à tout prix nous en sortir d'ici là. C'est comme un jeu de poker. Tout le monde bluffe, mais tout le monde a l'air de connaître les règles du jeu; il n'y a que moi pour les ignorer encore... Une chose dont je suis sûr, c'est que je dois apporter mon appui à mon chef, parce que lui m'apportera le sien, je le sais. Alors, primo, j'essaie d'accorder ce que je fais à ce qu'il dit, et secundo je m'efforce d'être le plus honnête possible. »

Quand Rasala affirmait quelque chose sur un ton sérieux – quand il disait, par exemple, qu'en cas d'échec tout serait de sa faute – il ne vous venait pas à l'idée de mettre en doute la sincérité de son propos. Il trouvait par exemple le temps, parce qu'il l'avait décidé, de rouler jusqu'à Boston un soir par semaine, après une journée de travail qui avait duré dix ou douze heures, pour prendre des leçons d'une nouvelle langue de programmation. Il tenait à tout prix à combler ses lacunes techniques, et il n'était pas question pour lui de sécher une seule séance, fût-ce à cause des intempéries ou pour une partie de base-ball.

La plupart des ingénieurs, me semble-t-il, se considèrent comme membres d'une corporation, comme les médecins ou les avocats, et ils ont bel et bien un code professionnel, même si, pour l'essentiel, ce code sert surtout l'intérêt des entreprises. Dans ce code, entre autres principes, on trouve cette idée générale que le milieu dans lequel doivent évoluer les ingénieurs est nécessairement un milieu hautement structuré, dans lequel n'existent que deux catégories de réponses : les vraies et les fausses. C'est un univers binaire. L'ordinateur pourrait en être le symbole. Et, à l'intérieur de ce milieu, certains aspirent à être binaires eux aussi. Rien d'étonnant à cela. La perspective a de quoi séduire. Il n'importe plus, dès lors, que vous soyez laid, disgracié ou quelque peu timbré : si vous produisez des résultats justes, vos collègues devront vous admettre. Autres perspectives plus attirantes encore : vous pouvez modifier la manière de voir des autres si vous avez à leur opposer des affirmations vérifiées; de même pouvez-vous prédire en quoi les autres ont leurs chances de modifier vos vues. Puisqu'il n'existe que des réponses justes ou fausses, les discussions (techniques) entre ingénieurs doivent toutes trouver un jour leur conclusion. Il s'ensuit que nulle inimitié ne devrait découler d'une controverse entre ingénieurs.

De toute évidence, West avait foi en ces principes. Tel projet était bon ou nul, tel ingénieur était un gagnant et tel autre un perdant, et ces jugements n'interféraient en rien avec l'appréciation personnelle qu'il portait sur eux en tant qu'hommes. Pourtant, bien des détails pouvaient donner des raisons de douter du bien-fondé de ces jugements binaires. La guerre d'EGO n'avait-elle pas démontré que de brillants ingénieurs peuvent s'affronter sur un détail technique et ne jamais parvenir à un accord? Stupéfait de la rapidité avec laquelle West décernait parfois ses brevets de gagnant ou de perdant à ceux qui l'approchaient, et convaincu, qui plus est, qu'il avait d'ordinaire raison, Alsing se demandait néanmoins jusqu'à quel point West ne contribuait pas à la confirmation de ses propres jugements. Rasala, de son côté, avait toujours cru qu'un différend technique entre deux ingénieurs ne pouvait donner lieu à des ressentiments; jusqu'au jour, tout récent encore, où il avait perdu son plus ancien ami de travail, à la suite de ce qui lui avait semblé n'être qu'un désaccord professionnel.

Tout ingénieur est censé désirer vivement s'élever dans la hiérarchie de sa firme, et Rasala le désirait, certes, mais il nourrissait aussi d'autres rêves. Quelques années auparavant, il avait fait une petite balade du côté de Jackson Hole, dans le Wyoming, et depuis ce jour-là il caressait le rêve de retourner là-bas, un jour, et tout simplement, par exemple, d'y ouvrir un magasin d'alimentation. Aux yeux de Rasala, bon nombre de jeunes Intrépides semblaient étonnamment à la coule, en même temps que cultivés, ce qui ne cadrait pas avec ses expériences antérieures du monde des ingénieurs. Il ne désapprouvait d'ailleurs pas leur manière d'être, non plus qu'il ne les enviait ou ne désirait se mettre à l'unisson. Simplement, quand il parlait d'eux, c'était avec curiosité, la curiosité du voyageur en pays inconnu.

Rasala n'était pas West, mais il n'était pas davantage obtus. Il semblait plutôt en transit.

Quand l'équipe du matériel s'était attaquée à la conception d'Eagle, Rasala avait entrepris la rédaction d'une sorte de journal. A le lire, on croirait retrouver la chronique d'un ancien frontalier retraçant ses journées de dur labeur, à ceci près qu'au lieu d'ours, d'Indiens hostiles et de roues de chariot cassées, on y rencontre le caractère indécis des concepteurs placés en amont, les ingénieurs chargés de la conception logique du projet, flou artistique qui contraint les concepteurs de matériel à virevolter d'une approche possible à une autre; la panne systématique de l'ordinateur utilisé pour travailler sur le projet; et enfin la tendance, chez tous ces jeunes et fringants ingénieurs, à défaire, refaire et redéfaire leur travail, dans leur quête désespérée de la solution parfaite. Dans ce journal de Rasala, un retard succède à un autre. Les dates d'échéance sont sans cesse reculées. La dernière inscription, portée des mois avant que le travail de conception cesse, dit laconiquement : « Dans l'ensemble, ça paraît moche. »

Jamais encore Rasala n'avait eu la charge d'un si gros travail et, au temps où il tenait ce journal, il cherchait sa voie. J'avais eu l'impression que certains émettaient des doutes quant à son adéquation à cette tâche – d'autres n'étaient-ils pas plus brillants que lui? Rasala disait lui-même : « Moi, je suis un exécutant. Je ne suis pas de ceux qui iront inventer quelque chose, mais j'aime mettre en œuvre les idées des autres, les faire marcher. Je trouve ça chouette, et c'est quelque chose dont je ne me tire pas trop mal. Je n'en sais pas aussi long que Wallach, je ne suis pas un architecte hors pair, mais je suis un bon concepteur, je crois, et je me sens encore plus à l'aise dans tout ce qui est fignolage et dépannage. »

Quand ce ne serait qu'en raison de l'extrême complexité des machines telles qu'elles se présentaient concrètement, leur travail de mise au point et la recherche de tout ce qui pouvait clocher demandaient avant tout de la bête persévérance, et cette besogne lente et monotone convenait mal à la vivacité des Intrépides. Les signaux peinaient-ils à toucher leur destination entre les tic-tac de l'horloge de l'ordinateur? Dans ce cas, mieux valait revenir en arrière, et reconsidérer des questions que l'on avait crues résolues. Constatait-on dans les machines une quantité de bruit considérable? Il fallait y porter remède. Le bruit, m'avait expliqué Rasala, c'est ce qui fait s'affoler votre écran de télé quand vous mettez en marche votre mixer – des tensions basses qui se propagent dans les circuits de l'engin; et trop de bruit vient fausser le fonctionnement de la machine. Ce problème du bruit n'est pas l'un des plus palpitants, mais en venir à bout exige de l'expérience, de l'imagination et une certaine opiniâtreté. Un jour, les Intrépides avaient constaté que tandis qu'une de leurs cartes leur jouait des tours une autre, au câblage rigoureusement identique, fonctionnait à merveille. Tout le mal, ils finirent par le découvrir, provenait en fait d'une unique puce. Ils avaient l'intention de la jeter pour la remplacer par une autre, et de poursuivre plus avant. Mais Rasala s'y opposa. La puce incriminée n'était pas forcément défectueuse; peut-être travaillait-elle simplement un peu plus lentement que ses pareilles. Et dans ce cas, il y avait un véritable problème auquel s'attaquer : le cas ne se représenterait peut-être jamais plus au labo, mais quand le temps serait venu de produire la machine en masse, ils pouvaient être certains de le voir ressurgir; les puces plus lentes que les autres étaient quelque chose d'inévitable, et c'était à eux de prévoir le coup.

Dans l'ensemble, le rôle technique de Rasala était surtout celui de frein. Quand ses Intrépides se plaignirent haut et fort de l'obligation qui leur était faite de remettre

181

quotidiennement les cartes à jour, il adoucit la règle, mais tint absolument à leur voir faire ce travail tous les samedis. Quand il les partagea en deux équipes, il se fit un devoir de travailler avec les deux la majeure partie du temps. Il était dans l'esprit de West Point – il prêchait d'exemple.

Cet été-là, il prit une semaine de congé et la passa à construire une galerie contre sa maison. Je vins l'y retrouver un jour pour lui donner un coup de main, et n'en saisis que mieux sa manière de diriger un travail.

Il habitait une maison assez récente, de style pseudo-colonial, dans l'un de ces nombreux quartiers résidentiels que le secteur avait vus éclore, à une cadence plus ou moins accordée au rythme de croissance des chiffres figurant au bas des bilans de la Data. Les lotissements avaient poussé plus vite que les arbres. Il habitait si près de son lieu de travail qu'il aurait pu s'y rendre vélo; malheureusement, la circulation automobile du quartier eût rendu l'entreprise périlleuse.

En travaillant avec Rasala, je dus mettre quelque légèreté à consulter son niveau de charpentier, et il en résulta que la charpente de la galerie se retrouva bâtie très légèrement de guingois. Rasala prit du recul et contempla le travail un moment. Puis il finit par dire : « Bon pour le service. »

Il me taquina sur cette erreur, mais de manière très amicale. Quand j'étais arrivé, il m'avait dit qu'il comptait bien terminer le tout dans la journée. Vers 3 heures de l'après-midi, je lui avouai que j'étais fatigué. « Fatigué? » s'étonna Rasala, d'une voix qui montait aussi haut que celle d'un ténor. « Fatigué? Allons donc, pas déjà, tout de même! C'est sérieux, ou c'est de la rigolade? »

Quelque chose me disait de continuer à travailler. Au bout d'une heure et demie, nous n'avions toujours pas fini, et cette fois, pour le coup, je n'en pouvais réellement plus; je le lui fis savoir. Il arrêta tout sur-le-champ, apporta de la bière, et déclara que la journée avait été une réussite.

Dans l'ensemble, Rasala et ses Intrépides vivaient en bonne intelligence. Il les houspillait et les mettait en boîte, eux le lui rendaient bien, et tous en usaient de même entre eux. Un soir, juste avant de quitter le travail, Holberger avait commis une faute d'étourderie aux conséquences minimes. Quand il la découvrit, Rasala dit au reste de l'équipe : « J'espère que vous allez lui laisser un petit mot bien senti. Lui, ne se gênerait pas, si c'était vous. » Il aimait entretenir au sein de ses troupes une atmosphère de justes règlements de comptes, sur une base franche et virile, du style donnant, donnant, qu'il respectait aussi lui-même. « Brillant, entier dans ses opinions, dépourvu de toute sensiblerie : voilà comment doit être un Intrépide », affirmait-il.

Mais ce que Rasala désirait par-dessus tout, de la part de ses équipiers, c'était de les voir s'intéresser à la machine dans son ensemble, et non aux seules parties dont la conception leur revenait. Il insistait sur cette nécessité, l'unique chance pour Eagle, selon lui, de franchir la porte en temps voulu. Il voulait voir ses Intrépides former une équipe soudée, et il parlait avec une évidente amertume des ingénieurs qui répugnaient à travailler sur les cartes conçues par d'autres, et qui semblaient ne se sentir à l'aise que sur les leurs. Josh Rosen, estimait-il, était de ceux-là – non le seul. « Rosen a conçu l'ALU, alors il ne veut travailler que sur l'ALU, et sur rien d'autre, se lamentait-il. Seulement, moi, cette carte-là, elle m'inspire assez confiance, si bien que pour le moment elle n'est pas prioritaire. Et j'ai besoin de Rosen sur autre chose. » Plus tard, beaucoup plus tard, Rasala devait reconnaître : « Ce que je comprends, maintenant, c'est que Rosen n'avait pas la même confiance que moi dans cette ALU; ça le tourmentait... » Seulement, à l'époque, il voyait les choses différemment.

Il se lassa, apparemment, de tenter de convaincre Rosen, et il le laissa faire. Mais quand il parlait à Rosen, il y avait quelque chose de coupant dans sa voix, quelque chose qui rappelait le timbre qu'il prenait quand il s'agissait de se décrire lui-même. Il le raillait de temps à autre. « Ton ALU est trop lambinarde pour cet engin de grande compétition, mon pauvre Josh », l'entendis-je lui dire, un soir, au labo. Il arrivait souvent à Rasala de provoquer ainsi ses Intrépides. La différence, c'est que d'ordinaire ils lui répondaient du tac au tac. Rosen, cette fois-là, se contenta de se détourner.

Le travail de mise au point allait son bonhomme de

chemin. En mars West avait déclaré, en faisant strictement référence à cette partie du projet et non au reste : « Le temps des grandes peurs est passé; le plus terrible est derrière nous. » Mais il ne parlait que pour lui, en l'occurrence. L'équipe avait certes franchi une première étape redoutable. Mais cette machine avait été conçue dans la fièvre, avec une hâte qui excluait la prudence. Elle présentait certaines caractéristiques techniques avec lesquelles aucun des membres de l'équipe n'était familiarisé. En raison de tant d'inconnues, nul n'aurait osé, à ce stade, se vanter de comprendre en détail comment tous ses organes fonctionnaient, ni comment ils s'accordaient ensemble. Il restait donc amplement de quoi se ronger les sangs.

De l'avis d'Alsing, même dans les circonstances les plus favorables, il y avait des tas de raisons de s'inquiéter au cours d'une mise au point. La première était l'hypothèse de « la grosse bourde », l'erreur qu'on ne découvrirait que fort tard et qui entraînerait obligatoirement une importante révision de la conception même du modèle, avec le retard y afférent – retard peut-être fatal. La seconde ombre était plus floue : c'était celle d'avoir conçu Eagle, depuis son architecture jusqu'à sa mise au point, de telle sorte que cette machine ne serait jamais fiable, ou qu'elle se révélerait impossible à construire par grandes quantités – cette ombre-là, Rasala ne la jugeait pas trop inquiétante. Mais il y avait une autre ombre inquiétante, celle du « grand loup-garou » – « tout simplement quelque chose de sombre et qui n'a pas de nom, disait Alsing, la crainte irraisonnée que cette machine ne marchera jamais ». Quant à West, il précisait : « C'est par exemple le besoin de page sans fin que vous n'avez pas vu venir. Le grand loup-garou, c'est cet espace que votre esprit ne peut pas concevoir. »

Alsing avouait être hanté de temps à autre par ce grand loup-garou polymorphe. « Peut-être que les types qui font la microprogrammation sont des petits crâneurs qui déconnent, et qui déconnent si bien qu'ils ne savent même pas qu'ils déconnent? Peut-être que toute l'affaire est pourrie d'avance? » De telles pensées lui venaient parfois, rarement, et d'ordinaire durant la nuit. Elles se dissipaient avec le lever du jour. Sans doute découlaient-elles de ce qu'Alsing ne rédigeait pas ce microcode lui-même, ni ne le suivait de très près. Rasala en avait fait la remarque un jour : « Ouais, c'est comme ça, moins vous faites les choses vous-mêmes, et plus elles vous hantent. »

Progressivement, Rasala en était arrivé à faire sienne (il en devait le titre à West) toute l'anxiété que pouvait inspirer la machine. C'était devenu chez lui un mal chronique, telles ces misères avec lesquelles il faut bien vivre, comme un mal de dos. Pendant un temps, chaque fois que je le voyais, j'engageais la conversation avec lui selon le même rituel.

« Alors, Ed, comment va cette machine?

– Ahhhh, *la machine* [1], disait-il. Voyons voyons. Où en est-elle? »

Il amenait sa chaise en face du tableau de planning, quel qu'il fût, qui pendait pour l'heure au mur de sa cellule, et se lançait presque toujours dans des explications sur les raisons pour lesquelles, une fois de plus, le programme avait du retard.

Un jour, pourtant, il répondit différemment. « *La* machine. Oui, c'est ainsi que tout le monde l'appelle. Et tout est là : construire *la* machine. » Quand il entendait cette expression, « la machine », me confia-t-il, le film *Duel* lui revenait à l'esprit, un film qu'il avait vu à la télévision deux ans plus tôt. On y voyait un automobiliste pris en chasse par un poids lourd, pour des raisons inexpliquées. Tout au long du film, d'après les souvenirs de Rasala, ni le héros ni le spectateur n'entrevoyaient jamais le chauffeur du poids lourd, si tant est qu'il y en eût un. On ne voyait jamais que la calandre du semi-remorque dans le rétroviseur du héros, le menaçant perpétuellement de l'envoyer dans le décor, et réapparaissant soudain, immanquablement, au moment même où l'on pouvait croire qu'il s'était enfin fait semer. « Un film terrible, conclua Rasala. Mon film préféré ! »

Son fils de cinq ans, l'aîné de ses deux enfants, avait eu tôt fait de repérer la faille dans l'armure paternelle. Et désormais, quand il en voulait à son père, le gamin lui lançait : « Je voudrais que ta machine tombe en panne, papa ! »

1. La machine : en français dans le texte. (*N.d.l.T.*)

185

Le soir, quand les derniers Intrépides s'apprêtaient à rentrer chez eux, ils laissaient Coke et Gollum en train d'exécuter l'un des nombreux programmes de diagnostic, pris dans cette longue liste de tests par lesquels la machine devait passer si l'on voulait pouvoir la dire réellement fonctionnelle. D'ordinaire, ils laissaient les prototypes au travail sur l'un des programmes qu'ils avaient déjà maîtrisés. Chez lui, au beau milieu de la nuit, il arrivait à Rasala de s'éveiller en sursaut. Il n'avait d'ordinaire pas l'impression d'avoir rêvé. Alors, sitôt éveillé, il commençait à se demander si l'une des deux machines n'avait pas cessé de fonctionner, pour quelque raison aussi obscure qu'inédite. D'autres fois, il s'éveillait en songeant à la toute dernière défaillance, celle dont ils cherchaient la cause depuis une bonne semaine, en vain. Le grand loup-garou – la machine – était là dans sa chambre, qui le harcelait.

8. CES MERVEILLEUSES MICROMACHINES

A presque tout ce qu'ils touchaient, les équipiers de la Micro apposaient leur préfixe. Le bureau que se partageaient quatre d'entre eux, les genoux pratiquement à touche-touche quand ils étaient assis tous quatre, arborait sur sa porte un écriteau proclamant : LA MICROFOSSE. La pièce où se tenaient leurs conférences hebdomadaires était devenue la microsalle de conférences. Ils décernaient des microdiplômes et autres microtitres honorifiques, et Carl Alsing avait sa microgalerie. L'un d'entre eux possédait une camionnette, elle devint le microbus. Plusieurs d'entre eux, cet hiver-là, prirent l'habitude de s'embarquer dedans pour aller faire un tour, le vendredi après-midi, pendant que West tenait avec ses lieutenants sa conférence hebdomadaire. Enfin, quand vinrent les premiers vrais beaux jours, ils s'aménagèrent, en plein air, un microcoin de détente, où ils prirent l'habitude de venir faire la pause rituelle du vendredi après-midi.

C'était non loin du bâtiment 14 A/B, vers l'arrière, dans le prolongement de l'un de ses angles. Là, au bas de la pente raide d'un remblai artificiel, courait une bande étroite de friche boisée, qui avait dû naguère être une pâture, et que traversait un mur de pierres sèches. Quelques pierres plates retirées du mur et savamment appuyées contre lui formaient – siège et dossier – des sortes de microfauteuils rudimentaires.

Ce jour-là, le ciel promettait de la pluie; et comme la feuillaison n'était pas encore faite, l'œil de la caméra, sur le toit du bâtiment 14 A/B, avait une vue parfaitement dégagée sur le repaire des Microkids. Pourtant, les quelques jeunes gens réunis là ne semblaient se soucier ni du ciel ni de la caméra. Dans leur microsalle de repos, leur humeur était transformée. Adossés contre le mur, ils discutaient ordinateurs et questions sociales...

« Le cauchemar, c'est qu'on n'arrête pas de tomber sur des anomalies.

— Ce projet, c'est du non-stop, du vol sans escale.

— Ouais, et on plane tous.

— Non, sans blague, quand vous avez un besoin de page, bon, il faut que vous le cherchiez; mais si vous n'arrivez pas à le trouver, il faut que vous fassiez une demande de page, et il n'y a pas de demande de page possible tant que vous ne l'avez pas trouvé. Le même problème peut se présenter avec un défaut de pile, d'ailleurs. Un exemple type de tare congénitale.

— Sûr. Il y a toujours un moyen de tuer un ordinateur.

— Vous ne savez pas, on devrait se ménager une petite porte secrète, à la fin, pour avoir nos entrées dans la machine, histoire de rire.

— Pas mal, comme idée... Se garder une petite porte d'entrée pour plus tard... Mais un vrai puriste préférerait trouver le moyen de s'introduire dans une machine construite par un autre.

— Eh bien, il n'y a pas tellement de machines, dans le coin, que nous ne puissions maîtriser.

— Au fait, demandai-je. Comprendre un ordinateur, qu'est-ce que ça veut dire au juste? Qu'on sait par où passent tous les électrons?

— Peut-être bien que les électrons n'ont rien à voir avec l'ordinateur. Ils mettent le contact, c'est tout.

— Les électrons sont des abstractions mathématiques. Qui pourrait parler d'électrons? Quand nous parlons d'électrons, c'est de manière très... détachée. »

Chacun se mit à rire, à rire sans pouvoir s'arrêter, jusqu'à ce que plus personne ne sût au juste pourquoi l'on riait. Un Microkid se mit alors à parler d'un ordinateur datant d'une dizaine d'années. « Ce sont vraiment des modèles *anciens* », disait-il, et prononcée ici, à côté du vieux mur croulant, cette affirmation prenait une résonance insolite.

« Je suis là depuis 7 heures du matin, remarquait l'un d'eux, à propos de tout et de rien.

– Moi, je suis ici depuis janvier, disait un autre. »

Deux autres s'étaient lancés dans une grande conversation sur l'énergie solaire, sur le complexe armée-industrie. Les écoles d'ingénieurs étaient abominablement spécialisées; d'un autre côté, les arts libéraux étaient sur le déclin. « Les arts libéraux? Économiquement parlant, ils ne sont plus viables, disait l'un.

– Et la solution, à ton avis? Revoir à fond les structures éducatives, ou les structures de la société?

– Les structures de la société. Il n'y a pas de problème. »

L'après-midi s'écoulait, agréable. Levant les yeux en direction de la caméra de télévision, j'avisai dans un arbre un grand nid d'oiseau. Tâchant de me mettre à leur diapason, je le leur désignai du geste. « Vous avez vu, ce nid, là-haut? Quel genre d'oiseau peut bien s'être installé là? »

Immédiatement, levant les yeux, hochant la tête et prenant la voix de l'expert qui soupèse son verdict, un Microkid déclara : « Un Carl Alsing... »

Dans l'équipe de la Micro, on avait volontiers tendance à faire quelque peu le zouave et à adopter des horaires fantasques. A cela, rien de bien étonnant. Comparé au labeur assidu exigé des Intrépides, que les contraintes d'un calendrier très serré rivaient à leurs prototypes, le travail qui incombait aux Microkids se caractérisait par la brièveté de ses coups de collier. Dans l'ensemble, les Microkids pouvaient rédiger leur microcode quand bon leur semblait, pourvu que ce fût dans les délais, c'est-à-dire, d'ordinaire, très vite. Le microcode, cet intermédiaire entre le langage et la machine, est en soi une chose bien étrange – une espèce de brouet de sorcière, aux yeux de bien des profanes qui le voient en œuvre pour la première fois. « Il faut avoir l'esprit un peu tordu pour se consacrer à ça, reconnaissait Dave Keating, l'un des Microkids. Et nous entrons à peu près tous dans cette catégorie. Nous ne sommes pas absolument des poseurs de bombes, mais il faut avouer qu'il y a un peu de ça. »

« Moi, je recrute des Westiens. Alsing recrute des Alsingiens. » Ainsi s'exprimait West. Mais tous deux, Alsing et lui, avaient opté pour des recrues bardées de diplômes, ce qu'ils n'étaient ni l'un ni l'autre. Pour le reste,

Alsing avait fait preuve d'un grand éclectisme. Il avait engagé une femme – les femmes étaient rares dans la conception du matériel informatique – ainsi qu'un ex-musicien de rock and roll. Il avait engagé de grands timides et des farceurs invétérés. Trois de ses recrues, au moins, devaient pouvoir se révéler, quand l'occasion leur en serait offerte, des ingénieurs de premier ordre, tant pour le matériel que pour la microprogrammation. Et quand il avait engagé Chuck Holland, quelque deux ans plus tôt, il l'avait surtout fait sur la foi d'une « sculpture » moderne dont Holland était l'auteur.

« Je travaille à un truc compliqué », avait répondu Holland quand Alsing, lors de l'entretien décisif, lui avait demandé ce qu'il faisait de ses loisirs.

« De quoi s'agit-il, au juste? » avait voulu savoir Alsing.

Holland s'était employé à lui décrire la chose et, avant même qu'il en eût terminé, Alsing s'était convaincu que Holland réussirait dans la microprogrammation. « Cette structure animée, devait dire Alsing, c'était pour moi la preuve qu'il était capable de faire fonctionner des agencements très compliqués. »

Vue de loin, la sculpture de Holland ressemblait à une grande cage rectangulaire, et de plus près à un festival de toiles d'araignées. Le tout faisait, en gros, un mètre cinquante de haut. De minces tringles d'acier se raccordant les unes aux autres à des angles variés formaient les quatre parois de la cage. Le dessus faisait entonnoir, un peu comme, dans les bus, les troncs à pièces de monnaie : quatre plans en pente convergeant vers un petit orifice.

Plutôt timidement, Chuck Holland lâcha dans l'entonnoir une poignée de billes d'acier argentées, et la sculpture s'anima.

A l'intérieur, selon un énigmatique tracé, se développait tout un circuit de rails, faits de deux tringles d'acier rapprochées. Sitôt la première bille tombée dans l'orifice d'entrée, toute une partie de la cage semblait se mettre en mouvement. A l'intérieur de la structure en toile d'araignée, une section de la rampe en labyrinthe avait basculé; la bille avait atterri dessus; aussitôt, le tronçon basculant avait repris sa position de départ, bloquant pour un temps l'arrivée de la seconde bille, avant de repartir de nouveau dans l'autre sens. La seconde bille tombait à son tour. Au bout d'un moment, toute la structure était pleine de billes d'acier et tintinnabulait doucement, comme une ville à son réveil. Suivre le cheminement des billes avait de quoi faire cligner des yeux. Elles avaient l'air, dans leur descente, d'entrecroiser leurs trajectoires. Tantôt l'une d'elles semblait mener la bande, tantôt c'était une autre. Toutes se livraient à de brusques changements de direction, glissaient d'un bord à l'autre de la cage, s'éclipsaient derrière un lacis de métal ajouré, circulant tout ce qu'il y a de plus lentement, pour réapparaître enfin, comme autant de taches argentées.

« Est-il permis de revoir le spectacle ? »

En fait, il n'y avait qu'un seul et unique trajet possible, et les billes l'empruntaient l'une après l'autre. La rampe était discontinue. La bille descendait doucement le long d'une section de rails, prisonnière des deux tringles, puis les tringles s'écartaient légèrement, juste ce qu'il fallait, et juste au bon endroit pour que la bille en tombant passât à la section suivante. « Il y a pas mal d'assez jolies tolérances, dans ce truc, me dit Holland. Un jour, la piste avait un peu rouillé, et ça ne voulait plus marcher.

« Au début, tout ce que je voulais, c'était faire quelque chose qui marche. Inventer pour le pur plaisir. Ensuite, j'ai pensé camoufler la piste, et puis après, non, j'ai décidé qu'elle avait une espèce de beauté à elle et qu'il fallait la laisser apparente, au moins en partie. J'ai mes idées à moi sur les formes. Les plans, et le reste... » Il passait une main le long de la carcasse métallique, comme on caresserait le poil d'un animal. « Ces fils qui viennent couper ce plan, moi je trouve ça pas mal. » Il lui avait fallu des mois pour bâtir cette structure ; il l'avait montée, démontée, remontée, redémontée...

Son père était ingénieur. Du plus loin qu'il pût se souvenir, Holland avait manié la pince et le tournevis. Il avait rencontré son premier ordinateur au cours de ses études secondaires – un vieil IBM, bien évidemment. Soigné, présentant bien, Chuck Holland avait un sourire d'une très grande spontanéité, mais qui lui venait bien rarement en ces temps de projet Eagle. Il n'appréciait pas la façon dont le groupe faisait assaut de tests de diagnostics et il plaidait, en vain, pour une approche plus raffinée. Il

191

semblait être quelqu'un de calme, agréable et timide, et en cela, un peu comme Alsing, de ceux qui passent facilement inaperçus. Il lui semblait d'ailleurs que tel avait été le cas, jusqu'alors, professionnellement.

C'est Holland qui agença le microcode dont serait équipé Eagle. Chaque micro-instruction d'un microprogramme est une suite de soixante-quinze unités de tensions hautes et de tensions basses, représentée, par écrit, comme une suite de 0 et de 1. Holland fractionna cette série type de 75 bits en tronçons standardisés de quelques bits chacun, chaque tronçon prenant le nom de zone. Chaque zone contient un certain nombre de combinaisons uniques de 0 et de 1, et affecte des emplacements discontinus de la machine elle-même. Chaque combinaison unique est ce qu'Alsing appelle un « microverbe ». Holland et Holberger eurent à inventer une définition pour chaque microverbe possible. Il en résulta une sorte de dictionnaire. Dictionnaire d'autant plus souple et varié que certains microverbes pouvaient, par exemple, dire telle chose s'ils s'adressaient à l'ALU, et telle autre s'ils avaient affaire au microséquenceur.

Les risques de créer un microcode truffé de contradictions internes étaient pratiquement illimités. Holland devait y parer. Il édicta des règles – de grammaire, si l'on peut dire – propres à assurer que le microcode et la machine seraient ajustés l'un à l'autre, et à éviter qu'aucun microprogramme n'aille interférer subrepticement avec un autre. Il s'assura que chaque microprogrammeur allait bien consulter les autres quand il voulait modifier un microverbe. Tout cet ensemble codifié, microverbes et règles d'usage, fut consigné par lui dans un gros classeur, intitulé UINST : U pour « micro », et INST pour « jeu d'instructions ». L'équipe de la Micro en parlait comme de sa bible. Les Intrépides, eux, l'appelaient « le catalogue de Sears, Roebuck [1] », ou « le recueil de vœux pieux de la Micro ».

Le fameux UINST devint un champ de bataille. Chaque semaine, son contenu était modifié. Holland et ses troupes y apportaient leurs propres changements, puis les

---

1. Sears, Roebuck : très grande maison de vente par correspondance, aux États-Unis. (N.d.l.T.)

Intrépides à leur tour allaient y mettre leur grain de sel : « Cette fonction-ci, et cette fonction-là, pas question pour nous de les inclure dans le matériel. » Les deux parties s'affrontaient et aboutissaient à un compromis. Mais là-dessus l'équipe Micro découvrait encore autre chose qu'il était difficile de faire faire par le microcode, et décidait que cela devait être fait par le matériel; une feuille de vœux était donc insérée dans l'UINST pour obtenir cette modification. Mais les Intrépides se tenaient sur leurs gardes. Ils passaient au crible tout l'UINST, afin d'en débusquer la dernière rouerie de la Micro. Tombant sur cette nouveauté, ils reprenaient leur antienne : « On ne peut pas faire faire ça par le matériel. Pas question. » Et les marchandages reprenaient.

Le commandement semblait n'être aux mains de personne, tout en appartenant à chacun. C'était une denrée quasiment palpable, qui circulait de main en main, du haut en bas, tout au long de la voie hiérarchique, et chacun en recevait une part. West déléguait à Alsing la responsabilité d'exécuter à temps la microprogrammation d'Eagle. Alsing, tout en conservant l'autorité suprême, laissait à Holland le soin d'assumer à peu près totalement la direction technique. Et Holland à son tour, après avoir mis sur pied un ensemble de règles et tout en gardant un œil vigilant, avait accordé à chaque Microkid une quasi-souveraineté sur la parcelle de microprogrammation qui lui était impartie.

Des centaines d'instructions de base devaient être ainsi traduites en milliers de micro-instructions. Toute l'équipe de la Micro travaillait à refaire la programmation des instructions utilisées jusque-là pour une Éclipse à 16 bits. Il y avait encore à faire les microdiagnostics, les programmes d'essorage comme ils disaient. Ils travaillaient un peu à toutes les heures, et pour peu que du côté des Intrépides on eût besoin d'un nouveau fragment de microprogrammation pour poursuivre la mise au point, il leur arrivait de travailler vingt-quatre heures sur vingt-quatre. Chaque membre de l'équipe connaissait des semaines de fièvre intense, qui s'abaissait graduellement pour repartir ensuite de plus belle.

Jon Blau s'efforçait de décrire l'état d'esprit qui était le leur : « Imaginez que vous avez rétréci votre champ de vision aux dimensions d'un monde minuscule, dont vous essayez de faire en quelque sorte une image de votre propre esprit, et surtout, c'est le plus beau, que vous pouvez gouverner. Oui, c'est peut-être ça, pour moi, le piquant de la chose : que j'exerce le pouvoir absolu sur XSH-zéro. C'est le nom d'un signal, l'incarnation électrique d'une idée. Bon. XSH-zéro ne marchait pas. Et ce matin, j'ai trouvé une solution commode pour le faire obéir. » A ses yeux, cependant, la démarche n'était pas toujours saine. « Quand vous vous concentrez sur ce monde minuscule, vous laissez de côté tout le reste. » Cela dit, il l'avouait, il s'amusait bien. « Je crois que c'est encore ça le plus beau, disait-il. Que les types qui détiennent les cordons de la bourse fassent confiance à une poignée de bleus comme nous pour trouver la réponse à VAX. Là, je l'avoue, je n'en reviens pas, qu'ils ne nous aient pas collés dans un coin, à faire trois fois rien. »

Tout le processus semblait déroutant, confus, invraisemblable, y compris à certains membres du groupe Éclipse. Pourtant, bien que le travail prît sans cesse du retard sur les échéances fixées, le processus ne semblait nullement inopérant. La construction de la machine elle-même et sa microprogrammation semblaient progresser à peu près de concert, et l'équipe de la Micro s'en tirait fort honorablement. Ses membres avaient beau être pour la plupart des débutants, ils livraient leur travail à temps; et s'ils faisaient, certes, des erreurs, ils en faisaient bien moins qu'Alsing ne s'y était attendu.

L'une des raisons essentielles pour lesquelles ils ne sombrèrent pas dans une joyeuse anarchie fut tout simplement Holland lui-même. Il avait aidé Alsing à recruter l'équipe. Il organisa le travail. Il le supervisa entièrement avec un soin jaloux. Lors des batailles sur l'UINST, il joua le rôle de médiateur. Il rédigea lui-même de copieuses portions de microcode. Nul n'avait plus de talent que lui dans l'art d'élaborer des agencements compliqués, et nul ne travaillait plus dur que lui. Personne ne lui avait donné l'ordre d'en faire autant. Alsing en avait simplement laissé la possibilité ouverte, et Holland s'était engagé. Dans l'ensemble, il se sentait heureux dans ce travail. « C'est la première fois que je vois tant de camaraderie et d'amitié entre collègues », disait-il. Lui aussi ressentait cette sorte d'exaltation qui était dans l'air. Mais l'expérience du passé le rendait parfois circonspect. Il savait en particulier que le mérite, en cas de succès, n'est pas toujours attribué à qui il devrait revenir. Alsing et d'autres cueilleraient-ils les lauriers pour lesquels lui, Holland, aurait pris toute la peine? Cette idée le rendait parfois morose. Il semblait essayer de se prémunir d'avance contre une déception possible.

Toutes les décisions prises n'émanèrent cependant pas de Holland. Un autre élément essentiel de la force des Microkids allait être le *simulateur*, un outil de travail auquel ils accordèrent une grande confiance, et même une espèce d'affection. Du jour où ils disposèrent de cet outil, ils ne voulurent plus songer à ce qu'aurait pu être leur travail sans lui. Et ce fut Alsing qui s'arrangea pour leur obtenir ce simulateur, non sans manœuvres plutôt bizarres.

En théorie, un ordinateur peut simuler le comportement de n'importe quoi. Il ne peut le faire avec exactitude, bien sûr, que si ce qu'on veut lui faire imiter a été défini avec précision. C'est pourquoi la simulation par ordinateur n'est que partiellement valable, par exemple, quand on lui demande de prévoir le développement d'une ville ou l'avenir d'une économie nationale. Les ordinateurs excellent en revanche à simuler le comportement d'autres machines, y compris d'autres ordinateurs – le plus souvent d'ordinateurs qui ne sont pas encore construits et n'existent que sur le papier, sous forme d'un descriptif architectural détaillé. Pour permettre à l'ordinateur existant d'imiter son confrère en puissance, il faut écrire un programme. Ce programme de simulation – encore nommé simulateur – est rédigé de manière à provoquer chez l'ordinateur existant les réactions qui devraient être celles du futur modèle. Disons que, pour l'essentiel, le programme de simulation traduit les instructions conçues pour le futur ordinateur en instructions auxquelles obéit le modèle actuel. On peut inventer un simulateur tel qu'il rendra capable n'importe quelle vieille machine de singer le comportement du plus fringant modèle de grande compétition. Mais en ce cas, pourquoi construire matériellement de nouveaux modèles au lieu de se contenter de programmes de simulation? Tout simplement parce que les programmes de simulation sont lents, très lents au travail. Celui de la Micro, par exemple, mettait environ cent mille fois plus de temps à effectuer tel ou tel travail qu'Eagle n'était censé en mettre. Un simulateur ne peut donc vous procurer qu'un engin traînard; comme outil de travail, par contre, il peut vous faire gagner un temps précieux.

Alsing voulait un simulateur. Il en avait souvent ressenti le besoin, pour tester et corriger la microprogrammation. Sur tous ses projets précédents, il avait été contraint de dépister les erreurs et les faiblesses du microcode qu'il venait d'écrire en faisant exécuter les microprogrammes par le prototype du nouveau modèle. Mais le prototype lui-même était en cours de mise au point, laquelle mise au point, d'ailleurs, ne pouvait être entièrement effectuée sans le microcode. Il en résultait souvent, au labo, des situations à s'arracher les cheveux : comment déterminer, en cas de défaillance, ce qu'il fallait incriminer d'abord – le matériel, le microcode, ou le programme de diagnostic? Depuis plusieurs années, déjà, et avant le lancement de chaque projet, Alsing avait avec West ce sempiternel petit dialogue.

« Tom, je voudrais qu'on prépare un simulateur.

– Ce serait beaucoup trop long, mon vieux. La machine serait au point avant que ton simulateur le soit. »

Cette fois, pourtant, Alsing avait insisté. Ils ne pourraient jamais construire Eagle en une année s'il leur fallait mettre au point tout le microcode en s'aidant des seuls prototypes. De plus, s'ils optaient pour cette méthode, il leur faudrait non pas deux, mais au moins trois, si ce n'est quatre prototypes dès le départ, ce qui viendrait doubler la corvée de mettre régulièrement au même point tout le câblage de leurs cartes. Alsing voulait disposer d'un programme de simulation reproduisant le comportement exact d'un Eagle parfait : ainsi pourraient-ils mettre au point leur microcode indépendamment du matériel.

West avait fini par dire : « Bon, eh bien, vas-y. Mais je te parie que tout sera terminé d'ici que tu aies ton simulateur. »

Des programmes de simulation, on en faisait depuis au moins dix ans. Il n'y avait là rien de bien sorcier. Une

196

première estimation, pourtant, fit entrevoir à Alsing qu'un programme destiné à la simulation d'Eagle serait quelque chose d'assez impressionnant. Tout bien calculé, le rédiger devait demander quelque chose comme un an, un an et demi, à un programmeur bien entraîné. C'était beaucoup. Mais Alsing garda pour lui le résultat de ses calculs.

Quoique animé, le plus souvent, des meilleures intentions du monde, Alsing semblait avoir une aversion naturelle pour une approche directe des choses. Je devais le découvrir un soir de ce printemps-là, comme j'étais en visite chez lui. Nous étions assis dans le séjour quand l'aîné de ses trois garçons, un adolescent charmant et bien élevé, vint le trouver pour le prévenir, d'une voix douce et navrée, que tous les postes de télévision de la maison étaient une fois de plus en panne.

« Que voulais-tu regarder? lui demanda son père.

– Charlie's Angels, Papa.

– Ah, c'est trop bête! dit Alsing. Que le diable emporte ces postes de télé... »

Son fils reparti, Alsing eut une grimace. « Je suis infernal », dit-il.

Il s'était mis dans la tête, depuis quelque temps, que ses fils regardaient beaucoup trop la télévision, et les plus désastreux des programmes : « Le soir, de la violence, et le samedi matin, des dessins animés débiles. » La chose l'inquiétait. Tant et si bien qu'un soir il avait fait la tournée des récepteurs de la maison et les avait mis hors d'état. Partant du principe qu'ils en apprendraient davantage en s'efforçant de réparer un poste de télé qu'en s'installant devant, il avait ensuite encouragé ses garçons à se mettre au travail. Et il avait passé quelques délicieux dimanches, en compagnie de ses fils, à bricoler sur les récepteurs sabotés. Ses garçons en savaient de plus en plus sur l'intérieur d'un poste de télévision, mais ils n'avaient pas encore réussi à en remettre un en état de marche. De loin en loin, cependant, quand Alsing approuvait une émission qu'ils désiraient ardemment voir, l'un des postes, comme par miracle, se remettait à fonctionner pour un temps.

Qui Alsing pourrait-il convaincre d'écrire le programme de simulation? Qui serait capable de le faire dans un délai record, condition unique pour que le travail eût sa raison d'être? L'équipe de la Micro comptait un programmeur expérimenté, un joyeux drille du nom de Dave Peck. Peck avait un rire tonitruant; c'était ce rire, précisément, que West accusait de le distraire. Porteur du numéro 257 sur l'annuaire de la Data, Peck savait ce que c'est que de programmer jour et nuit en période de presse; il en avait déjà fait largement sa part, de cette performance-là. S'il avait quitté le Logiciel pour venir se joindre au groupe Éclipse, c'était parce qu'Alsing lui avait fait miroiter la perspective de superviser un peu le travail des autres, pour changer. Peck était un programmeur rapide. « Le plus rapide que j'aie jamais vu, disait Ken Holberger, le plus rapide de tout l'Est. »

Peck disait, quant à lui, qu'on lui avait répété tant de fois qu'il était rapide qu'il devait y avoir un fond de vrai. « Mais la programmation, ça m'a l'air tellement évident! » Le seul problème, depuis quelque temps, c'est qu'il lui fallait un bon bout de temps pour arriver à se mettre au travail, s'il s'agissait d'un gros programme – plus de temps, en général, qu'il ne lui en fallait ensuite pour venir à bout du travail. Si quelqu'un pouvait mettre sur pied en temps utile un programme de simulation, c'était Peck, et nul autre. (Il devait d'ailleurs, par la suite, rédiger pour le groupe différents programmes d'une importance capitale, quoique plus courts.) En fait, de son côté, il avait songé comme Alsing aux immenses services que pourrait rendre un simulateur pour la mise au point du microcode d'Eagle; et il s'était même amusé, comme ça, à réfléchir à la façon dont il s'y prendrait pour rédiger un tel programme, si l'envie l'en prenait. Mais l'envie, jusque-là, ne l'en avait pas pris.

Le groupe comptait encore un autre programmeur-né. Au nombre des premiers Microkids arrivés à Westborough se trouvait un phénomène de vingt-deux ans, possédant les meilleurs diplômes en informatique, en électricité et en électronique, bref, un puits de science en ces matières. Il s'appelait Neal Firth. Programmer des ordinateurs, il adorait ça. « Je vais peut-être paraître un peu crâneur, disait-il, mais quand j'ai choisi l'option programmation, à l'école, tout le monde m'a dit que c'était le cours peau-de-banane. Et moi j'ai trouvé ça clair comme de l'eau de roche; ça m'a toujours paru d'une logique irréprochable, la programmation. »

Alsing médita sur la situation. Il disposait de deux

programmeurs dignes de confiance – l'un relativement inexpérimenté, l'autre qui se faisait tirer l'oreille. D'une manière ou d'une autre, il devait bien arriver à tirer quelque chose de cette paire-là; un simulateur, par exemple. Il affecta Peck au travail en question, mais de façon nominale seulement.

Peu après l'arrivée de Firth, Alsing s'était offert une discussion avec lui, à bâtons rompus, autour de l'idée de simulateur. « Il y a un certain nombre de choses à faire, quand on veut en écrire un », avait-il dit, avant de brosser un tableau grossièrement simplifié de la tâche en question.

« Ouais, je vois, je serais capable de le faire », avait dit Firth.

Et ils avaient continué de parler simulateurs avec un enthousiasme croissant, jusqu'à ce qu'Alsing eût décidé, en son for intérieur, que « le petit bois flambait bien, preuve que le feu avait pris ». C'était alors, au détour de la conversation, qu'il avait tout naturellement laissé tombé :

« Et à ton avis, il te faudrait combien de temps pour rédiger ce simulateur?

– Euh, je ne sais pas, six semaines? Deux mois? avait dit Firth.

– Oh, excellent », avait dit Alsing.

A l'âge de dix ans, il s'en souvenait, Alsing avait reçu un livre intitulé *Tout ce que vous devez savoir sur la radio et la télévision.* L'ayant dévoré d'un bout à l'autre, il en était sorti persuadé qu'il savait réellement tout sur les postes de radio et de télévision. Il en était loin, on s'en doute, mais cette certitude lui avait du moins donné suffisamment confiance en lui-même pour se mettre à démonter les récepteurs en question, et apprendre par là, cette fois pour de bon, ce qui faisait fonctionner ces engins. Ce souvenir lui était revenu à l'esprit lors de son entretien avec Firth. « Quand Firth me sortit qu'il pouvait faire le boulot en deux mois, je me dis qu'il songeait sans doute aux projets qu'on lui faisait faire, étudiant. » Firth, réfléchissait Alsing, n'avait encore jamais travaillé sur un projet concret, pour une machine qui fonctionne, comme le font la plupart des ingénieurs novices, dans les mois qui suivent leur sortie d'une école. Il n'avait pas encore la notion de ce qu'il ne pouvait pas faire. « Je crois qu'après notre petite conversation Neal s'imaginait qu'il savait désormais tout sur les simulateurs. Il n'y avait aucun problème; il devait pouvoir faire ça en un week-end. »

A peu près vers la même époque, Alsing était aussi allé trouver Peck pour discuter tranquillement. Firth, lui avait-il dit, était sous sa responsabilité. A lui de se débrouiller pour amener Firth à terminer son simulateur en l'espace de quelques mois. Sur quoi Peck était allé expliquer à Firth ses propres idées sur les simulateurs. Il avait établi pour lui un schéma général, plus détaillé que celui qu'avait brossé Alsing.

Ayant observé la paire, légèrement à l'écart, Alsing en retira la conviction que ces deux-là, même s'ils s'aimaient bien, n'accepteraient pas plus l'un que l'autre de concéder que le confrère était un programmeur meilleur et plus rapide. Un rien de rivalité amicale pourrait faire ici des merveilles. Alsing alla retrouver Peck et lui dit : « Nous aurons vraiment grand besoin d'une espèce de simulateur d'ici six semaines. Écoute, Dave, pourquoi ne nous ferais-tu pas un truc dans ce genre, vite fait - mal fait, pendant que Neal travaille à son grand projet? » Peck accepta. La course était commencée.

A plusieurs reprises, au cours du mois suivant, Firth vint trouver Alsing pour l'informer que *son* simulateur progressait gaillardement, et qu'il ferait des tas de choses dont serait incapable le programme à la six-quatre-deux de Peck.

« Oh, très bien », disait Alsing.

Peck termina son simulateur et le remit, près à l'emploi, en quelque six semaines, juste dans les délais prescrits. L'un des équipiers de la Micro s'en servit, mais pour un certain temps seulement : deux mois et demi après celui de Peck, le simulateur de Firth devenait fonctionnel. Encore deux mois, et Firth l'avait perfectionné. Il dotait ainsi la Micro d'une version d'Eagle dans toute sa splendeur; une merveilleuse machine, de papier si l'on peut dire.

Si Firth n'avait pas produit son Eagle de papier, le laboratoire aurait sans doute ressemblé au wagon bondé d'un train de banlieue : Intrépides et Microkids se marchant sur les pieds, bousculades diverses et tout le monde à cran; bruyantes discussions sur le point de savoir à qui

200

revenait le tour de mettre les cartes à jour; West menaçant de mettre tout le monde à la porte du labo et de faire le travail lui-même; la mise au point progressant à une allure de limace... Imaginons les Microkids contraints de faire le pied de grue, après avoir rédigé des parties entières de leur microprogrammation, pour obtenir quelque chance d'en faire l'essai sur un prototype. Imaginons-les encore, l'essai s'étant hélas révélé désastreux, en train d'essayer de trouver ce qui ne va pas, en suivant à la trace, à l'aide d'analyseurs logiques, le trajet de leurs micro-instructions. Bienheureux s'ils avaient pu terminer Eagle en trois ans, dans des conditions pareilles!

Dans la réalité, grâce au simulateur, les microprogrammeurs pouvaient tester le résultat de leur travail sans quitter leurs bureaux, par l'intermédiaire de leurs terminaux. Le programme de simulation écrit par Firth avait été introduit dans leur propre ordinateur, l'Éclipse M/600, alias Trixie. Il leur suffisait d'introduire en machine le fragment de microcode qu'ils voulaient tester, d'appeler le simulateur, et de lui donner l'ordre de faire passer le microprogramme. Ils pouvaient commander au simulateur d'arrêter le travail en n'importe quel point du microprogramme. Le simulateur était incapable d'indiquer de lui-même aux microprogrammeurs ce qui ne tournait pas rond dans leur microcode, mais il avait pour mission de mettre en réserve toutes les informations utiles pour comprendre ce qui s'était passé au juste pendant que le microprogramme tournait, informations qu'il pouvait restituer à la demande. De cette manière, sans avoir à élaborer d'ingénieuses méthodes de recherche à l'aide d'analyseurs logiques, l'équipe pouvait passer au crible la plus infime étape de chaque microprogramme. En règle générale, la source d'erreur éventuelle était repérée en un instant. Dans le microcosme de l'équipe Micro, le haut fait accompli par Firth était l'acte d'un grand bienfaiteur.

Lors de leur arrivée à Westborough, durant l'été 1978, Firth et sa jeune femme, Lynn, s'étaient installés dans un appartement situé non loin du bâtiment 14 A/B. La journée de travail de Firth démarrait sous la douche, et se poursuivait, en ces matins d'été, par le trajet à pied en direction de la Data. Une silhouette solitaire cheminant le long de la voie d'accès, celle d'un homme jeune, trapu mais sans lourdeur, aux cheveux noirs mi-longs, coupés en ligne droite au niveau des épaules, avec des lunettes aux montures épaisses, et portant souvent un anorak coupe-vent de couleur bleue ainsi que des chaussures noires : voilà ce que pouvaient entr'apercevoir de lui les automobilistes qui le doublaient, la mâchoire serrée, pris dans le torrent de véhicules qui se déversait en direction de leur travail. Mais lui ne les voyait même pas. Il élaborait un simulateur. Et ce n'était pas rien.

Firth devait écrire un programme pour chaque micro-verbe. Après quoi il lui fallait brasser et rebrasser ces mêmes microverbes dans tous les sens. Dans la future machine, telle qu'elle se présenterait concrètement, tous les microverbes composant une seule micro-instruction seraient exécutés en parallèle, plus ou moins en même temps, entre deux tic-tac de l'horloge de l'engin. Mais le simulateur était un programme dans lequel les choses ne pouvaient donc se dérouler que pas à pas; il ne saurait exécuter les différents microverbes d'une instruction donnée qu'en les prenant l'un après l'autre. Et l'ordre dans lequel étaient exécutés les microverbes d'une instruction donnée revêtait souvent une importance cruciale : un microverbe pouvait fort bien en annuler un autre.

Le gros classeur d'UINST décrivait lui aussi les cas dans lesquels un microverbe était susceptible d'altérer le sens d'un autre, et ceux dans lesquels un microverbe s'adresserait à deux parties différentes de la machine, leur apportant respectivement des messages différents. De temps à autre, tandis qu'il travaillait à son simulateur, Firth apprenait que des modifications venaient d'être apportées, au microcode et à la machine elle-même; il lui fallait modifier en conséquence le simulateur en chantier. De plus, il devait tenir compte, pour façonner sa machine abstraite, de la façon dont ses usagers auraient à s'en servir. Comment procéderaient-ils pour en extraire de l'information et lui donner leurs instructions? C'est là l'une des questions les plus importantes – et fréquemment les plus négligées – parmi celles auxquelles doit répondre un programmeur. Firth s'était mis au travail avec cette question en tête. Et cela se voyait. Il fit de sa machine de papier un instrument pleinement « interactif ».

202

« J'imagine que personne ne croyait ce travail possible dans le laps de temps imparti, devait dire Firth par la suite. Seulement, moi je ne le savais pas. A mes yeux c'était, comment dire? un défi. Ce pouvait être fait. Et si j'ai réussi à le faire, c'est bien parce que je n'avais aucune idée de ce qui se passait exactement. Tout ce que j'en savais, moi, c'était ce genre de remarque : " Il faut absolument qu'on ait cette fonction dans le simulateur pour demain, sinon ce pauvre Jon Blau ne pourra absolument rien faire. " Voilà comment ça se passait, le plus souvent. »

Deux étés durant, alors qu'il était encore étudiant, Firth avait travaillé en tant que tâcheron dans une société spécialisée dans l'expédition informatisée de circulaires commerciales. Il se retrouvait souvent, désœuvré, dans le bureau du fond, et il s'amusait alors à fureter, à la recherche de quelque document de logiciel écrit pour les ordinateurs de la maison. Il tomba un jour sur une pile de programmes écrits par l'un des ingénieurs de la firme. S'étant mis à les feuilleter, il découvrit bientôt une erreur criante, qui rendrait impossible, pour les ordinateurs, l'envoi de courrier en direction de la Californie. Firth venait juste de commencer à étudier la programmation, mais cette erreur-là était à ses yeux « tout simplement évidente ». Se remémorant l'incident, des années plus tard, il en tirait la conclusion que l'ingénieur fautif avait dû « faire sa programmation machinalement. Il devait vouloir faire en sorte que ce programme ressemble aux précédents, mais cette fois, visiblement, ça ne devait pas marcher ». Depuis, Firth essayait toujours d'éviter cet écueil de la routine. « J'aime travailler avec des " pourquoi? " en permanence, me dit-il. Quand je démarre sur un projet je préfère ne pas connaître les limites établies, pas plus que ce que pensent les autres de la question. »

Il me dit encore que sauf erreur son intérêt pour l'électronique devait remonter à l'âge de cinq ans. Il avait un souvenir précis : cela se passait chez des voisins, et il s'amusait avec un jouet électrique. Le fils des voisins, plus âgé que lui, était venu l'avertir qu'il risquait de se faire électrocuter s'il faisait ceci-cela avec ce jouet. Or Firth avait déjà expérimenté tous les ceci-cela du jouet...

« Je crois que je suis plutôt un solitaire, disait-il. Quand j'étais plus jeune, je passais des heures, assis dans mon coin, à faire des maquettes de bateaux ou d'avions. » J'eus pourtant l'occasion de le voir en société, lors de l'une des réjouissances de l'équipe, et l'y trouvai plein de verve et d'entrain. Il prenait souvent le repas de midi au sous-sol, en compagnie de collègues récemment arrivés comme lui, avec qui, disait-il, il avait eu quelques conversations fort intéressantes. Il avouait avoir un faible pour les discussions techniques, mais apprécier tout autant d'autres sujets de conversation. « Comme par exemple l'ultime finalité de la vie, disait-il avec un immense sourire. J'aime bien faire des choses qui peuvent sembler bizarres, comme d'aller contempler un arbre pendant une heure. Il m'arrive de faire des trucs comme ça. J'ai toujours eu l'impression d'être un petit peu en marge. Ça ne me tracasse d'ailleurs pas trop. Je me souviens qu'adolescent j'adorais la musique abstraite, que tous mes copains avaient en horreur. Peut-être que j'ai raison, peut-être que c'est eux qui ont raison, j'avoue que ça m'est bien égal et que je suis très tolérant des opinions d'autrui. »

Firth ne se mêlait cependant pas souvent au reste du groupe, après les heures de travail. Il en donnait pour raison qu'il était marié et qu'il habitait désormais assez loin de Westborough. Comme je lui faisais remarquer, un jour : « On sèche un peu les occasions de frayer avec ses semblables, non? », il me répondit aussitôt : « Je crois que ça a toujours été le cas pour moi. »

Né au Canada, Firth avait fait ses études secondaires dans un faubourg de Chicago, dans « un milieu où tout le monde était toujours en train de s'élever vers Dieu sait quelle plus haute condition ». Son père était directeur régional des Ventes d'une entreprise. Firth avait excellé au niveau du secondaire; on l'avait placé, pour toutes les disciplines, dans les classes de plus haut niveau, et il n'avait jamais rencontré de difficulté nulle part – « pas d'obstacle notable à franchir », à l'exception de ceux qu'il se donnait lui-même, dans le domaine de la musique et des ordinateurs. Il avait, lui aussi, fait connaissance avec ces machines par le biais d'une IBM, « antique et solennelle ». L'établissement qu'il fréquentait avait placé cette machine dans un petit local réservé, qui fut laissé ouvert pour Firth durant les congés scolaires. Il passait ses matinées à programmer l'engin, et consacrait ses après-midi à des répétitions musicales, avec l'orchestre amateur dont il faisait partie. C'était l'une de ces fanfares de collèges, excellentes, comme on en voit dans le Middle West. Firth avait même un jour, coiffé d'un grand chapeau de tambour-major, dirigé cet orchestre lors d'un concert donné au Soldier Field de Chicago. Il jouait encore de la clarinette basse, et s'était produit par deux fois, toujours avec son orchestre de collégiens, sous la direction d'Arthur Fiedler. Il se faisait de l'argent de poche en jouant de la guitare-basse dans les bals.

Quand Firth aborda ses études supérieures, il comprit qu'il lui fallait choisir entre la musique et l'informatique. Il décida qu'en tant que musicien il ne serait jamais parfait, jamais à l'abri des fausses notes. Il avait le sentiment qu'il n'arriverait jamais, en musique, au niveau qu'il désirerait atteindre. Programmer lui était comme une seconde nature, encore qu'il lui fallût peiner considérablement, là encore, pour faire les choses le mieux possible. « C'est triste à dire, mais d'une certaine façon j'ai l'impression que je pourrais faire mieux. »

Nous étions assis au bar, par un paisible après-midi où rien ne pressait. Je priai Firth de tenter de m'expliquer un peu ce qu'était sa machine abstraite. Il se lança. « Bon, dit-il. Mettons que j'arrive au simulateur avec les instructions machine nécessaires pour additionner deux nombres. Je vous donne aussi la micro-instruction qui indique à l'ordinateur comment exécuter l'instruction ADD. Vu? Bon. Alors je dis : " Simulateur, exécute la micro-instruction ADD, située à tel endroit de la mémoire simulée. " Ah oui, il a fallu aussi que je simule une mémoire. Mais j'ai oublié de mentionner, en plus, que quand vous écrivez votre micro-instruction, vous avez aussi codé de l'information décodée, c'est-à-dire l'information dont se servira le processeur d'instructions du simulateur... »

Il m'avait balancé tout cela (et j'en oublie) à une telle allure, une digression en amenant une autre, que je ne sus rien faire d'autre que rire. Il se mit à rire, lui aussi. Il reconnut qu'il était très doué pour la digression.

« Et tout ça, c'était engrangé dans la tête? demandai-je.

– Tout me semblait tellement évident... »

Il avait passé environ trois mois à bien cerner tous les

concepts impliqués par son programme de simulation, et la rédaction proprement dite lui avait demandé un mois. Tout le reste du temps, il l'avait consacré à peaufiner le travail. Il était capable d'aligner dans sa tête deux ou trois cents rangées de micro-instructions, mais il avait un mal fou à retenir son numéro de téléphone.

Par bonheur pour lui, quelque part dans les entrailles de Westborough veillait un ordinateur, relié au système téléphonique du bâtiment. Grâce à lui chacun pouvait préenregistrer, sur le poste téléphonique de son bureau, les numéros d'appel les plus fréquents. Après quoi, et jusqu'à nouvel ordre, il n'y avait plus qu'à pianoter trois chiffres de code pour obtenir chacun des numéros en question. Trois chiffres à retenir, c'était encore à la portée de Firth. Du coup, il avait complètement oublié son propre numéro de téléphone. Au fond, pour la mémoire, c'était un soulagement que de pouvoir s'offrir cet oubli. Mais Firth gardait tout de même, dans un tiroir de son bureau, le précieux numéro inscrit sur une feuille. On ne sait jamais.

9. UN ATELIER

West partait d'ordinaire pour son travail peu après 7 heures du matin, et reprenait le trajet inverse un peu moins de douze heures plus tard. Le trajet ne demandait qu'environ vingt minutes, mais la distance ainsi franchie ne se mesurait pas de cette façon-là. « Je pense que quelque part, sur la 495, il se produit un phénomène du genre passage de la ligne », disait-il lui-même. Et il semblait bien, au moins certains matins, que quelque part sur le chemin menant au bâtiment 14 A/B un changement net intervenait : West ne prononçait plus un mot, une sorte de raideur venait durcir ses épaules et lui faisait serrer la mâchoire, absolument comme s'il s'apprêtait à soulever une lourde charge. Tout le restant du trajet, si d'aventure il ouvrait la bouche, ce ne serait que pour de simples banalités. Au moment d'aborder le parc de stationnement, il avait toujours les deux mains sur le volant. Le soir, à l'heure du départ, c'était exactement le même West qui s'éloignait du bâtiment, mais au bout d'un certain moment, après avoir croisé un temps le long de la 495, il lui arrivait parfois de détacher une main du volant et de devenir presque loquace. Un soir, par exemple, en cours de trajet, il déclara brusquement qu'il brûlait de l'envie d'apporter sa guitare au travail et d'en jouer un bon coup avec ceux des jeunes ingénieurs du groupe qui étaient eux aussi musiciens. Cette remarque semblait prouver qu'il venait de franchir la frontière invisible démarquant son domaine de travail de son autre domaine, celui de ses propres terres.

Au travail, West ne fumait jamais. Sorti de Westborough, entre le coucher du soleil et l'heure du lit, il était capable de fumer tout un paquet de cigarettes ou davantage. Je l'entendis marmotter un jour que fumer n'est pas nocif tant que l'on ne fume pas au travail. Il est clair que West savait toute l'inanité d'un tel propos, et d'ailleurs, au lieu de le proclamer haut et clair, il l'avait dit en mangeant ses mots. Certains soirs, reléguant Eagle, il faisait de la musique avec ses amis et connaissances, parfois la nuit durant; après quoi, les doigts encore raides d'avoir tant gratté la guitare, il repartait directement pour le travail, et reprenait son personnage de chef revêche et intraitable. Un soir, ce même hiver, je lui dis qu'à mon avis il était impossible d'être à la fois bohème et homme d'affaires. « Moi j'y arrive », dit-il simplement.

Du jour où il était entré à la Data, West avait commencé à parler de la quitter. Certain jour, il s'éclipserait. D'une certaine façon, il le faisait tous les soirs. Il quittait Westborough, ses murs neufs, fonctionnels, aux arêtes vives, pour retrouver vingt minutes plus tard sa très vieille ferme. On y accédait par un chemin rural. Une plaque de bois, non loin de la porte d'entrée, annonçait sa date de construction : 1780. Manifestement, par la suite, et durant des années, ses habitants avaient dû s'affairer à lui bâtir quelques additions : on ne comptait pas les niches, alcôves, coins et recoins. Une aile partait à angle droit du corps de bâtiment principal; à cette aile était accolée une grange; à cette première grange en était rattachée une autre. Enfin, derrière les granges, s'élevait un grand silo de bois.

West avait auparavant possédé une maison récente et plus petite, non loin de là. Quand il n'avait plus rien trouvé à y faire en matière de rénovations, il l'avait vendue et il avait acheté cette ferme, dont la toiture faisait eau de toutes parts et dont les granges s'affaissaient, pourrissantes. Il avait consacré plusieurs années à la restaurer quasiment de fond en comble. Il avait eu des locataires pendant un temps, et ceux-ci aimaient, le dimanche, tirer dehors quelques chaises longues et contempler West au travail, en train de jouer les charpentiers. West n'appréciait guère cette atteinte à sa vie privée, mais il faut comprendre l'attrait qu'exerçait le spectacle sur autrui. Il était de ces ouvriers qui vous transforment les choses à vue d'œil. « Tom aime faire les choses *comme il faut*, disait sa femme. Et quand je dis *comme il faut*, je sais ce que je dis. » Des preuves évidentes en abondaient alentour. Il avait refait les toitures et retapé les murs, requinqué les granges croulantes. Et tout ce qu'il avait fait présentait cet aspect de fini, cette touche propre au travail exécuté « comme il faut ». D'une pièce qui n'avait pas un angle d'équerre, pas un mur d'aplomb, il avait fait une cuisine. Les placards avaient un aspect irréprochable; avec quelle patience et quel soin avait-il dû s'y prendre pour les ajuster à ces murs de guingois et ces angles fantasques! De même, dans le séjour, on pouvait admirer une fort jolie desserte roulante en acajou, aux charnières invisibles; c'était entièrement l'œuvre du maître de maison. Mais son chef-d'œuvre en matière d'aménagement domestique était son atelier, au sous-sol.

Les murs du sous-sol étaient, pour l'essentiel, faits de pierres non taillées. Murs de pierres sèches à l'origine, ils avaient été jointoyés de ciment de manière à laisser apparent le contour de chaque pierre. Ce travail, semblait-il, avait été effectué quelque peu en commun par toutes sortes de mains, car sur l'un des murs, à la peinture noire, était tracée l'inscription suivante :

Que vient faire en pareil endroit une jolie fille comme toi?

Ce sous-sol comportait plusieurs pièces. Dans l'une d'elles était assemblé le plus gros de l'appareillage : un tour, une toupie, une scie sauteuse, une scie à ruban, une presse, une ponceuse, deux meules (et la paire de lunettes de protection à côté), ainsi qu'une antique scie à courroie dans un état impeccable. Il y avait encore un établi de menuisier, offrant un spacieux plan de travail et équipé d'un très bel étau de bois, au-dessus duquel était suspendue toute une panoplie d'outils et instruments divers : serre-joints, ciseaux à bois, scie passe-partout, scie à guichet, scie à chantourner, scie à découper... Le tranchant de leurs lames avait de quoi inspirer le respect.

« Tout un ensemble révélateur de la tournure d'esprit de West », faisait remarquer un vieil ami de ce dernier, en parlant du fabuleux sous-sol. Aviez-vous besoin d'un taille-crayon? Il y en avait un dans chaque pièce, exactement à l'endroit où vous seriez allé le chercher. Un petit désir de musique? Une paire d'enceintes se trouvaient là, sur les étagères de l'atelier. Un coup de fil à passer ou à attendre? Il y avait le téléphone. Envie de vous asseoir un instant? A vous de choisir votre siège, selon l'humeur du moment. Une bière, peut-être? Le vieux réfrigérateur, dans un coin de la salle d'entrée, était généreusement garni. Un marteau? Vous aviez à votre disposition à peu près tous les modèles de la création, sagement rangés chacun à sa place. De quoi vous couvrir? Sous l'escalier, accrochés à des patères de bois, pendaient une veste de toile jean, un vieil imperméable, une veste de bûcheron, un caban de marin, le tout passablement élimé et défraîchi, mais fleurant bon la lessive. Partout où il y avait du bois – sur les piliers, les rebords de fenêtres – divers papiers étaient fixés avec des punaises : maximes et fortes pensées, pense-bêtes et photographies. Sur l'une de ces fiches on lisait : « Savoir apprécier le charme d'un déclin est une chose importante parce que trop souvent négligée. » « *Faites-le vous-même, c'est facile* », proclamait une autre affichette, tandis qu'une pancarte de bois annonçait, en lettres écrites à la main : A VENDRE – POUDRE D'OS. Un badge vous rappelait qu'avait eu lieu un jour un *Grand festival de cerfs-volants de Boston*. Une photo représentait une silhouette en burnous montée sur un chameau, au milieu d'un désert. Le visiteur qui s'enquérait de quoi il retournait s'entendait répondre, du tac au tac : « La première photo connue de Jésus-Christ. »

Au milieu d'une foule d'objets disparates, rangés ici et là, on pouvait identifier de vieux taquets de cuivre, des cannes à pêche, un compresseur, et quelques instruments rouillés datant du temps jadis, de l'époque où la ferme était une ferme. Il y avait de plus un réduit aménagé pour le travail du métal, dûment équipé de l'outillage idoine.

Au-delà de la pièce aux appareils divers se trouvait la réserve. Sur trois de ses quatre murs, du sol au plafond (et le plafond était haut), s'alignaient des étagères, entièrement garnies de récipients de récupération, flacons de café soluble ou autres, et toute une gamme de boîtes en carton. Le tout était constellé d'étiquettes, portant des inscriptions écrites d'une main assurée : « Outillage spécial voiture »; « Cames à tête plate »; « Divers électricité »; « Divers téléphone »; « Divers antenne »; « Cirage »; « Pinceaux »; « Bons pinceaux »; « Fusées »; « Autres fusées »... En pivotant d'un quart de tour, on se trouvait face à d'autres étagères, garnies elles aussi du haut en bas de boîtes et de flacons variés, soigneusement étiquetés, sans oublier éventuellement les indications de calibre ou de taille : « écrous », « rondelles », « boulons », « semences », « rivets », « chevilles », « roulements », « clous », « ressorts ». C'était vraiment comme le fond des poches d'un gamin épris d'aventures, c'était l'atelier d'un bricoleur confirmé. A coup sûr l'endroit rêvé pour un matin de samedi. Tout était méticuleusement tenu, épousseté, balayé, rangé, étiqueté, et tout se trouvait à l'endroit précis, semblait-il, où l'on aurait besoin de le trouver. Cet atelier modèle pouvait-il être celui de l'homme qui avait inscrit au regard de tous, dans son bureau : « Tout ce qui vaut la peine d'être fait ne vaut pas forcément la peine d'être bien fait » ?

West soulignait souvent l'importance de construire la machine qu'il fallait, et comme il le fallait; mais « comme il le fallait » prenait là un sens strictement commercial.

Pourtant, un jour, au tout début du projet Eagle, Rosemarie Seale allant trouver West s'était ouvertement inquiétée : « Cette machine que nous allons faire, est-ce que ce sera du travail bien fait ? »

Et West avait répondu : « Oui, Rosemarie, ce sera du travail bien fait. »

Au fur et à mesure que le père de West s'était élevé dans la hiérarchie de la compagnie AT&T, la famille avait déménagé à plusieurs reprises. Il y avait même une année, dans le lot, dont West ne se souvenait plus du tout; ce devait être dans le courant de ses études secondaires et la famille avait dû habiter à Lincoln, dans le Nebraska. Il se souvenait, par contre, qu'il était toujours en train de bricoler. Plus tard, il s'était acheté un petit voilier hors d'état, qu'il avait gratté, décapé, mis à nu et retapé tant et si bien que pour finir il brillait comme un sou neuf. Pour parachever son œuvre, il lui avait ciselé tout un jeu de taquets en bois de cerisier. Après quoi il s'était fabriqué une remorque et, derrière l'une quelconque de la succession de voitures dont il avait refait le moteur, il emmenait son bateau voir du pays; plein cap sur l'Illinois, sur Oklahoma City, et pour finir sur Martha's Vineyard.

Il avait fréquenté le collège Amherst, dans l'ouest du Massachusetts, pour y étudier les sciences naturelles. Il s'y était adonné avec trop peu d'ardeur pour obtenir des

211

distinctions académiques, l'année, par malheur, où Amherst venait d'adopter une nouvelle marotte, celle de la chasse aux « Peut-mieux-faire » : les étudiants dont les possibilités intellectuelles semblaient supérieures aux résultats obtenus se faisaient mettre à la porte pour un an, le temps de s'amender le tempérament. C'est ainsi que West devint, pour Amherst à coup sûr, et peut-être aussi pour l'ensemble du territoire américain, le premier Peut-mieux-faire patenté. Une performance qu'il ne devait pas oublier.

Entre tous ses souvenirs préférés, West plaçait bien haut ceux qui dataient du temps où il jouait avec son père dans le petit orchestre de la bourgade où ils vivaient alors, dans l'Illinois. A l'époque, West jouait du trombone; plus tard, il s'était mis à la guitare. Alors, expulsé d'Amherst, il avait passé son année d'excommunication en joueur de guitare impénitent. C'était dans le tout début des années soixante. A Cambridge, dans le Massachusetts, il avait joué dans des cafés. Il s'était introduit dans le monde de la chanson folk. Il avait fait la connaissance de plusieurs chanteurs, entre autres, qui n'allaient pas tarder à devenir célèbres. De retour à Amherst, l'année suivante, il ne parlait guère d'autre chose.

S'efforçant de définir les bouleversements sociaux dont il avait observé les premiers signes, West aimait à dire : « C'était une époque où l'on quittait Harvard pour devenir maçon. » Lui, il avait décidé de devenir ingénieur. Certains de ses amis s'en étonnèrent. Le seul mot d'*ingénieur* leur paraissait lugubre. Cela faisait partie des centres d'intérêt paternels, pas des leurs.

« Je crois que je voulais arriver à voir comment se déroulent les choses compliquées », devait analyser West des années plus tard. « Il me semble qu'une sorte de pouvoir, une impression de dominer les choses, dans un monde où pourtant la confusion règne, découle du simple fait de comprendre au moins comment sont agencées les machines. Même s'il n'est pas question de saisir par le menu leur moindre mécanisme, savoir comment sont agencées ces machines infernales... »

Un ancien camarade de classe à Amherst se souvenait de West comme « supérieurement doué – tout à fait hors concours – mais naïf en même temps ». Il rectifiait : « Non, pas exactement naïf, ce n'est pas ça; disons plutôt rêveur, romantique. Du genre à prendre ses rêves pour des réalités. »

En fait, West n'avait nullement l'intention de pratiquer de manière classique le métier d'ingénieur. Il espérait se trouver une petite place dans un programme spatial, et participer à l'élaboration de l'équipement électronique, monstrueux de complexité, qui enverrait l'homme dans la Lune. En autodidacte, vers la fin de ses études à Amherst, il s'était initié à l'électronique numérique. Malheureusement, après plus ample informé, il avait cru comprendre qu'en matière de programme spatial le plus intéressant avait déjà été fait. Alors, en désespoir de cause, il s'était débrouillé pour décrocher une place à la Smithsonian Institution.

Pour le compte de la Smithsonian, West avait construit, puis colporté de par le monde, pour les vendre à diverses stations de repérages de satellites, toute une gamme d'horloges numériques capables d'indiquer l'heure exacte. Un jour, en Colombie, dans une ville de frontière, les autorités avaient pris son horloge pour une nouvelle arme ultra-sophistiquée, et il s'était retrouvé sous les verrous. Il avait sillonné les océans, vu l'Afrique et l'Asie. Ces temps où il était ingénieur au long cours, quand West les évoquait, il vous les chargeait certes d'un fort parfum de romantisme. Après sept ans de cette vie-là, pourtant, il avait démissionné. Il était alors marié et père de famille.

Les anciens amis et connaissances que West avait rencontrés naguère, à Cambridge, étaient devenus pour certains célèbres et pour d'autres célèbres à demi. Sans se faire aucune illusion sur ses chances de singer leur succès, West s'était pourtant remis sérieusement à la guitare. Il s'était dit qu'il nourrirait sa petite famille à l'aide de quelque besogne alimentaire et pénarde. Il avait réfléchi, aussi, qu'il avait intérêt à trouver un emploi le mettant à l'abri de l'appel sous les drapeaux; c'était à la fin des années soixante, époque à laquelle certains politiciens rêvaient encore de trophées et de scalps du côté de la baie Cam Ranh. Deux ou trois autres ingénieurs de la même génération que West avaient, dans son équipe, exactement le même scénario à raconter : ils n'avaient échappé à la

213

guerre du Vietnam qu'en entrant au service de sociétés qui travaillaient pour cette même guerre.

Comme les emplois dans cette branche ne semblaient pas manquer, et comme de surcroît plusieurs entreprises venaient justement de s'implanter non loin de chez lui, au centre du Massachusetts, West avait décidé de devenir ingénieur informaticien. A la Smithsonian, il s'était exercé à la conception de circuits numériques – à la conception logique, comme on dit – mais il était dépourvu de toute qualification concernant les ordinateurs. Il avait fait ses études à une époque où les apprentis physiciens ne se séparaient pas de leur règle à calcul, et où bien peu d'établissements pouvaient offrir à leurs élèves l'accès à un ordinateur. Aussi West alla-t-il emprunter à la bibliothèque du coin tout son modeste rayon d'ouvrages traitant des ordinateurs. Il passa six semaines à les potasser, sur la terrasse derrière sa maison. Puis, quand il eut l'impression d'en avoir assimilé le jargon en quantité suffisante pour faire impression, il se hâta, sans perdre de temps, avant d'avoir tout oublié, d'aller se faire embaucher chez RCA.

Mais son plan ne tourna pas comme prévu. « Je m'étais dit qu'il me fallait un bête boulot. Mais les bêtes boulots, je m'en aperçus, ce n'est pas l'idéal. Vous rentrez chez vous, de toute façon, trop fatigué pour faire quoi que ce soit. » Il avait souvenir d'une sempiternelle succession de réunions, dont seules arrivaient à ressortir les décisions les plus ternes et les plus timorées. Il se revoyait jouant avec ses pouces pour faire passer le temps, sous le bord des tables de conférences, des heures et des heures durant. Vers la fin de la période passée chez RCA, pourtant, il avait eu à travailler sur un projet qui l'intéressait. Il avait même vu quelques brevets enregistrés à son nom. Il était devenu ce qu'il avait fait semblant d'être, un ingénieur informaticien; c'était alors, hélas, qu'ayant consacré une fortune à tenter de concurrencer IBM, et cela en pure perte, RCA avait décidé de renoncer aux ordinateurs. L'heure était revenue, pour West, d'aller chercher fortune ailleurs.

Non loin de là se tenait la Data General. West alla s'y présenter et fut soumis à l'entretien rituel. Un sourire sarcastique salua ses pièces justificatives, et on lui demanda ce qui lui permettait de se croire capable de construire des

214

ordinateurs; moyennant quoi il fut engagé tout de même. Au département Personnel, quelqu'un lui dit d'aller trouver Untel, chef d'une certaine équipe, et de voir quel était son problème, et c'est ainsi qu'en un tournemain West se retrouva au travail sur un projet d'ordinateur dernier cri, la toute première Éclipse.

West se souvenait fort bien du temps où il travaillait sur le prototype de cette machine. Presque tous les soirs, le président de la Data, Ed de Castro en personne, faisait son apparition au labo, en train de manger quelque confiserie. De Castro, l'homme à la voix douce, ne disait pas grand-chose. Il posait quelques questions, des questions qui semblaient à West particulièrement pénétrantes. Ces questions, et la simple présence de l'homme, confirmaient West toujours davantage dans l'impression qu'il avait : ce projet était de première importance.

Et puis, un soir, tout à trac, de Castro lui avait demandé, de sa voix égale : « Toujours pas réussi à le faire fonctionner, cet enfant de cochon? »

West avait été stupéfait, puis amusé, puis pour finir, sans pouvoir l'expliquer, il s'était senti stimulé. « Non, pas encore, mais j'y arriverai, vous pouvez me croire », s'était-il retenu de répondre à de Castro.

Pendant toute une période, au cours de la mise au point de la première Éclipse, West avait été malade tous les matins, à l'heure de partir pour le travail – des malaises psychosomatiques, peut-être. Mais quand le projet était enfin arrivé à terme, et que West avait pu voir, à l'usine, une longue file indienne d'Éclipse flambant neuves défiler sur bande transporteuse, il s'était senti envahi par une sorte de plaisir intense, « l'impression d'une quasi transformation chimique », disait-il. Et il n'avait plus rien désiré d'autre que de recommencer – en faisant encore mieux, c'est tout.

Aux yeux de Rosemarie, qui était observatrice, West semblait toujours en train de tirer des plans. Elle en arrivait à croire qu'il avait arrêté lui-même à peu près tout ce qui se passait au sein du groupe depuis le début du projet Eagle. Au fil des jours elle le voyait devenir de plus en plus maigre, comme si le travail et la nécessité de tout prévoir se combinaient pour le dévorer de l'intérieur. De temps à autre, elle allait jeter un coup d'œil dans son bureau. Il avait le regard fixé sur quelque papier et ne s'apercevait pas de sa présence dans l'embrasure de la porte. Elle le contemplait un moment. « Pourquoi fait-il ce travail-là? On le verrait bien mieux dans les grandes forêts du Nord, en train de faire du canoë, de pêcher le saumon, de goûter les joies de la nature sauvage. Il n'est pas chez lui, ici. »

Longtemps après, quand vint pour elle le temps de parler de lui au passé – « Flûte, il faut que j'en parle au passé, c'est dur à admettre » –, l'énigme des motivations de West la captivait toujours autant. La plupart des gens, raisonnait-elle, ne font leur boulot que parce qu'on leur a dit de le faire et que sinon ils risquent de se faire mettre à la porte. Mais West aurait très bien pu se passer d'aller chercher un projet comme Eagle et de se miner la santé dessus. Par-dessus le marché, de son point de vue, il semblait bien certain que la Data ne tenait pas du tout à voir ce projet mis en chantier. « Alors, bon sang, pourquoi le fait-il? » demandait-elle.

« Pourquoi je travaille? Parce que j'aime gagner. Il faut être réaliste : j'ai quelques actions dans cette maison. J'ai intérêt à l'aider à se maintenir à flot quelque temps... »

Quelqu'un avait un jour émis publiquement l'hypothèse que West avait voulu faire Eagle par masochisme pur et simple. West s'était tourmenté durant quelques nuits à l'idée que c'était peut-être vrai.

« Je suis ici à suer sang et eau, et c'est uniquement parce que je le veux bien. Il n'y aurait pas besoin de me payer beaucoup pour que je fasse ce travail, de toute façon », me dit-il un de ces soirs où il rongeait son frein, malade à la seule idée que la mise au point piétinait.

Plus tard, il devait dire encore : « J'essaie de me convaincre de démissionner. »

Et encore : « Il n'y en a pas beaucoup, ici, qui accepteraient de reconnaître qu'ils sont en fait dans les affaires. » Ou, précisant sa pensée : « Ce qui rend tout ça possible, c'est qu'on peut faire ce truc, irriguer le tiroir-caisse, sans pour autant épouser sans réserve le système capitaliste... »

« Tout ça n'est possible que grâce à nos petits gars. »

Quand il évoquait ce qui le poussait à vouloir construire

Eagle, West utilisait les mêmes mots que pour tenter de convaincre l'un de ses lieutenants à s'engager. Il avouait le vœu d'entendre quelqu'un lui expliquer enfin ses propres motivations. Je l'entendis remarquer un jour : « de Castro sait ce qui me fait courir. » Et il avait ajouté, le sourire en biais : « L'animal. »

Il disait encore : « Ici, personne ne tapote sur le dos de personne. Heureusement. Si de Castro y allait de petites tapes dans le dos, je crois que je ficherais le camp. »

J'eus l'occasion de faire avec West un petit voyage à New York. Après quelques emplettes dans une alimentation, il nous fallut passer un certain temps à la caisse, celle-ci étant équipée de l'un de ces dispositifs de lecture automatique du prix des articles, relié à un système informatique, lequel malheureusement ne fonctionnait pas très bien. West tomba à quatre pattes pour mettre le nez sous le comptoir et jeter un coup d'œil à la chose.

La bouche de la caissière s'arrondit de stupeur.

Quand West se releva, s'époussetant les mains, il expliqua qu'il avait participé à la conception de ce modèle précis, du temps où il travaillait chez RCA. « Une jolie saleté », conclut-il avec un grand sourire.

L'employée eut quelque peine à déterminer pour combien nous achetions de bière, et West me fit remarquer, à la sortie, quand il fut certain qu'elle ne pouvait plus nous entendre : « Mmmmmmouais, voilà ce qu'on finit par obtenir, avec ce genre de machines : des gens tellement bouchés qu'ils ne savent même plus calculer combien de packs de six bouteilles il y a dans une caisse de bière. »

West n'avait que mépris pour les montres digitales. Quiconque commettait l'erreur de proclamer devant lui, après avoir consulté pareille pièce d'horlogerie, « Il est exactement... » s'exposait à entendre ses sarcasmes : comment pouvait-on être assez niais pour croire qu'une montre sans aiguilles était forcément plus exacte qu'une montre à aiguilles?

Il nourrissait des soupçons à l'égard de ceux qui avaient leur propre ordinateur et qui jouaient avec, après avoir travaillé sur des ordinateurs toute la sainte journée. Dans son bureau, tellement bien rangé qu'il en paraissait nu, l'unique classeur de rangement semblait bien être sa corbeille à papier, et s'il lui arriva certes de se brancher parfois un terminal d'ordinateur, au cours du projet Eagle, l'engin ne resta jamais bien longtemps à demeure. Il lui tardait toujours de voir disparaître cet objet au plus vite – du moins était-ce l'impression qu'il donnait à Rasala. Rasala trouvait ce détail amusant, mais assez surprenant aussi : comment diable pouvait faire West pour se passer de l'accès quotidien à l'ordinateur?

Bien peu de fruits de l'ère du transistor semblaient trouver grâce aux yeux de West. Des machines qu'il avait contribué à construire, il disait : « Si vous commencez à vous intéresser à la dernière, c'en est fait de vous. » Mais il allait plus loin : « Ces vieux trucs, je ne peux pas les voir en peinture. Ce qu'ils peuvent être mal ficelés! J'ai peine à croire que nous ayons pu être balourds à ce point. » Il évoquait avec quelle rapidité un ordinateur devient un modèle dépassé. « Dire qu'il faut tout ce temps pour concevoir un engin, alors qu'il ne sera dans la course que pour deux ans, qu'il a l'espérance de vie d'une machine à laver!... » Il disait encore : « J'en ai vu trop, de ces machines. » Un soir d'hiver, chez lui, tisonnant le feu dans la cheminée, il marmotta : « Les ordinateurs sont à côté de la plaque. »

En construire, pourtant, l'intéressait toujours, et plus encore en faire sortir sur le marché.

En dehors du groupe, mais toujours au sous-sol du bâtiment 14 A/B, travaillait un ingénieur du nom de Dave Bernstein, unanimement tenu pour un très brillant concepteur de circuits. Malgré ses vingt-sept ans, Bernstein était déjà en charge du groupe travaillant à la conception de micro-ordinateurs. Ancien combattant des projets FHP et EGO, victime de leur inachèvement, Bernstein brûlait du désir de mener quelque chose à bien. Aussi avait-il entrepris, cet hiver-là, de bâtir entièrement seul un nouveau microprocesseur. Et un samedi matin, la toute dernière imperfection de l'engin venant de céder à son obstination, Bernstein lança soudain un hurlement sauvage, un cri de joie pure, un véritable hululement de triomphe qui se répercutait à tous les échos des couloirs déserts.

West connaissait bien cette exultation intense, cette joie qui vous vient d'avoir su maîtriser une machine – qu'il s'agît de la construire ou de la réparer. Ma femme mentionna un jour devant West que le tourne-disques de notre fils était tombé en panne. « Où est-il? que je l'emporte chez moi! » s'était immédiatement écrié West. Et il avait ajouté, avec une sorte d'éclair dans les yeux qui avait un peu inquiété ma femme : « Je peux réparer n'importe quoi. » Et le fait est que la nature de l'objet lui importait peu, moteur d'automobile ou ordinateur. Mais comme les ordinateurs se situaient parmi les plus complexes créations de l'homme, il lui avait toujours paru, disait-il, que c'était là un monde aux passionnants défis. Eagle, sous cet angle-là, était particulièrement remarquable.

Dans son bureau, par un après-midi relativement serein, West me dit qu'il venait d'apprendre qu'IBM avait rejeté l'avant-projet d'un nouveau modèle, parce que l'engin s'annonçait si compliqué qu'il faudrait plus de toute une vie à un ingénieur pour l'appréhender en totalité. « Je ne comprends pas pourquoi ils ne l'ont pas construit tout de même, pour voir », disait West. La complexité d'Eagle, bien que sans nulle comparaison avec celle de l'engin en question, était déjà bien assez grande pour défier l'approche individuelle. « J'avais toujours rêvé de faire quelque chose comme ça, disait West, toujours rêvé de construire quelque chose qui me dépasse.

« Pour ceux qui envoient volontiers balader les valeurs établies (et dont je fais partie), il y a là-dedans quelque chose de terriblement attirant, disait-il à propos du projet Eagle. Un certain sentiment de risque, l'impression de relever un défi, de chercher à repérer les limites, à déterminer jusqu'où on peut aller, et tout cela à l'intérieur d'un scénario parfaitement justifiable. L'idéal pour des types du genre de ceux qui escaladent des montagnes. » Deux ou trois ingénieurs du groupe venaient précisément de se convertir à l'escalade et à ses joies périlleuses. Peut-être West songeait-il à eux en proposant cette comparaison, mais à la manière dont il en parlait il faisait plutôt songer à l'assaut de l'Everest.

Sur le mur de son bureau, juste à côté de son siège et un peu plus haut que sa tête, s'étalaient les portraits de quelques-unes de ces machines dépassées qu'il affirmait ne plus pouvoir supporter en peinture. Étaient-ils là pour le réconforter, ou pour lui taper sur les nerfs et lui conserver ainsi son tonus? « Tout le monde semble admettre le principe que, puisque ceux-là ont marché, le prochain marchera aussi », expliqua-t-il en roulant un crayon entre ses doigts. Certes, mais l'existence d'une série de réussites antérieures ne pouvait-elle présager, aussi, l'imminence d'un échec? « Il faut être réaliste, dit-il avec un petit sourire. De temps à autre, il est inévitable de perdre. »

J'étais couché, certain soir, dans la chambre d'amis des West. L'heure était fort avancée, et Mme West et ses deux filles étaient parties se coucher depuis longtemps. Aux confins du premier sommeil, j'entendis West, dans la salle de séjour, sortir sa guitare et se mettre à chanter. Il semblait manquer de pratique, mais sa voix (une voix de ténor) était fort agréable. Il ne chantait pas ce genre de chansons que je lui avais entendu jouer d'ordinaire avec ses amis, lors de leurs concerts improvisés, mais de ces ballades folkloriques naguère très en vogue, comme *The Banks of the O-hi-o...* Ce sont là des airs au charme ensorcelant. Prêtez-leur l'oreille un moment, et vous serez bientôt prêt à croire que les chemins de la vie s'offrent à vous, riches de mille possibilités.

10. LE CAS DE L'INDISPENSABLE PORTE NAND [1]

Un jour de cette fin d'avril, après que la première date limite fut arrivée à échéance et laissée en arrière, Ed Rasala, assis dans sa cellule, inspectait son troisième plan d'exécution, revu et corrigé. Le long du couloir, devant sa porte ouverte, vint à passer Dave Epstein, l'un des meilleurs Intrépides, un garçon dont la mine malicieuse, un sourire plein d'humour qui lui dévore pratiquement les yeux, suffit à dérider autrui. Epstein portait à bout de bras une carte à connexions enroulées. Il la tenait des deux mains, comme un plateau, la face hérissée de fils dirigée vers le haut. L'objet avait une allure de cauchemar, la vivante image d'un *kludge*. Car la platée de spaghetti enchevêtrés sur la plaque ne suffisait pas à l'horreur de la chose : il en sortait en outre, saugrenus, trois petits bouts de fil raides, rattachés à rien, emmaillotés seulement, à leur extrémité libre, d'un bout de chatterton qui en faisait de petits drapeaux.

Rasala releva les yeux, vit passer Epstein et son chargement, ferma les yeux une seconde, secoua la tête et rouvrit les yeux. « Hé là! » lança-t-il.

Epstein s'arrêta. Il passa sa tête par la porte, puis, avec un immense sourire, fit mine d'offrir à Rasala son épouvantable plaque.

Rasala posa ses mains sur son bureau et s'enfouit le visage dedans.

---

1. En bon français, la porte NAND devrait s'appeler la porte NON-ET. Mais pour des raisons d'euphonie (ou de facilité?) la plupart des informaticiens ont adopté NAND. (*N.d.l.T.*)

Ce n'était qu'un jour comme les autres, au quartier général de la mise au point.

En théorie, il devrait être possible de tester à fond un ordinateur comme Eagle, mais cela demanderait littéralement une éternité. Les vétérans du groupe Éclipse affirmaient qu'il est exclu, la plupart du temps, d'éliminer absolument toutes les imperfections d'un ordinateur. En règle générale, d'après eux, une fois la machine parvenue à un certain stade de mise au point, on la fabrique en série et on la lance sur le marché; sa première année dans le grand public révèle un certain nombre de ses imperfections – souvent minimes, mais parfois graves – et il leur est porté remède au fur et à mesure de leur apparition. Par la suite, au fil des années, le nombre des imperfections décroît constamment; malgré tout, même s'il peut s'écouler des années sans qu'ait lieu la moindre défaillance, il est fort probable que la machine conserve quelques imperfections secrètes; mais ce sont alors des faiblesses si bénignes, et susceptibles de n'apparaître que dans des circonstances si particulières qu'il se peut fort bien qu'on ne les décèle jamais : car la machine a toutes les chances de se trouver techniquement dépassée, ou de tomber en panne à jamais pour cause de poussière dans ses circuits intégrés, avant que ne se révèlent ces dernières imperfections. Il n'en demeure pas moins que les défauts les plus criants d'une machine doivent absolument être dépistés au niveau du laboratoire, qu'il s'agisse d'une faille de logique ou de simples déficiences que l'on pourrait juger de moindre gravité. Les ordinateurs modernes sont un matériel remarquablement fiable, et c'est là une nécessité. Un ordinateur du type d'Eagle accomplit un cycle de travail tous les deux cent vingt milliardièmes de secondes. S'il avait tendance à divaguer ne serait-ce que tous les millions de cycles, ce serait vraiment un engin peu digne de confiance.

Pour commencer, le groupe Éclipse avait travaillé sur Eagle carte par carte, en essayant de rendre l'engin fonctionnel sous ses aspects les plus classiques. Le travail avait pris des mois, et aurait pu exiger bien plus de temps encore si Alsing et Rasala n'avaient fini par convaincre West qu'il leur fallait des microprogrammes de diagnostic. Ils avaient alors pu passer à du travail de diagnostic de haut niveau, et le travail s'en était pimenté pour de bon.

Selon la théorie du groupe Éclipse, la démarche à suivre n'était pas de tenter de prouver, par une analyse exhaustive, que votre machine était d'une logique parfaite jusque dans ses moindres détails. Mieux valait plutôt la faire tourner au maximum, et remédier à ce qui clochait. En d'autres termes, votre analyse exhaustive, elle vous serait fournie par le passage renouvelé d'une quantité de programmes de diagnostic évolués. C'est dire si ces programmes étaient d'une importance capitale. Il leur fallait sans relâche soumettre Eagle à des épreuves intensives. Ils devaient pouvoir le harceler avec une malignité subtile, sans lui faire de cadeau − et ne comporter eux-mêmes aucune source d'erreur.

Une longue kyrielle de ces programmes avait été élaborée au fil des années pour la mise au point des Éclipse à 16 bits. Les premiers de cette liste étaient d'une relative simplicité. Leur difficulté pour la machine allait croissant. Eagle devait venir à bout de tous, moyennant quoi ses inventeurs pourraient affirmer tenir là déjà l'équivalent d'une authentique Éclipse à 16 bits. Mais on attendait de lui davantage : il lui resterait à prouver qu'il pourrait être un Eagle à 32 bits, et les programmes de diagnostic tendant à cette démonstration n'existaient évidemment pas à l'avance. Rasala s'en était inquiété. « West a déclenché le branlebas de combat dans toute la maison, disait-il. On est en train de fabriquer les cartes de circuits imprimés. Seulement, s'il y a un défaut dans la conception d'Eagle, moi je veux le découvrir tout de suite, pour pouvoir limiter les dégâts. » Rasala réclamait donc des programmes de diagnostic pour machine à 32 bits. Il les lui fallait impitoyables, complets... et disponibles sur-le-champ. Mais le groupe chargé de les lui fournir ne les produisait qu'avec une extrême lenteur. Rasala ouvrit le feu avec le département Diagnostics. L'angoisse le rendait furieux. Il mena grand tapage et brandit la menace, mais rien ne parut produire beaucoup d'effet. Les programmes de diagnostic ne furent disponibles qu'au compte-gouttes.

Dans les premiers temps de la mise au point, les fils enchevêtrés sur le dos des plaques avaient été tous bleus. Ils se faisaient maintenant troquer, tour à tour, contre des fils rouges. Le dos des cartes à connexions enroulées devenait de plus en plus rouge. Lentement, non sans peine, Eagle devenait une Éclipse.

De temps à autre, quelqu'un repérait un problème, lui apportait une solution provisoire, et allait de l'avant. Son intention était d'y revenir, et d'effectuer une réparation en bonne et due forme, mais il pouvait lui arriver de n'y plus penser, et dans ce cas, des semaines plus tard, reparaissait une mystérieuse source d'ennuis. Pareil scénario était inévitable, mais c'était une cause de perte de temps. Tout au long de l'hiver, les cartes à connexions enroulées avaient tenu le coup, mais quand vint le mois d'avril, elles commencèrent à donner des signes de fatigue : constamment manipulées, certaines des connexions n'étaient plus guères dignes de confiance. Des fils ou des encapsulages de puces se détachaient de temps à autre, donnant naissance à des défaillances saugrenues. Le tout se produisant de manière erratique, le diagnostic n'en était que plus malaisé. Comme on aimait à le dire au laboratoire : « C'est dur de réparer quelque chose qui a l'air de marcher ! » De loin en loin, aussi, une puce défectueuse leur mettait des bâtons dans les roues. « Juste le genre de choses dont on oublie de tenir compte quand on établit un calendrier de travail », disait Rasala. « On compte que ça n'arrivera pas, or cela se produit toujours. »

Pour couronner le tout, les ingénieurs du groupe Éclipse découvraient une profusion de défauts dans la logique de la machine telle qu'ils l'avaient conçue. « On est partis sur une structure logique imparfaite, disait Rasala. On s'en doutait qu'on fonçait un peu trop. » Le résultat, c'était que son calendrier d'exécution demandait sans cesse à être revu, chaque échéance tour à tour repoussée, une fois, deux fois, trois fois... « Le seul moyen de ne pas être en retard sur ses prévisions, disait-il, c'est tout simplement de modifier lesdites prévisions. » Jusque-là, pourtant, West pouvait encore dire, comme il le faisait invariablement quand on lui demandait des nouvelles de la machine : « Rien d'irréparable encore. » Rasala préférait rassurer : « Ça vient, ça vient. » A quoi il ajoutait, le plus souvent : « Il nous reste encore une bonne chance de l'avoir grillée. »

Durant des mois, ce qui l'avait tracassé n'était pas un problème particulier, mais plutôt, au jour le jour, ce qu'apportait avec lui le dernier programme de diagnostic en cours. Pourtant il m'avait dit un jour, au tout début du projet : « Je crois qu'il y a dans toute machine un point focal à surveiller. » Et en effet, au mois de mai, ce point faible s'était révélé, au moins en ce qui le concernait. Il s'agissait de cet organe d'Eagle appelé le processeur d'instructions. Peut-être était-ce cela, finalement, le loup-garou.

West avait participé à la mise au point de la première Éclipse (et de quelques-uns des modèles suivants) en se servant d'un oscilloscope pour scruter les entrailles de la machine. « Un oscilloscope? s'écriait à présent Jim Veres, l'un des Intrépides. C'est bien ce dont se servaient les hommes des cavernes quand leur feu avait des problè-mes? » Les Intrépides disposaient en effet d'outils beau-coup mieux affûtés pour mettre au point leur ordinateur – d'autres ordinateurs essentiellement, d'ailleurs. « Vous autres, leur disait Rasala, vous ne pouvez pas savoir combien c'était plus drôle avant ». Mais la réalité, c'est qu'il aurait été probablement hors de question de cons-truire un ordinateur de la classe d'Eagle sans l'aide de plusieurs ordinateurs en état de marche, et particulière-ment sans l'aide des analyseurs logiques.

Un point capital différenciait Eagle de ses prédéces-seurs : il était équipé de ce que l'on appelle des accéléra-teurs. Ces dispositifs nouveaux étaient avant tout la mémoire cache et le processeur d'instructions, tous deux prévus pour éliminer le goulot d'étranglement observé jusqu'alors entre la machine et sa mémoire. Imaginez un programme comme une liste d'instructions en langage assembleur, et de données auxquelles appliquer les ins-tructions. Un ordinateur dépourvu d'accélérateur parcourt cette liste de manière très heurtée. Il lui faut exécuter telle instruction, puis aller chercher dans sa mémoire ou dans un élément de stockage périphérique l'instruction suivan-te, la rapporter, déterminer ce qu'elle réclame, et finale-ment l'exécuter. Il peut être beaucoup plus long pour lui d'aller chercher une instruction et d'en préparer l'exécu-tion que de l'exécuter effectivement. De sorte que s'il y a moyen de mener de front les deux opérations la rapidité de l'ordinateur en est grandement améliorée.

De là était née, approximativement, l'idée d'un processeur d'instructions. Au moment même où il indique à l'ordinateur quelle instruction exécuter à l'instant, il est déjà en train de supputer, si l'on peut dire, quelles vont être les prochaines instructions du programme. A n'importe quel instant donné, le processeur d'instructions dispose d'une instruction en cours d'exécution, d'une instruction décodée et prête à l'exécution, d'une instruction en train de se faire décoder et préparer, et enfin d'une ou plusieurs instructions qu'il est allé rechercher dans une mémoire et qui vont subir ces divers traitements à leur tour. Le processeur n'a pour sa part qu'un assez petit espace de mémoire, dans lequel il range les instructions qui vont vraisemblablement devoir servir, ainsi que celles qui viennent juste d'être exécutées. Les programmes d'ordinateur ont tendance à se répéter, à « faire des boucles » comme on dit. Dans le meilleur des cas, lorsqu'un programme fait une boucle, le processeur d'instructions dispose déjà des prochaines instructions dans son petit système de stockage; si bien qu'il n'a pas besoin d'aller les chercher, d'où une économie de temps. Le processeur d'instructions est un dispositif complexe.

L'autre accélérateur essentiel, la mémoire cache, a lui aussi pour rôle de faire des suppositions sur ce que l'ordinateur va devoir faire ensuite. Il est doté d'un espace de stockage considérablement plus généreux que celui du processeur d'instructions; comme celui du processeur d'instructions, cet espace de stockage est fait de coûteuses puces de mémoire, au fonctionnement ultra-rapide. Entre autres missions, il s'efforce de conserver pour un usage immédiat les instructions et les données le plus couramment utilisées, de sorte que si le processeur d'instructions ne dispose pas de l'information nécessaire pour lancer l'étape suivante dans le programme en cours d'exécution, il pourra l'obtenir rapidement auprès de la cache de système. En pareil cas, si la cache de système possède effectivement l'information demandée, un temps précieux est gagné : il faudrait beaucoup plus de temps à la mémoire cache pour aller rechercher l'information nécessaire dans la mémoire centrale afin de la passer au processeur d'instructions, parce que les puces de la mémoire centrale n'opèrent que relativement lentement et qu'il y a là des quantités d'instructions et de données à inventorier quand on y cherche quelque chose.

226

Les accélérateurs sont une invention bien connue et particulièrement astucieuse pour gagner un temps considérable, et l'investissement en matériel qu'ils représentent est largement justifié si l'on exige d'abord d'une machine qu'elle exécute le travail rapidement. Du point de vue de ceux qui peinent sur la mise au point des engins, pourtant, les accélérateurs sont une invention du diable, non parce qu'ils soulèvent des quantités de problèmes, mais parce que ceux qu'ils soulèvent sont corsés. Qu'ils se contredisent entre eux, par exemple, et l'ordinateur est dans un beau pétrin.

Pour vous faire une idée de la mémoire d'Eagle, imaginez une sorte d'entonnoir. A l'endroit le plus étroit se trouvent l'espace de stockage du processeur d'instructions et quelques autres espaces de rangement situés ailleurs dans la machine. La cache de système est déjà un rangement plus spacieux, et les cartes de la mémoire centrale correspondent à l'endroit le plus large, la bouche de l'entonnoir. La mémoire centrale contient une masse énorme d'instructions et de données, y compris une copie exacte de tout ce qui se trouve dans la mémoire cache et dans le processeur d'instructions. *Copie exacte*, le terme est crucial.

Les accélérateurs sont perpétuellement en train de rejeter des blocs d'information et d'en absorber de nouveaux, tout en procédant à leurs suppositions selon des règles définies à l'avance et remarquablement ingénieuses. Il leur faut donc se livrer à un certain nombre d'opérations d'intendance pour s'assurer qu'ils ne sont pas en contradiction avec la mémoire centrale ou l'un avec l'autre. Si, par exemple, un bloc d'instructions donné se trouve en même temps dans les deux accélérateurs, tous deux doivent à l'évidence posséder le même exemplaire de ce bloc.

Mais supposons que la cache de système est en train de changer le contenu de son espace de rangement, et que, juste à ce moment, juste quand il ne le fallait pas, quelque événement électronique survient, de la manière la plus inattendue. Supposons encore que cet événement électronique provoque chez l'un ou l'autre des accélérateurs un certain désordre dans sa manière de faire le ménage. Et supposons enfin que ce désordre a pour résultat que le processeur d'instructions contient à présent un bloc d'instructions qui semble être le même, mais qui est en fait légèrement différent de celui que contient la mémoire cache. Tout est désormais en place pour que la machine se mette à déraisonner. Elle recèle une bombe à retardement. Le processeur d'instructions va en effet ordonner au reste de l'engin d'exécuter une instruction défectueuse, et cela tôt ou tard. Le plus souvent, malheureusement, ce sera tard, et c'est bien là le hic. La machine va dérailler au milieu d'un programme de diagnostic, les ingénieurs vont brancher là-dessus leurs analyseurs logiques et obtenir en réponse des images de la catastrophe, mais rien qui puisse leur en souffler la cause. Car le vrai problème, la bombe à retardement, s'est introduit dans le système voilà déjà un certain temps, lors d'un autre détour de cette route sinueuse qu'est un programme de diagnostic.

De tous les problèmes qu'il leur fallait affronter ce printemps, ceux-là étaient bien de la pire espèce.

Aux premières heures du jour, en ce matin de la mi-mai, le sergent-chef de cette brigade de détectives que sont les Intrépides, Ken Holberger, fait obliquer sa Saab brune en direction de la forteresse de briques rouges qui abrite la Data General. Journée nuageuse et légèrement embrumée. Holberger remarque, cependant, qu'une sorte de soleil étouffé vient frapper le haut de son pare-brise. Il y a déjà un certain temps, il s'en souvient – ce devait être dans les débuts de la mise au point d'Eagle –, quand il arrivait au travail, c'était l'obscurité totale, et l'obscurité totale encore quand il en repartait. Cette lente progression du soleil du matin, jour après jour, derrière son pare-brise, c'est à peu près tout ce qui rattache Holberger au temps extérieur, à l'heure de la planète. Pour ce qui est des événements du reste du monde – les guerres, les famines et les concerts de rock –, il est quelque peu déphasé. Quand il rentre chez lui, après s'être acharné toute la journée sur un problème coriace, et qu'il s'assied dans un fauteuil, un journal à la main, il n'est même plus capable de lire. Il fixe la première page d'un regard hébété.

La plupart des membres du groupe travaillent trop dur, désormais. C'est à peu près à cette époque que l'un des Intrépides va raconter à sa femme que la Data General fournit à ses employés de quoi payer une pension alimentaire en cas de divorce, au même titre qu'une assistance médicale en cas de maladie. Et le plus drôle, c'est qu'elle le croit. « Nous sommes jusqu'au cou dans la mise au point, dit Holberger. Ouais. Et même complètement submergés. Du travail souterrain, un univers *underground*. La ville rasée... »

Holberger porte une petite barbe noire soigneusement taillée. Par ses gestes habituels, par la façon dont il parcourt les couloirs, par le mouvement de sa bouche quand il s'apprête à prendre la parole, Holberger donne l'impression d'incarner l'affirmation, un peu comme West, moins les angles aigus. Holberger semble être de ceux à qui tout vient sans difficulté. On se sent prêt à parier que même s'il le voulait il n'arriverait pas à prendre un air négligé. Ce n'est pas sur lui que vous verriez dépasser de la poche de poitrine cette petite trousse de plastique à ranger le stylo, pas plus que vous n'auriez des chances de le retrouver traînant ses basques au sous-sol après le travail, pour une partie d'Adventure ou pour discuter machines. Il avoue ne jamais perdre son temps à réfléchir à ce que les usagers peuvent bien faire de leurs ordinateurs. « Je crois que j'ai là un petit quelque chose qui me manque, la notion des applications possibles, mais ce n'est pas grave, reconnaît-il avec un sourire léger. Nous proclamons que l'objectif essentiel est de construire une machine capable de passer un test de fiabilité à multiprogrammes. Mais si je comprends bien, les gens qui achètent des ordinateurs s'en servent pour passer d'autres programmes, du genre Adventure ou Guerre des Étoiles ou autres inventions dans le même goût. »

Il y a environ trois ans que Holberger est entré à la Data, et il a eu tôt fait d'accéder à une position importante, puisqu'il détient déjà, sous les ordres immédiats de Rasala, la responsabilité de tout ce qui concerne la machine elle-même dans ce projet de première importance. Il est d'ailleurs là l'homme de la situation : de l'avis unanime, il est probablement le seul, au sein du groupe, à pouvoir se vanter d'avoir de la machine, sinon une vision complète, au moins ce qui s'en approche le plus.

Holberger et Rasala s'entendent fort bien. Rasala semble éprouver à l'égard de Holberger une sorte d'affection admirative de frère aîné envers son cadet. « Il a l'esprit joliment vif », dit-il de Holberger. Les seuls reproches qu'il trouve à lui faire n'ont rien à voir avec ses capacités : simplement, Holberger a parfois tendance à faire les choses un peu vite, et il lui arrive de pécher par étourderie.

Et puis, il y a le problème du style adopté par Holberger au labo, et Rasala dans l'affaire est prêt à s'en attribuer une bonne part de responsabilité. Holberger est un dur, il est tenu pour l'un des types les plus coriaces de tout le sous-sol. C'est le résultat, en partie, d'un certain surmenage et de la surtension qui l'accompagne. Holberger dit lui-même que quand il entend ses idées bourdonner dans sa tête sous l'effet de la caféine il sait qu'il risque d'être on ne peut plus cassant. Il remarque également qu'il est bien rare qu'il apporte chez lui son désir d'en découdre : en règle générale, il se décharge les nerfs sur place, au travail; et quand il est vraiment trop furieux, il déverse toute sa mauvaise humeur sur Rasala, parce qu'il sait que c'est sans danger. Il refuse de perdre son temps à écouter, par pure politesse, ceux dont il ne voit pas où ils veulent en venir. S'il travaille sur un problème avec plusieurs ingénieurs et qu'il a l'impression qu'ils sont trop nombreux pour faire du bon travail, il ne se gênera pas pour ignorer purement et simplement ce que certains d'entre eux ont à dire, jusqu'à ce que pour finir, furieux, ils se retirent. D'après le jargon local, il n'est rien de moins qu'un « tueur », un de ceux qui « tirent de la hanche ». Dans les rapports avec ses égaux, il a adopté la même politique que Rasala, qui lui-même la tenait de West : si vous n'arrivez pas à obtenir ce que vous voulez d'un collègue de votre niveau mais d'un autre département, allez donc trouver son chef – c'est le seul moyen de faire avancer les choses. Tous trois, d'ailleurs, West, Rasala et Holberger, ont adopté la même attitude d'ensemble à l'égard du travail : « Ce qui compte, dit Holberger, ce n'est pas la peine que vous vous donnez à faire un boulot; c'est le résultat, c'est de savoir si ça marche ou pas. »

Tout comme Rasala, il arrive à Holberger d'éprouver des remords de jouer ainsi les durs de durs. Il avoue être souvent le premier navré quand il vient d'envoyer paître quelqu'un ou de dire son fait un peu sec à un malheureux

230

Intrépide; et il s'efforce méthodiquement de cultiver la diplomatie. Par exemple, il dit à présent : « Voyons, voyons, je m'y perds un peu », quand il serait tenté de dire : « Vous vous êtes plantés, les gars! »

Holberger est marié, mais n'a pas encore d'enfant. Il reconnaît qu'il dispose de plus d'argent qu'il n'en aurait besoin. Il a également reçu un petit paquet d'actions de la société. L'octroi de valeurs mobilières, fait-il observer, jette du flou sur les questions de salaire. « La Data General transforme les gens en capitalistes. » Cependant Holberger apprécie l'esprit de l'endroit. Les jeans, la tenue décontractée de West, tout cela lui rappelle, dit-il, qu'« ici ce n'est pas IBM ». Il apprécie encore de n'avoir pas à manipuler une horloge pointeuse. Sans se cacher pour autant que la libéralité apparente de la firme en matière d'horaires ne relève pas de la philanthropie. « Ils aiment autant que nous ne sachions pas nous-mêmes combien d'heures par jour nous trimons », dit Holberger de ses patrons. « Sans quoi, ils seraient obligés de nous payer fichtrement plus... Cela dit, ce n'est pas tellement pour l'argent que je travaille. »

Depuis deux ans, il participe à des projets caractérisés par un petit parfum de crise. Il a travaillé avec Rasala sur le M/600, avant de passer à Eagle directement. Il répète à qui veut l'entendre, ces derniers temps, que c'est la dernière fois qu'il danse ainsi sur la corde raide, mais il lui arrive aussi de dire qu'il ne sait pas trop si ce sera vrai. « Il faut avouer qu'un travail comme ça c'est passionnant et très stimulant, reconnaît-il. Il s'y attache... comment dire? pas mal de prestige, je crois. Peut-être qu'au fond j'aime bien faire les choses dont je dis que j'ai horreur. Ce qui est sûr, c'est que ça vous use. Je ne sais pas. Peut-être que je n'aime pas ça. Mais les boulots de ce genre ne courent pas les rues. Chez les concurrents, sauf erreur, on ne laisse pas des types qui n'ont pas plus d'expérience que nous travailler sur des manips de cette importance-là. » Là-dessus il conclut, avec un sourire en coin : « Évidemment, c'est comme ça que la Data s'offre de la main-d'œuvre à bas prix. » Holberger a remarqué, aussi, que pratiquement pas un des ingénieurs qui travaillent, au sous-sol, à la conception d'unités centrales n'est âgé de plus de trente-cinq ans. Qu'advient-il donc des ingénieurs plus âgés? Holberger quant à lui vient d'atteindre trente-six ans, et même s'il ne se sent pas précisément un pied dans la tombe il aimerait bien savoir ce que devient un informaticien, « après »... Mais peut-être, dit-il, des efforts comme ceux qu'ils doivent fournir en ce moment ne sont-ils permis qu'à des êtres très jeunes?

« Un peu comme pour la guerre? dis-je.

– Ouais, c'est tout à fait ça! » répond-il en riant. »

Son père était déjà ingénieur, ce que sont aussi trois de ses quatre frères. Il a fréquenté Clarkson et décroché une maîtrise à l'université de l'Illinois, cette Jérusalem de l'informatique, à une époque où elle était l'une des rares universités au monde à pouvoir offrir à ses étudiants la chance de travailler directement sur du matériel informatique. Il avait déjà, dès le secondaire, pas mal tripoté une vieille machine IBM, et démonté des quantités de choses pratiquement depuis l'âge du berceau. C'est d'ailleurs là une activité à laquelle il s'adonne encore : récemment, s'étant acheté une montre digitale, il n'a rien eu de plus pressé que de la mettre en pièces. Idem pour sa nouvelle calculatrice programmable. « Ajoutons que ce que je démonte, d'ordinaire, je le remonte », précise-t-il.

Diverses parties essentielles d'Eagle sont avant tout de son invention. Il a longuement débattu avec Wallach du plan selon lequel serait mis en œuvre le système d'orga-nisation de la mémoire d'Eagle, au cours de nombreuses séances, aussi sonores qu'interminables. « Il sait s'y pren-dre, avec Wallach », remarque Rasala, fier de son émule, et conscient de ce qu'il s'en serait probablement moins bien tiré lui-même. C'est encore Holberger qui a conçu le plus gros du processeur d'instructions. Il regrette simplement de ne pas l'avoir fait deux ans plus tôt, auquel cas Eagle aurait été une machine en avance sur son temps, et non un simple représentant de ce qui se fait de mieux actuelle-ment. Pourtant il lui semble que ses collègues et lui ont pris pour cet engin quelques options originales. « Bien sûr, il y avait déjà dans l'air quelques idées générales, mais pour notre version à nous du processeur d'instructions, en toute modestie, je me suis contenté de prendre quelques vagues descriptifs et puis j'ai cogité là-dessus à ma façon. » De fait, il a abouti à un processeur d'instructions nettement plus rapide que ceux dont il était question dans ces descriptifs.

Quant à la question de savoir si celui-là fonctionnera bien, elle ne le tracasse pas beaucoup. Pour lui, l'ensemble de la machine est une sorte de jeu de mots croisés géants qu'ils se sont donné à eux-mêmes, lui et les autres concepteurs du projet, et il leur appartient maintenant de le résoudre. « Je crois que je suis en train de faire des progrès à ce petit jeu, dit-il. Pour tirer un problème au demi-jour, je m'en sors assez bien. »

Non sans regret, Holberger tourne le dos au soleil du matin et pénètre d'un pas décidé dans le sous-sol du bâtiment – encore presque désert en cette heure matinale. En entrant au labo, il y trouve comme prévu Jim Veres, en tête à tête avec Gollum. Et il se remet lui-même directement au travail.

La nuit dernière, selon ses instructions, Coke et Gollum ont tous les deux été laissés au travail, avec pour consigne d'exécuter le programme de diagnostic intitulé « Éclipse 21 ». Quelques semaines plus tôt, on leur a déjà fourni ce programme, et les deux machines ont sporadiquement échoué à le mener à bien. Ils n'ont pas étudié de près la nature de ces défaillances. Ils ont décidé que ce devait être une de ces sources d'erreurs farfelues – sans doute une connexion qui lâche, ou peut-être un excès de « bruit » – et ils sont passés aux programmes suivants. Mais maintenant, les machines ont subi avec succès l'épreuve de tous les programmes de diagnostic élémentaires d'Éclipse, à l'exception de cet Éclipse 21. L'heure est donc arrivée d'y revenir et de tirer l'affaire au clair, quelle que soit la source de ces ennuis, bruit ou connexion fatiguée.

L'une des caractéristiques des programmes de diagnostic est d'être extrêmement répétitifs. Chaque test est constitué d'un certain nombre de sous-tests, dont chacun comprend lui-même des douzaines d'instructions – additions, soustractions, renvois sur séquence, boucles, etc. Le programme fait effectuer par la machine chacun de ces sous-tests des douzaines de fois, chaque fois avec des données différentes, avant de lui ordonner de passer au sous-test suivant. Et quand le dernier de ces sous-tests a été effectué, le programme de diagnostic commande à la machine de reprendre à zéro tout le processus. Le programme entier, y compris toutes les répétitions de sous-tests, est ainsi répété des quantités de fois – disons une centaine – avant la fin de ce que l'on appelle un passage en machine.

S'il arrive à la machine, au cours de toute cette gymnastique, de ne pas parvenir à exécuter correctement une instruction, le programme l'invite à s'en confesser en envoyant un message d'erreur à son pupitre de commande, avant de lui ordonner de poursuivre ses exercices. Les ingénieurs chargés de sa mise au point, quand ils reviendront au matin après que la machine eut tourné toute la nuit, pourront savoir immédiatement, en en formulant la demande au pupitre, combien de fois le programme est passé et combien de défaillances ont été enregistrées.

Veres s'est déjà livré à cette investigation. Il informe Holberger que Gollum a passé le programme Éclipse 21 neuf cent vingt et une fois cette nuit, avec seulement trente incidents. Et Holberger fait une grimace.

En pareil contexte, neuf cent vingt et une fois, le nombre est considérable. Il signifie que chacune des instructions du programme de diagnostic a dû être effectuée plusieurs millions de fois. Comparé à ces neuf cent vingt et un passages, le chiffre de trente incidents est vraiment minime. Il indique que la machine ne faillit que de loin en loin; et c'est bien là la mauvaise nouvelle, parce que la cause de ces incidents sera d'autant plus difficile à localiser. Les ingénieurs le disent eux-mêmes : avant de réparer quelque chose, il faut d'abord l'amener à tomber en panne pour de bon. Cela dit, il ne s'agit peut-être que d'une connexion défaite ou d'un problème de bruit. Pourtant, si ces deux causes peuvent bel et bien provoquer des incidents sporadiques, elles le font d'ordinaire de manière parfaitement imprévisible, sans le moindre soupçon de régularité. Or, quand Holberger demande à Veres comment Coke s'est tiré de la même épreuve, Veres lui apprend que le topo est absolument le même que pour Gollum : « Neuf cent vingt et un passages, trente incidents. »

« Moi je persiste à y voir un problème de bruit », soutient Veres. Puis il ajoute, pensif : « Ou bien ce bruit est remarquablement homogène, ou bien nous nous trouvons face à un réel problème de logique quelque part. »

Holberger pense que ce serait bien, si le bruit était le

coupable. Ce défaut insaisissable a quelque chose qui le met mal à l'aise. Aussi, pleins d'espoirs, Veres et lui élaborent-ils quelques théories à partir de l'hypothèse bruit. Pour finir, Holberger déclare : « Assez parlé. On essaie de voir ça. »

Sur ces mots, ils se mettent au travail. Il n'auront plus guère besoin d'échanger de longues phrases pendant un bon moment. Il existe entre eux deux, quand il s'agit de technique, une sorte d'entente muette qui dépasse le pouvoir des mots. Cette espèce de télépathie sur le plan du travail circule peu ou prou entre tous les Intrépides ou presque. C'est une chose que certains bons joueurs d'échecs affirment éprouver avec leurs adversaires de valeur, l'impression de pouvoir lire dans la pensée de l'autre – ce que Holberger appelle se sentir en phase. Pourtant, dans une certaine mesure, les Intrépides sont des solitaires; tous avouent généralement préférer travailler seuls. Mais Veres et Holberger ont découvert qu'en travaillant ensemble ils arrivaient à de bons résultats. Au regard de Veres, Holberger est « quelqu'un de très rapide », et, comme il connaît plus à fond les plans de la machine, il peut souvent « combler les vides » là où Veres souffre de lacunes. Holberger, de son côté, est sincèrement impressionné par Veres, qu'il appelle « l'une de nos étoiles ».

Veres a reçu la charge du processeur d'instructions, et il a largement participé à sa conception, sous l'égide de Holberger. Et quand la mise au point a commencé, Veres a eu tôt fait de saisir la technique et de trouver son propre style au labo. Holberger est convaincu qu'à partir de maintenant Veres est à son tour capable de chercher adroitement son chemin dans le clair-obscur d'Eagle.

Aucun des Intrépides n'hésite jamais à apporter la contradiction, quand il considère qu'une hérésie technique a été avancée, quel qu'en soit l'auteur. Veres lui-même, au labo, est capable de se montrer abrupt. C'est un homme jeune, de haute taille, bien découplé, au regard sévère. C'est une chose qui frappe parfois, lorsqu'on lui parle : il vous regarde et vous écoute avec intensité. D'aucuns s'en disent mal à leur aise. La confiance que ses chefs placent en lui n'est tempérée que par le sentiment qu'il travaille trop. C'est du moins ce qu'ils en disent.

Veres possède son petit ordinateur personnel et il lui

arrive, après une longue journée au labo, d'aller tripoter cet appareil en guise de délassement. Aucun des anciens n'aurait jamais l'idée d'en faire autant, mais parmi les nouveaux ingénieurs, certains sont des mordus d'informatique au point d'y consacrer aussi leurs loisirs, en amateurs. Il est vrai qu'au temps où ont grandi les vétérans du groupe, les ordinateurs étaient rares et ruineux, alors que ceux qui ont l'âge de Veres ont fait leurs études à une époque où n'importe qui, à condition de disposer d'un peu d'argent et de savoir-faire, pouvait déjà se bricoler son petit système individuel. Veres explique que ce qu'il fait chez lui est suffisamment différent de ce qu'il fait au travail pour lui tenir lieu de récréation. Au travail, il s'occupe des machines elles-mêmes; chez lui, il se concentre sur le logiciel – il lit des manuels de programmation et s'amuse à s'inventer du logiciel inédit pour son ordinateur personnel.

Veres n'a guère de doléances à exprimer sur son travail; son seul grief, au contraire, est que ses chefs viennent d'organiser le travail au labo de telle manière qu'il ne peut pas toujours travailler sur Gollum assez longtemps à son gré. Pour lui, les ordinateurs sont tout simplement « des super-jouets ». Il dit : « J'aime bricoler, j'aime fabriquer, construire. » Dans son année de senior à l'Institut Technique de Géorgie, il se prit d'intérêt pour les horloges digitales. « J'en ai construit cinq ou six. Ensuite, je suis passé aux terminaux d'ordinateurs. J'en ai construit un aussi. Puis j'ai décidé qu'il me fallait un ordinateur sur lequel le raccorder. Alors je me suis acheté un microprocesseur, et c'est là que je me suis dit que cela ne valait guère la peine sans un système d'exploitation, si bien que je me suis concocté un petit système d'exploitation. J'ai passé pas mal de nuits sur toute cette quincaillerie. »

Par un malin hasard, Veres a détesté le premier ordinateur auquel il a eu affaire. C'était une grosse machine que se partageaient de nombreux utilisateurs, et qui ne faisait rien d'autre que de cracher froidement du résultat à la chaîne. Un vrai bureaucrate d'ordinateur, glacial, distant, une machine avec laquelle dialoguer paraissait inconcevable. Peu après, par bonheur, il a eu entre les mains un petit modèle de mini-ordinateur, un Hewlett-Packard; l'engin était tout seul dans son coin, et l'on pouvait traiter avec lui directement, dans l'intimité. « C'était en quelque sorte amical. »

Holberger et Veres raccordent à Gollum, en divers points, les sondes de deux analyseurs logiques, et règlent leurs analyseurs de manière qu'ils prennent leurs clichés à l'instant même où un incident se produit. C'est ce qu'ils appellent « faire une impression de parcours ». Ils remontent, dans le programme, à un point situé juste un peu avant l'endroit de l'incident, puis ils relancent le programme. Cette fois, l'incident n'a pas lieu. C'est un nouvel indice. Il pourrait signifier qu'ils se trouvent en présence d'un « problème d'interaction de cache ». Dans les machines pourvues d'accélérateurs, l'historique des faits a une grande importance : c'est souvent de l'inextricable combinaison d'opérations antérieures que découle un incident situé plus en aval. C'est pourquoi Holberger et Veres reprennent à présent le programme à zéro et s'en vont prendre un café à la cafétéria. A leur retour, un quart d'heure après, un rapide clignotement sur l'écran des analyseurs les informe que Gollum a eu une défaillance. ils ont les images désirées. Tous deux rapprochent leur chaise et se plongent dans l'examen des instantanés de signaux.

Ils sont en train d'essayer de démêler ce que Gollum fait au juste à l'instant précis où l'incident se produit. Les clichés, auxquels s'ajoute la liste imprimée des étapes du programme de diagnostic, analysé pas à pas, leur fournissent bientôt la réponse.

« Vu. C'est quand il est en train de faire un JSR et Return. »

En clair, le programme de diagnostic indique alors à la machine d'effectuer un léger détour par rapport à la droite ligne du programme. Gollum est censé sortir d'un bond de la suite d'instructions qu'il est en train d'exécuter pour aller chercher une instruction nouvelle. Cette nouvelle instruction devrait indiquer à l'engin de revenir tout droit à l'endroit où il se trouvait, juste avant son petit bond de côté. Cette brève série d'opérations est en quelque sorte un petit saut de haies, une colle impromptue que l'on pose à la machine, au milieu d'un sous-test, dans un programme de diagnostic.

Veres et Holberger approfondissent la question; il apparaît que la machine est bien allée se brancher sur l'instruction voulue, et qu'elle est bien revenue où il le fallait; mais c'est alors, une fois de retour, qu'elle s'est trompée – au lieu de prendre l'instruction suivante, elle en a exécuté une autre. Ce qui semblerait, à leur avis, mettre en cause le système de mémoire, et en particulier le processeur d'instructions et la cache de système.

« Arrive-t-il à joindre la cache I? » se demande Holberger.

C'est en effet maintenant la première question à élucider. Le petit espace de rangement dont dispose le processeur d'instructions est connu sous le nom de cache I, et ce qu'il leur faut savoir à présent, c'est si l'instruction à laquelle la machine est censée revenir pour l'exécuter après son petit saut se trouve ou non dans cette cache I. Le processeur d'instructions y conserve les instructions récemment exécutées, de sorte que si le programme a fait appel à cette instruction récemment, elle se trouve probablement pour le moment dans la cache I – à l'instant même de l'incident. Ils examinent d'autres instantanés, et en déduisent que le processeur d'instructions arrive bien à joindre sa cache. Et ils poursuivent leurs investigations par l'examen serré, à l'aide de leurs analyseurs, du contenu de la cache I. Et découvrent que ladite cache contient la mauvaise instruction à l'adresse de la bonne.

La conversation qui les amène à cette conclusion est caractérisée par son inquiétant laconisme. Même un informaticien chevronné ne saurait la suivre s'il n'appartient pas à ce projet. Une transposition rudimentaire peut être ici d'un certain secours. Imaginez le système de mémoire de Gollum organisé comme une agglomération, dans laquelle chaque maison possède sa boîte à lettres. A l'intérieur de l'ordinateur, il y a une quantité de boîtes à lettres, chacune dotée d'une adresse qui lui appartient en propre. A l'intérieur de la mémoire centrale, il y a des milliers et des milliers de ces boîtes à lettres. Des copies à l'identique de *certaines* de ces boîtes à lettres, libellées du même numéro d'adresse et détentrices du même contenu, se trouvent aussi dans la mémoire cache. Et un certain nombre de copies, moins élevé encore, se trouve dans la cache I. Le programme de diagnostic a donné l'ordre à

238

Gollum d'aller faire son détour vers une certaine boîte à lettres bien précise, située à une adresse précise. A l'adresse indiquée, dans la boîte à lettres, se trouve une instruction qui indique à Gollum de se rendre à une autre boîte à lettres située à une autre adresse. Le processeur d'instructions examine le contenu de sa cache et s'aperçoit qu'il a une boîte à lettres qui porte cette seconde adresse. Cette seconde adresse est bien la bonne adresse, mais l'instruction contenue dans la boîte à lettres est quant à elle erronée. En fait, ce qu'il y a là, c'est un « message d'erreur », une instruction qui amène Gollum à confesser sa faute à la console du système, à côté de Veres et Holberger. Un vrai cauchemar de facteur.

Sur des cas comme celui-là, le temps file sans qu'on en ait conscience. Quand Veres et Holberger relèvent les yeux de leurs analyseurs, il est déjà 2 heures de l'après-midi. Peu après apparaît Jim Guyer; il dépose son casque de motocycliste, tire une chaise, et commence à poser des questions.

En évoquant Guyer, quelque temps auparavant, Rasala s'est surpassé, emporté par l'enthousiasme; non content de le décrire, il en a brossé un véritable portrait. « Guyer est têtu comme une mule. Oh, bon sang! ce qu'il peut être têtu celui-là! Et il a un défaut incroyable. Posez-lui une question sur n'importe quel problème, vraiment n'importe quel problème, et il va vous répondre par le menu sans vous faire grâce de rien, jusqu'au détail le plus anodin, le plus totalement dépourvu d'intérêt... » Rasala a repris son souffle et poursuivi : « Guyer, c'est un mécanicien dans l'âme. Il aime réparer les objets. Holberger, lui, commence par avoir une vision abstraite d'une certaine notion, et ensuite seulement il commence à la mettre en œuvre. Holberger trouve passionnant de réaliser quelque chose, mais tout autant de l'inventer. Guyer est davantage un manuel, un bricoleur. Guyer met en œuvre n'importe quelle idée, il la perfectionne, il la travaille, pour le plaisir d'en éliminer la dernière imperfection, le dernier *bug* [1]. En cela, je me sens plus proche de lui que de qui que ce soit dans le groupe. Je ne pense pas qu'il s'imagine être un génie de l'informatique lui non plus, mais tout simplement un ingénieur qui s'en tire ma foi joliment bien. »

1. *Bug :* voir page 159.

Guyer porte une barbe brune qui fait apparaître son visage au cœur d'un cadre ovale. Il est porté aux grands éclats de rire. Ce rire, il s'y abandonne tout entier, et ses hoquets aigus, saccadés, agitent sa tête de secousses et font disparaître ses yeux... Il porte le plus souvent sa chemise largement ouverte. Célibataire, il pratique l'escalade. C'est à lui, entre autres, que West devait songer quand il mettait en parallèle le goût pour la recherche en informatique et celui de la conquête des cimes.

« Au collège secondaire, j'étais unanimement considéré comme ne valant pas tripette », dit Guyer. Il a grandi dans les faubourgs de Boston, dans un quartier qui sans être chic n'avait rien non plus de sordide, mais qui était l'un de ceux, néanmoins, où les performances athlétiques d'un sujet ont parfois plus de poids que toute autre vertu. Dans le collège où il a fait ses études secondaires, par exemple, Guyer se souvient bien qu'il y avait « les athlètes » et « les autres » – la foule anonyme. Et lui faisait partie des « autres », d'abord parce qu'il brillait dans les autres disciplines plus qu'en sports, et ensuite parce qu'il avait de l'asthme. En course de fond, par exemple, il avait bien de la peine à tenir la distance, et pourtant, d'après ses souvenirs, en gymnastique, il surprenait plutôt son monde.

Fils d'ingénieur, lui aussi, Guyer bricole pratiquement depuis le berceau. « Je démontais tout et n'importe quoi. Des pendules, des réveils, des trucs dans ce goût-là. Ah oui, aussi des tondeuses à gazon. J'adorais démonter les mécanismes. Les remonter aussi, d'ailleurs. Regarder à l'intérieur, voir comment ça marchait. Tripatouiller des machines, voilà ce que j'aimais. » Entré au MIT pour y entamer ses études supérieures, il affirme y avoir satisfait à ses deux ambitions du départ : y apprendre quelque chose et y prendre du bon temps. Après une abondante récolte de A aux examens dans la plupart des disciplines, il s'attaqua ensuite à un troisième cycle au Northwestern College.

Il s'intéressait aux ordinateurs depuis le secondaire; l'établissement qu'il fréquentait alors possédait – comme tant d'autres – un antique IBM. Guyer était censé entreprendre par la suite des études de physique, mais cette discipline ne l'enthousiasmait guère. Il préféra se tourner vers des études d'ingénieur; il aimait travailler au

240

contact du concret et plus particulièrement, depuis peu, à tout ce qui touchait à l'électronique. Le temps d'un été, il avait travaillé pour un contractant de l'armée implanté à Boston. « Ce n'est pas que ça m'emballait tellement, de travailler pour cette entreprise », remarque-t-il, mais l'argent ainsi gagné était le bienvenu, et cet emploi, par-dessus le marché, lui avait offert l'occasion de participer à un projet relevant de l'électronique de pointe, à « quelque chose qui n'avait encore jamais été fait ». Et cet aspect des choses lui avait procuré de vives satisfactions. Qu'est-il advenu de ce projet par la suite ? Mystère. Guyer n'ayant pas pris la peine de solliciter une habilitation aux secrets de l'armée concernant ce travail, il n'a jamais été autorisé à seulement jeter un petit coup d'œil sur ce qu'il a contribué à créer cet été-là.

Guyer travaille à la Data depuis trois ans, autrement dit depuis la fin de ses études, et il en aime le profil général. Il se soucie comme d'une guigne, assure-t-il, de voir le président descendre lui serrer la main. Et les gros sous ne sont pas non plus sa préoccupation première, même s'il ne crache pas dessus. Dans cette activité soutenue, il est comme un poisson dans l'eau, et sans doute l'un des plus heureux du groupe. Devant son incroyable égalité d'humeur, l'un de ses collègues a émis cette remarque : « Ce qu'il y a d'inimaginable chez Jim, c'est qu'il n'y a pas moyen de lui faire prendre la mouche. » Mais ce qui a conquis West et Rasala, c'est plus encore son attitude dans le travail collectif qu'exige cette phase de la mise au point. « Tout de suite, d'emblée, il a mis son nez dans toutes les cartes, quel qu'en soit l'auteur ; moi, quand j'ai vu ça, j'ai eu le déclic », déclare West. Et c'est la vérité. Pour le moment, par exemple, Guyer paraît bien moins intéressé par la carte qu'il a contribué à dessiner, le contrôleur d'entrée-sortie, que par certaines autres, dont le processeur d'instructions. Il donne à cela plusieurs raisons. D'abord, il sait pertinemment qu'arriver à faire fonctionner cet organe est à l'heure actuelle, pour le groupe, une priorité vitale ; or, il s'est rangé du côté du groupe Éclipse, et il y tient. « Si nous échouons, fait-il observer, autant dire adieu tout de suite au groupe Éclipse. » Mais il se trouve aussi, tout simplement, qu'il prend plaisir à travailler sur ce processeur d'instructions : parce qu'il n'en connaît pas encore le fonctionnement. « Pour moi, n'y connaissant rien, c'est un sacré défi à relever », dit-il.

Il a passé seul au labo des nuits entières, penché sur des schémas et des listes de microcode, fermement décidé à saisir les tenants et les aboutissants de ce processeur d'instructions. Il se soumet à des horaires de microprogrammeur – autant dire des horaires de bâton de chaise – et sa puissance de travail en a époustouflé plus d'un, y compris parmi les programmeurs de minuit de l'équipe d'Alsing. Jon Blau se rappelle l'avoir vu au labo à 4 heures 30 du matin, entouré d'analyseurs logiques tous branchés sur Gollum. Blau, à cette heure tardive, s'apprêtait à rentrer chez lui, mais Guyer, après une nuit de travail sur le processeur, tenait à l'évidence la grande forme. « C'est souvent vers les 10 heures 30 du soir qu'il m'arrive de flairer quelque chose, s'explique Guyer. Et il n'est pas question de lâcher la piste. Même si je n'ai aucune idée des remèdes possibles aux problèmes que j'entrevois, il faut à tout prix que je me forge une notion bien précise de ce que sont ces problèmes avant de songer à faire relâche. »

Bien souvent, Guyer quitte le labo vers les 3 heures du matin. Quelques heures plus tard, Veres lui succède, et son premier travail est de lire les notes laissées par Guyer dans le cahier de labo, et d'étudier les clichés qu'il a pris au moyen des analyseurs. Et dans bien des cas, aussi étrange que cela puisse paraître, ces quelques indications lui suffisent : il voit immédiatement ce qui ne va pas, et comment y porter remède. Veres et Guyer forment à eux deux une excellente équipe – à condition de ne pas travailler ensemble.

Un jour, en entrant dans le labo, Rasala m'a montré du geste, à l'autre bout de la pièce, la paire que formaient Veres et Guyer. « Ah, les deux Jim... » a-t-il dit avec un sourire. Nez à nez, devant Gollum, ils s'affrontaient sur quelque menu détail technique. Guyer soutenait : « Non, non, non, non, non ! », et se lançait dans l'exposé de sa propre version des choses ; ses mains l'accompagnaient dans l'espace, formaient des coupes, enveloppaient d'invisibles paquets, désembuaient d'invisibles vitres. Veres le contemplait, immobile. Seuls les muscles de sa mâchoire se contractaient rythmiquement. Quand se tarit enfin le torrent d'explications de Guyer, Veres, d'une voix douce, l'informa calmement que sa thèse ne tenait pas debout. Guyer aussitôt lui coupa la parole. Veres resserra les mâchoires. Manifestement, leurs deux tempéraments ne s'accordent pas toujours. Peut-être ont-ils trop en commun, dans un sens. « Guyer et moi sommes tous deux du genre forte tête, reconnaît Veres. Et nous tenons terriblement, l'un comme l'autre, à suivre notre petite idée. Si l'on cherche à nous imposer de l'extérieur une autre approche, rien ne va plus, nous perdons les pédales. » Sur quoi il conclut, déchaînant une tempête de rires chez les Intrépides présents : « Jim et moi ne sommes pas faits pour travailler ensemble : il pose beaucoup trop de questions auxquelles je ne peux répondre... »

Veres est de ceux qui ont conçu les plans du processeur d'instructions, or Guyer a fait de cet organe le suspect numéro un, lors de chaque incident ou presque. C'est une chose que Veres, un jour, dénoncera avec humour. « Pendant un temps, dira-t-il, chaque fois que quelque chose clochait, Jim voulait faire sortir la cache I. Que Gollum se trouve à court de papier, et il fallait sortir la cache I! J'en avais marre de le voir tout le temps extraire cette pauvre cache. »

« Sortir la cache I » signifie, en substance, la déconnecter du restant de la machine. Si l'incident a lieu alors qu'elle est en place, et qu'au contraire tout marche bien sitôt qu'elle est déconnectée, il peut être judicieux d'en déduire qu'elle est à la source du problème. Mais ce n'est là que la théorie. Dans la pratique, il en va parfois autrement. La cache I retirée, Eagle a tendance à faire preuve d'une grande tolérance à l'endroit de diverses défaillances, qu'elles proviennent de pièces de la machine ou de sa microprogrammation. « Il fut un temps où tout le monde accusait le processeur d'instructions d'être à la source de tous nos maux, dit Veres, et cela me mettait les nerfs à rude épreuve. N'empêche qu'il m'est arrivé, de temps à autre, de démontrer bel et bien qu'il était hors de cause. » Cela dit, il faut l'avouer, le processeur d'instructions et sa cache ont été reconnus comme fauteurs de troubles dans un certain nombre de cas, et des plus diaboliques, ce qui tourmente fort Veres. Il a beau savoir que le processeur d'instructions est, de loin, l'une des pièces les plus complexes de la machine, et se répéter, d'autre part, qu'au moment de sa conception il était réellement un novice, et un novice bousculé par le temps, Veres n'arrive pas à l'admettre. Autant que tout autre au sein du groupe, il éprouve ce que Holberger appelle « la pression confraternelle », qui conduit le sujet à tout faire pour n'être pas celui par qui l'incident arrive. En pareille ambiance, il est particulièrement éprouvant pour Veres de voir incriminer le processeur d'instructions chaque fois que quelque chose va de travers. Veres a contribué à la conception de cet organe. Il le ressent à présent, il le dit, comme faisant un peu partie de lui-même, et il admet mal qu'on en fasse un bouc émissaire.

Guyer et Veres, cependant, ont trop en commun pour ne pas s'apprécier, et chacun, hors de la présence de l'autre, ne tarit pas d'éloges sur lui. En fait, pourvu que cela ne dure pas trop longtemps, ils sont même parfaitement capables de travailler ensemble. C'est ce qu'ils sont en train de faire, pour l'heure. L'équipe de la relève arrive justement. C'est un moment de transition, l'heure où la première équipe, dans le feu de ses recherches, renâcle à abandonner une piste chaude, tandis que la seconde entre dans le jeu, brûlant du désir d'y mettre son grain de sel. Durant quelque temps, tous travaillent de concert.

Holberger et Veres brossent pour Guyer un bref croquis de la situation : à l'instant précis où se produit la défaillance, la cache I contient, à l'adresse voulue, une instruction qui n'est pas la bonne. Il y a donc, à leur avis, deux coupables en puissance : le processeur d'instructions ou la mémoire cache.

Non sans sourire malicieusement des sous-entendus qu'implique cette décision, le trio choisit d'interroger d'abord la mémoire cache.

Dans les premiers temps de la mise au point, quelqu'un a écrit noir sur blanc, dans le cahier de labo, que la mémoire cache fonctionnait « à la perfection ». Depuis, chaque fois que les autres accusent cette carte de quelque vice, Mike Ziegler, qui l'a conçue, s'abrite invariablement derrière cette citation : « La mémoire cache fonctionne à la perfection. »

« Simple question de degré dans la perfection », remarque Holberger, qui a déjà soutenu la même thèse à propos du processeur d'instructions. « A quel degré de perfection fonctionne la mémoire cache? Tout est là. Le cas échéant, il ne serait peut-être pas mauvais de la rendre encore plus parfaite... »

C'est là, bien sûr, encore l'un de ces coups autorisés dans la joute amicale qui les oppose les uns aux autres : tenter de démontrer que le problème a sa source dans une carte conçue par un autre. Bien que Guyer n'ait pas davantage apporté sa contribution à la mémoire cache qu'au processeur d'instructions, il serait légèrement enclin, lui aussi, à espérer que la faute en revienne à la mémoire cache. Il a déjà, estime-t-il lui-même, « bien assez cassé de sucre sur le dos de ce pauvre processeur d'instructions, ces temps derniers ». Et il n'ignore pas combien il a pu taper sur les nerfs de Veres, ce faisant. Aussi, pour une fois, ne propose-t-il même pas de mettre hors jeu la cache I. Tous trois entreprennent donc plutôt, d'un commun accord, de raccorder leurs sondes à la mémoire cache. Ils étudient deux ou trois clichés qui ne les éclairent en rien pour le moment. C'est alors que, n'en pouvant plus, après plus de dix heures de travail intensif au labo, Holberger et Veres se retirent. Guyer se retrouve seul face à Gollum. Il va y passer toute sa nuit.

L'heure est déjà bien avancée. Guyer est environné, comme toujours, de plusieurs analyseurs logiques dont il scrute attentivement chacun des écrans tour à tour, quand soudain, mettant un doigt sur sa bouche, il fait pivoter son siège et se met à compulser l'un des gros classeurs amassés sur la table. « Idée ! » s'écrie-t-il.

Le programmeur qui a rédigé le programme de diagnostic Éclipse 21 a assigné à telle boîte à lettres bien précise, dans le système de mémoire de l'engin, telle donnée ou telle instruction. Seulement, de temps à autre, il s'est permis des entourloupettes, et le code qui en résulte en devient ce qu'ils nomment « du code moche ». Disons, en clair, que le programme se permet parfois de modifier le contenu d'une boîte à lettres. Il transfère une instruction, une donnée, parfois les deux, d'une boîte à lettres dans une autre.

Guyer vient d'examiner les adresses. A l'instant précis où la machine échoue, l'instruction à exécuter est censée se trouver dans la boîte à lettres portant l'adresse 21766. Quelque part en amont dans le programme de diagnostic,

Gollum exécute pourtant avec succès la même série d'opérations sur laquelle il échoue plus tard. Or, détail intéressant, lorsqu'il effectue ces opérations sans le moindre problème, l'instruction à exécuter est en fait située à l'adresse 21765. D'où l'éclair d'intuition de Guyer. Il soulève un énorme classeur relié et y couche par écrit son hypothèse, dont voici une transcription schématique :

Le programme de diagnostic inscrit l'instruction en question à l'adresse 21765, puis, un peu plus tard, transfère cette même instruction à l'adresse 21766. Mais le processeur d'instructions n'a jamais vent de ce transfert, alors que la mémoire cache, elle, est au courant. Ensuite, et peu après ce transfert, le programme ordonne à Gollum d'exécuter l'instruction logée au 21766. Le processeur d'instructions reçoit cet ordre et inventorie sa propre cache. Il se dit en quelque sorte : « Boîte à lettres 21766? Mais j'ai ici cette adresse, avec une instruction dedans. Exécutons cette instruction. » Seulement, dans la cache I, l'instruction voulue est toujours située au 21765, et le message contenu dans la boîte à lettres 21766 n'est donc pas le bon. Bref, la cache I renferme des informations qui n'ont pas été mises à jour. Pourquoi cet organe de mémoire n'a-t-il pas été mis à jour en même temps que l'ensemble du système? Peut-être, écrit Guyer, faut-il en incriminer la mémoire cache. Car elle est supposée savoir en permanence, et avec exactitude, ce qui se trouve dans la cache d'instructions. Quand une instruction ou une donnée change d'adresse, la mémoire cache est censée commander à la cache I de se débarrasser de la boîte à lettres périmée et de se procurer la nouvelle, celle qui contient l'instruction voulue. Quelque part dans le programme, en amont, la mémoire cache a dû perdre le fil de ce qui se trouvait dans la cache I, estime Guyer. Elle a oublié que le processeur d'instructions avait l'instruction à exécuter à l'adresse 21765; et c'est ainsi, lorsque cette instruction a été déplacée, qu'elle a omis d'indiquer au processeur d'instructions de se débarrasser de la boîte périmée.

Cette hypothèse, Guyer la trouve séduisante. Et son enthousiasme croît au fur et à mesure qu'il la transcrit noir sur blanc. Plus tard, le moment venu de la décrire de vive voix, ce sentiment le reprendra – débit rapide, dires ponctués des deux mains... Puis il s'arrêtera, et posera les mains sur la table pour conclure : « L'ennui, c'est que ma théorie était entièrement fausse... »

Il est fort tard à présent, minuit est largement passé. Guyer a raccordé l'un des analyseurs sur le *bus* – une ligne de transmission, en quelque sorte – qui achemine les signaux en provenance et à destination du système de mémoire. Il remonte, un peu au hasard, de plus en plus haut dans le programme de diagnostic, prenant des clichés des adresses au fur et à mesure de leur création. Juste comme il s'apprête à cesser la manœuvre, il tombe sur un autre indice intéressant : Gollum exécute les instructions JSR et Return, puis retrouve sans encombre l'instruction suivante. Dans l'exemple en question, l'instruction à exécuter est située à la boîte aux lettres portant le numéro 21772, soit dans le même « bloc » d'adresses que plus tard dans le programme, à l'endroit où la machine échoue. Guyer sait à présent que tout au long de ce long programme de diagnostic Gollum est envoyé, à plusieurs reprises, vers la même vaste zone de mémoire pour y trouver l'instruction considérée. Pas d'éclair d'intuition cette fois, cependant. Guyer a l'impression que tout cela ne lui fait ni chaud, ni froid. « Les choses ont l'air finalement beaucoup plus compliquées que prévu », songe-t-il en s'éloignant du laboratoire.

Veres arrive au point du jour. Il a pris cette habitude dès l'instant où il a commencé à prendre le coup, pour ce travail de mise au point d'Eagle. Cette arrivée aux aurores lui garantit le privilège de plusieurs heures de tête-à-tête avec Gollum, en toute intimité.

Quelque part au fond de son esprit, Veres conserve un restant de soupçon à l'égard d'un possible bruit, et du rôle qu'il pourrait jouer dans toute cette affaire. Alors, et à la plus grande joie de Guyer quand il le découvrira, quelques heures plus tard, Veres déconnecte lui-même, délibérément, la cache I. Il relance le programme, le laisse se dérouler au-delà du point litigieux; tout se passe sans anicroche. Veres rebranche la cache I, et de nouveau Gollum s'embrouille dans son travail. Cela ne prouve pas que le processeur d'instructions soit le grand coupable, mais le bruit, par contre, est éliminé une fois pour toutes du nombre des suspects : les défaillances provoquées par le bruit tendent en effet à se produire de manière imprévisible, sans configuration préétablie.

Veres se tourne vers le cahier de labo et consulte les notes laissées par Guyer. Guyer a fait avancer la question. Il a démontré que le programme dirige Gollum vers l'instruction litigieuse en diverses occasions. Il a fait ressortir que le programme modifie l'adresse de cette instruction un bon nombre de fois également, et que ces transferts de contenu de boîte aux lettres n'affectent qu'une zone relativement restreinte de la mémoire. Pour Veres, ce problème rappelle les énigmes comportant la présence d'une bombe à retardement, et le meilleur moyen d'en finir est de suivre à reculons, pas à pas, l'enchaînement des indices pour remonter jusqu'au coupable. Veres s'y attelle et s'y emploie méthodiquement. Pour commencer, il retrouve le point exact où l'incident se produit : c'est au quatrième passage, à la cent cinquante-huitième itération du sous-test qui contient l'instruction située à la mauvaise adresse.

Après quoi, Veres examine des adresses assez différentes de celles que Guyer a inventoriées. Ces adresses sont des numéros de blocs. Les boîtes aux lettres du système de mémoire sont en effet regroupées en des sortes de quartiers appelés « blocs ». Chaque bloc contient deux cent cinquante-six boîtes aux lettres. De même que pour les boîtes aux lettres, les blocs possèdent chacun son adresse propre, sous la forme d'un nombre à deux chiffres : le numéro de bloc. Veres constate dans son analyseur qu'au moment de l'incident le numéro du bloc de boîtes contenu dans la cache I est le numéro 21. Or le numéro de ce qui devrait être le bloc correspondant, dans la mémoire cache, est bizarrement 45. Alors que les deux numéros devraient être identiques. Veres poursuit ses investigations pour déterminer laquelle des deux est la bonne. La réponse devrait révéler qui est à incriminer, de la mémoire cache ou du processeur d'instructions.

Sur ces entrefaites, Holberger vient d'arriver et il s'est avancé une chaise. Veres, en attendant, vient de tout mettre en place pour la suite de son enquête. Il a branché sur l'engin une paire d'analyseurs, placés de telle sorte qu'ils vont enregistrer les numéros d'étiquettes dans la

248

cache du système et dans le processeur d'instructions, et cela tant au moment de l'incident qu'à chacun des deux cent cinquante-six tic-tac précédents, à l'horloge de l'ordinateur. Puis il fait repasser le programme, une fois de plus, d'un bout à l'autre, jusqu'au point où Gollum déraille, et à présent il en étudie les clichés un à un. La matinée promet d'être longue et guère enthousiasmante, du côté de Gollum. Prudent, Holberger fait retraite et s'en va travailler sur Coke avec Epstein.

Rien. Toujours rien. Quand réapparaît Guyer, Veres n'a pas pu déceler le moindre indice nouveau. Holberger délivre un bref discours. « Il va falloir trouver des idées neuves, conclut-il. Et remettre à plus tard... »

Les Microkids viennent justement de livrer une nouvelle ration de microcode, revu et corrigé, et Guyer accepte l'idée de consacrer la soirée à en faire l'essai. Veres rentre chez lui, et les deux numéros de bloc – 21 et 45, 45 et 21 – dansent la sarabande dans sa tête. Lequel est le bon? La question paraît pourtant simple, et la réponse doit forcément se trouver quelque part. Tout le problème est de savoir où.

« Je crois qu'au labo, des derniers arrivants, c'est Veres le plus fort, affirme Rasala. Pourquoi? Parce qu'il est polar – littéralement polarisé sur ce qu'il fait. Tout entier tendu vers la solution de son problème. Toute sa petite chimie interne, tout son être et ses prolongements sont ainsi faits qu'il ne lâchera pas le morceau avant d'avoir trouvé ce qu'il cherche. Sa réaction, s'il n'arrive pas à trouver assez de temps seul à seul avec la machine pour venir à bout de son problème, ce sera de venir dès 4 heures du matin s'il le faut. Pour pouvoir s'y attaquer à sa manière. Et sa manière est souvent la bonne. »

Veres, de son côté, estime qu'au moment où démarre la mise au point d'une machine les plans et les études devraient être plus avancés, plus proches de la perfection que cela n'a été le cas pour ce projet-ci. Une imperfection dans la logique d'un projet, même si on la dépiste au labo et qu'on lui porte remède, c'est pour le concepteur un peu comme une tache, un vivant reproche. Ce n'est pas que Veres ait horreur de ce travail de mise au point, non; mais ce qu'il déteste, ce sont les erreurs. Et, comme Rasala n'a pas manqué de le relever, Veres ne se contente pas de faire la chasse aux erreurs pour les rectifier : il attaque.

Voilà pourquoi Veres, le lendemain matin, arrive avant le jour. Il ne veut pas voir quiconque se mêler de ses affaires; il tient à disposer d'un certain laps de temps, seul, face à cette question récalcitrante. Pour lui, la mise au point de cette machine – et plus particulièrement celle du processeur d'instructions, pour lequel il se sent responsable – est devenue, dit-il, « une affaire très personnelle ». Et il précise : « Un ordinateur, pour ceux qui l'ont conçu, c'est quelque chose qui fait plus ou moins partie d'eux-mêmes. Et quand quelque chose cloche, ils le ressentent quasi physiquement. » L'impression ressentie, en l'occurrence, c'est celle de se trouver en présence d'une bombe à retardement. Mais comment la dénicher?

« J'abats déjà pas mal de boulot le matin sous ma douche, assure Veres. Sans ça, d'ailleurs, la douche, il faut avouer que ça n'a rien de folichon, quand on y pense. » Ce matin, sous sa douche, avant de partir au travail, Veres a mis au point une nouvelle tactique d'approche.

Hier, il essayait de déterminer lequel, du 21 ou du 45, était le bon numéro de bloc, et pour ce faire il remontait le programme vers l'amont, à partir du point litigieux. Mais il est clair, décidément, que la réponse se situe plus haut encore, en deçà du champ d'exploration des analyseurs. Pourquoi donc, en ce cas, ne pas explorer plutôt dans l'autre sens, vers l'aval et non plus vers l'amont? Veres a déjà adopté une démarche de ce genre, un jour, à l'occasion d'un problème similaire. Il va donc faire exécuter le programme jusqu'à la quatrième passe et, chaque fois que Gollum effectuera les instructions JSR et Return, il arrêtera la machine pour prendre un cliché grâce à l'analyseur, et en obtenir une sortie imprimée sur la console. Certes, avec ce procédé, le programme entier n'est pas près d'être exécuté – autant essayer de fouiller un par un les casiers de la consigne, à l'aéroport Kennedy... Il a été bien inspiré de se lever tôt, parce que Holberger risquerait bien de pas approuver du tout. A coup sûr, ce n'est pas la plus élégante des approches; mais il est des cas où nulle approche élégante n'est possible. Et celle-là, il veut la tenter. Avant même d'avoir mis les pieds au labo, il en a pris la résolution.

Quelques heures plus tard, Holberger engage sa voiture

dans les allées du parc de stationnement de Westborough. Il a le soleil dans les yeux et il se surprend à se demander, sans grande émotion d'ailleurs, sous quel angle l'astre du jour frappera son pare-brise, le jour où le travail en cours sera enfin terminé. La seule mise au point d'Eagle vous a en elle-même des allures de carrière... Longeant les couloirs en direction du labo, Holberger n'a pas en tête de problème bien précis, mais plutôt tous les problèmes à la fois, dans leur multiplicité. Et quand il ouvre la porte, ce qu'il trouve derrière a de quoi le surprendre. Il y réagit par un sourire qui tient de la grimace.

Une impressionnante masse de papier gît sur le sol, produit du déroulement continu d'une unique feuille de papier d'ordinateur qui sort interminablement du chariot, du côté de la console de Gollum. Déployé, tout ce papier couvrirait plusieurs fois la largeur de la pièce. Il ne devrait pas être difficile d'y faire tenir une histoire détaillée des États-Unis de la guerre de Sécession à nos jours. Au milieu de ce chaos trône Veres, vivante image de l'érudit. Il a tout examiné, d'un bout à l'autre. Il se tourne vers Holberger. « J'ai trouvé. »

A la cent vingt-deuxième itération du sous-test en question, la cache I contient le bloc porteur du numéro 21. Des millions de tic-tac plus tard, à l'itération cent cinquante et un du sous-test, Veres a pu constater que la mémoire cache indiquait bel et bien au processeur d'instructions de remplacer le numéro 21 par le numéro 45. La mémoire cache a donc prouvé son innocence. Le processeur d'instructions, par voie de déduction logique, a sans nul doute manqué à son devoir; à l'itération cent cinquante-huit, la cache I est prise en flagrant délit : elle contient toujours le numéro de bloc 21. « Lequel n'est plus le bon, dit Veres, je regrette de le dire. » Le processeur d'instructions, son œuvre, son enfant, est donc le fauteur de troubles.

Déceler ce qui ne va pas est quelquefois aisé, et y remédier malaisé. Dans d'autres cas, c'est l'inverse. Parfois encore, les deux à la fois, tout facile ou tout difficile. Et entre ces cas limites, on trouve toute la gamme des hybrides. Dans le cas présent, le dépistage n'a pas été commode. Il se trouve, par un heureux hasard, qu'y porter remède va relever de la plus grande simplicité. Veres et

Holberger savent désormais d'où vient le mal. L'action s'accélère. A les voir s'affairer comme ils le font maintenant, on pourrait les prendre pour deux pilotes de ligne se préparant au décollage, dans la cabine d'un gros avion à réaction : en héros de la technique triomphante, ils actionnent des deux mains toutes sortes de boutons et de commutateurs, consultent des cadrans variés, le tout en dialoguant avec la tour de contrôle... Veres et Holberger passent le programme jusqu'à l'itération 151, l'endroit où la bombe à retardement se met en place, le moment où la mémoire cache indique au processeur d'instructions qu'il doit se débarrasser du bloc d'instructions périmé pour le remplacer par le numéro 45. Ils branchent alors leurs analyseurs et examinent sur leurs écrans une copieuse collection d'images. Lorsque enfin, peu après, surgit l'image cruciale sur l'un des analyseurs, ils n'ont pas besoin de se casser la tête pour l'interpréter.

« Nous y voilà.

— Ouaip. »

Ce qu'ils voient là, c'est tout simplement le processeur d'instructions en train de se défaire du numéro de bloc 45 et de garder l'ancien numéro, celui qui ne vaut pourtant plus rien, le 21. L'examen des images suivantes démontre qu'il s'agit, littéralement, d'un exemple de signaux qui s'entrecroisent et se contrarient. Le processeur d'instructions reçoit bien de la mémoire cache l'ordre de rejeter le bloc étiqueté 21, mais, avant qu'il ait pu s'exécuter, ce signal en provenance de la mémoire cache est immédiatement modifié par un autre signal, venu d'un autre point de la machine. La solution, c'est de retarder l'arrivée de ce second signal, afin de laisser au processeur d'instructions le temps de se défaire du bloc périmé, avant de lui demander de faire autre chose.

Cette solution, matériellement, se présente sous la forme d'un élément de circuit appelé « porte NAND », qui traduit concrètement la fonction « non et » de l'algèbre de Boole. Coût de ce dispositif : quarante-cinq centimes, au prix de gros. La porte NAND produit un signal. Au moment de rédiger sa petite note de modification technique, Holberger réfléchit et baptise le signal « PAS ENCORE ». Il est satisfait de sa trouvaille. D'après les schémas qu'il lui a été donné de voir, tous les concurrents utilisent, dans les firmes rivales, d'anonymes abstractions pour désigner les divers signaux. Le groupe Éclipse, au contraire, est à l'affût de noms simples et imagés, et quand on ne trouve rien d'assez parlant, on utilise à l'occasion son propre nom. Mais PAS ENCORE décrit à la perfection le rôle attribué à ce signal. C'est bien dans le ton du groupe Éclipse, se dit Holberger. C'est un peu à cet état d'esprit que songe West quand il décrète : « Pas de chichis. » Et puis, c'est encore une façon – oh, bien humble – de laisser un petit quelque chose de soi-même dans l'une des inventions auxquelles on prend part.

A ce stade-là, le travail est franchement amusant. Ils mettent en place la porte NAND qui produira le signal PAS ENCORE, et Holberger conclut, dans le cahier de labo : « Cette modification technique effectuée, Éclipse 21 exécute dix passages. » Encore une menue corvée, de simple routine cette fois : il leur faut vérifier que cette petite modification ne va pas chambouler Dieu sait quoi d'autre dans la machine. Aussi font-ils repasser tous les autres programmes de diagnostic, divers et variés, dont Gollum a déjà triomphé précédemment. Tout marche comme sur des roulettes, quand tout à coup la console se met à griffonner un message.

Une défaillance vient d'apparaître dans l'un des autres programmes.

« Oh non!

– On n'est pas sortis de l'auberge, dit Holberger. Notre truc, ce n'est pas tout à fait ça... »

Tous deux s'en vont déjeuner. Holberger se sent mal et chipote. Sitôt de retour au labo, ils entreprennent de dépister la cause de cet incident inédit, mais sans grand enthousiasme. Ils examinent quelques images sur leurs écrans. Il semble que la défaillance provienne de quelque chose de complexe, qui se serait mis à marcher de travers, mais il leur est impossible de déterminer d'emblée ce qui déraille au juste; et ils n'éprouvent aucune envie de se lancer une fois de plus dans une interminable enquête. Parce qu'ils se sentent fatigués, d'une part. Mais encore pour une sorte de raison quasi instinctive, une intuition qui les retient de se plonger dans ce nouveau problème. Il leur semble confusément qu'ils ont oublié de faire quelque chose, quelque chose d'élémentaire. En effet, au bout d'un moment, Veres se souvient.

Veres retire la porte NAND. Il relance le programme sur lequel vient de caler Gollum. Et Gollum cale tout autant. La porte NAND est donc hors de cause. Indiciblement soulagé, Holberger ne tarde pas à passer au sourire; il désigne du geste la carte du processeur d'instructions qu'ils ont laissée hors de la machine, sur son unité d'extension. La carte est certes raccordée à Gollum, mais elle est posée dans un petit châssis à part, hors de l'unité centrale. C'est là une pratique courante lors de la mise au point d'une machine, mais les cartes ne sont pas conçues pour fonctionner sur une extension, et certaines d'entre elles, par ailleurs irréprochables, refusent de fonctionner correctement tant qu'elles sont dans cette position. Des fourmis dans les doigts, ils remettent soigneusement la carte du processeur d'instructions au milieu de ses semblables, et l'incident ne se reproduit plus. A partir de maintenant, Gollum va se jouer de tous les programmes de diagnostic élémentaires d'Éclipse, l'Éclipse 21 y compris.

Ils viennent de franchir une étape, mais ils n'ont gagné là qu'une partie qu'ils croyaient déjà gagnée. Ce ne sera donc pas quelque chose qui s'arrose, et nul ne prendra le temps de savourer la victoire, renversé sur sa chaise et les pieds sur les analyseurs, ni de repasser la bataille dans sa tête, pour le plaisir. Des tas d'autres programmes de diagnostic les attendent. Et de plus vachards.

« Une impression d'aboutissement, oui, dit Veres, c'est bien un peu ce que je ressens. Seulement voilà, les occasions d'éprouver ce sentiment-là, il y en a des tas d'autres qui nous attendent. »

11. UNITÉ DE TEMPS : LA SAISON, RIEN DE MOINS

Au fond du labo, penchés sur le plan de travail qui court tout le long du mur, les autres membres de l'équipe de nuit ont tous le nez dans leurs cartes à connections enroulées.

« Oh non, pas moi. J'ai déjà fait ça hier soir », a dit Rosen à Rasala. A présent le silence est retombé dans la pièce. Les ventilateurs des prototypes, grillons de ces lieux, ronronnent sans trêve. Rosen se tient debout, seul, à côté de Coke. Il paraît plutôt petit auprès de ces machines. Il a les cheveux très sombres, et coupés assez courts pour satisfaire aux exigences d'un sergent-chef. Son teint, quoique naturellement basané, n'arrive pas à dissimuler qu'il ne voit guère le soleil, par les temps qui courent. En pantalon de velours, Rosen porte une chemise de coton unie aux revers de col boutonnés, mais pas de cravate. Au travail, il porte souvent un veston sport, y compris au labo, et ses chaussures noires à lacets, comme l'ourlet d'un tee-shirt blanc au ras de son cou, dénotent plus de conformisme dans l'art vestimentaire que chez la plupart des autres Intrépides. Sans pouvoir lui donner d'âge exact, on devine à le voir qu'il est encore très jeune, quelque part entre la fin de l'adolescence et les vingt-cinq ans; de fait, il en a vingt-quatre. De temps à autre, il porte une main à sa bouche et se mordille les ongles tout en travaillant de l'autre.

Rosen, à qui revient la conception de l'unité arithmétique et logique (l'ALU), est en train d'essayer de lui faire faire une addition. Sans exagérer outre mesure, on peut dire, en gros, que dans un ordinateur toutes les pièces autres que l'ALU (ou presque) n'ont d'autre rôle que de diligenter des informations à cette dernière, à des fins de manipulation. Et additionner, pour l'ALU, c'est à peu près comme respirer pour un être vivant. Pourtant, ce soir, chaque fois que le programme de diagnostic a prié l'ALU d'additionner deux groupes de bits, cette dernière a émis une réponse fausse, avant de se lancer dans une série d'actions incompréhensibles. « Elle nous fait son quart d'heure colonial », se plaît à dire Rosen. Pour le moment, penché sur l'écran d'un analyseur logique, il tente de se faire une idée de ce qui ne va pas là-dedans.

Une ligne droite, blanche, traverse à l'horizontale le petit rectangle bleu de l'écran. Ouvrant un meuble de rangement dans un coin de la pièce, Rosen en extrait un objet qui a tout d'un disque 45 tours – même taille, même forme – et il introduit cette « disquette » dans le mange-disques géant (c'est l' « unité de disques ») placé à côté de Coke. Immédiatement, sur l'unité de disques, des lumières se mettent à clignoter. Rosen s'approche de la console et tape sur son clavier un bref message. Aussitôt la console, à son tour, se met d'elle-même à griffonner quelque chose. Le bruit, qui rappelle un grattement, grignote le silence un instant, puis s'arrête. Tout en se mordillant les ongles de la main gauche, l'air absent, Rosen se penche pour étudier le message émis par la console. Puis, sans lâcher ses ongles, il revient à l'analyseur.

Il s'est passé quelque chose. La ligne droite blanche qui traversait le petit écran bleu s'est muée en ligne brisée, on dirait, en très gros plan, le dessin de deux dents de fermeture à glissière. Rosen regarde fixement cette image, les ongles à la hauteur de la bouche. Puis, lentement, le regard toujours vissé sur l'écran, il fait tourner sa main et prend entre ses dents la jointure d'au moins quatre doigts. Durant un long moment, il va garder la pose, aussi figé que l'image sur l'écran.

Ce pourrait être un tableau de Goya, l'une de ses œuvres de cauchemar. L'œil ne sait où se poser, et il erre, du visage de ce jeune homme aux phalanges entre les dents à l'énigmatique ligne brisée immobilisée sur l'écran; cette ligne n'est en fait que l'image d'un événement électronique qui vient d'avoir lieu, dans un laps de temps infinitésimal, voilà quelques instants. Il n'y a là rien que de très banal, surtout dans ce laboratoire, et pourtant, soudain, cette image vous a des allures d'épouvante. Mais pourquoi?

Dès les tout premiers temps du projet, l'équipe avait connu des défections, certains laissant carrément tout tomber. Tous n'avaient pas les mêmes raisons, il y avait ceux qui se disaient que la machine allait tourner au méchant coucou, et ceux que décevait, au sein du groupe, la distribution des prérogatives. D'autres s'étaient peut-être fatigués de l'émulation interne permanente, de cette « pression des confrères » décrite par Ken Holberger : « Si je bâcle le boulot, je serai bien le seul, et ça, je ne le veux pas. » Certains avaient peut-être du mal à soutenir la cadence commune. Quelques-uns ne prenaient pas part à la vie du groupe, et plusieurs avaient l'air de se désintéresser du projet. Bâtir Eagle n'était pas nécessairement pour chacun la plus belle expérience de sa vie.

Rosen était entré au sein du groupe vers le début de l'été 1978, et il avait été immédiatement affecté à la conception de cette pièce capitale, l'unité arithmétique et logique. Il s'était vu dans la nécessité d'en concevoir les plans sur-le-champ, avant d'avoir eu seulement le temps d'étudier l'architecture de la future machine – avant même, en fait, que cette dernière ne fût parfaitement définie. Des semaines plus tard, au mois d'août, il décida qu'il s'était trompé dans le choix de ses circuits intégrés. Il informa Rasala de son intention de remettre toute sa carte en chantier. Réponse de Rasala : « Plus le temps. » Ce que Rosen interpréta ainsi : « Bah, celle-là devrait aller. Avec un peu de sparadrap... »

En décembre, Rosen apporta son travail; son plan exigeait beaucoup plus de puces qu'il n'était censé en comporter. West assigna à un autre ingénieur la mission d'examiner l'œuvre de Rosen – démarche indispensable aux yeux de West, censure insupportable à ceux de Rosen. A quelque temps de là, Rosen avait subi cette épreuve de la critique à laquelle chacun était soumis périodiquement à la Data, un rituel au cours duquel votre chef soupesait les mérites de votre travail, avant de vous gratifier parfois d'une augmentation. En l'occurrence, le « bulletin trimestriel » reçu par Rosen lui avait paru nettement moins flatteur que ceux auxquels il était habitué. C'était bien la première fois qu'on lui mesurait les éloges, au cours de sa brève mais brillante carrière de concepteur-informaticien.

Rosen avait l'impression que West et Rasala en usaient injustement à son égard. « Ils m'ont acculé dans un coin. » A coup sûr, ils lui avaient assigné une tâche qui relevait de la gageure : il devait créer une ALU capable d'effectuer certaines fonctions arithmétiques plus rapidement que celle du VAX, mais qui tiendrait cependant sur une unique carte. Bob Beauchamp devait dire plus tard que cela n'était tout bonnement pas possible. De fait, West et Rasala eux-mêmes devaient finir par aboutir à la même conclusion. Ils décidèrent alors de sacrifier certaines des caractéristiques envisagées pour pouvoir faire tenir l'ALU, malgré tout, sur une seule carte. Et à Rosen de s'en sortir. Dans un projet tel que celui-là, des compromis sont inévitables et pour finir, d'après Beauchamp, l'ALU ne se présentait pas si mal. « Pour ma part, je trouve que Josh a fait là du sacré bon boulot. Il y a pas mal de très jolies astuces, dans son projet », disait Beauchamp. Et il en parlait en connaissance de cause, d'une part pour avoir écrit lui-même une fraction du microcode destiné à cette unité, et d'autre part pour être lui-même, au moment où il émettait ce jugement, attelé à la conception d'une UAL, prévue pour une autre machine.

Les plans enfin terminés, quand démarra la phase de mise au point, West me dit un jour : « Josh ? Pas de problème. Il travaille bien, et il s'accroche. » Mais il ne l'aurait jamais dit devant l'intéressé. Et deux ou trois mots gentils, d'ailleurs, n'auraient certainement pas suffi à mettre du baume sur les plaies de Rosen.

Avant de rejoindre le groupe Éclipse, Rosen travaillait au département des Systèmes Spéciaux, qui produisait du matériel spécialement conçu sur mesure pour répondre à la demande de certains clients. « Aux Systèmes Spéciaux, j'étais la grande vedette », avouait-il lui-même. A moi tous les boulots intéressants. Et puis je suis entré dans le groupe Éclipse, et je n'ai plus été la vedette du tout. » Si quelqu'un détenait ce rôle de vedette au sein des Intrépides, c'était Ken Holberger, un garçon en gros du même âge que Rosen, et du même niveau d'expérience. Manifestement,

Rasala considérait Holberger comme le concepteur étoile de l'équipe. Rosen, de son propre aveu, se retrouva donc en rivalité avec Holberger. Il voulait être « la force motrice » cachée derrière Eagle tout entier. Il avait l'habitude de gérer la conception de systèmes complets. Jusqu'alors, aux Systèmes Spéciaux, il avait de surcroît fréquemment carte blanche, et pouvait s'offrir le luxe de rechercher la perfection pure. Aussi, trois semaines après avoir rejoint le groupe Éclipse, devait-il s'avouer être tombé de haut : « Ça ne va pas, ici. Rien ne va. »

Là-bas, aux Systèmes Spéciaux, Rosen avait toujours eu l'impression que son chef était son ami... Je me souviens d'avoir suivi West au labo, un soir, dans les premiers temps de la mise au point. En route pour quelque mission urgente, il marchait d'un pas décidé. Je vis Rosen se tourner. Il reconnut West qui approchait. Avec un large sourire, il l'intercepta pour lui dire : « Elle arrive à faire + 1, maintenant. Comme ça, on est sûr qu'elle saura additionner. » West ne parut pas l'entendre. Il esquissa d'une main un genre de coup de torchon comme pour effacer quelque chose et s'éloigna sans ralentir le pas. « Voilà un homme qui ne m'a jamais dit bonjour une seule fois, depuis le jour où il m'a engagé, s'indignait Rosen. Littéralement jamais dit bonjour. Moi, je ne demandais pas mieux que d'avoir l'impression de participer à ce qui se passait, mais pour communiquer avec West, la seule voie de transmission, c'était Rasala. Et Rasala, je l'ai vite découvert, c'était un filtre aux mailles serrées. Seules passaient les informations entrant dans la catégorie Ce-qu'il-faut-savoir. Un point, c'est tout. » La stratégie dite « de la culture du champignon » le choquait autant qu'elle l'avait surpris. « Il me semblait n'avoir pas plus de droits qu'un simple oscilloscope. »

Rosen estimait lui-même avoir une tournure d'esprit assez éclectique. Il aimait imaginer des approches inédites, et en discuter. Plutôt du genre perfectionniste, il se rebiffait, offensé, quand on lui demandait des rafistolages à la diable. Rasala, à qui incombait la tâche d'activer la troupe, acquit bientôt la conviction que Rosen serait bien capable de remettre indéfiniment son travail sur le métier si l'on n'y mettait le holà. Il prenait au pied de la lettre toutes les remarques émises par Rosen, au fil de la conversation, sur les différentes façons dont on pouvait envisager la conception d'une unité arithmétique et logique, et ces digressions lui glaçaient le sang. « Mais c'est impensable », se hâtait-il de couper chaque fois que Rosen venait le trouver avec quelque idée nouvelle. Et Rosen se retirait pour méditer sur le manque de raffinement de ce rustre de Rasala. Ils n'avaient à peu près rien de commun. L'un était grand et fort, bourru, athlétique, et fermement décidé à produire sa machine en temps voulu. L'autre, plus délicat, de nature et de sensibilité, s'attachait surtout à concevoir quelque chose de bien tourné.

Rosen avait grandi non loin de l'université de Chicago. Il ne s'intéressait pas au sport. « Je crains bien d'avoir un point de vue radicalement opposé à celui des sportifs convaincus. Pour moi, le sport, c'est le genre d'univers où un jeune juif bien élevé n'a pas vraiment sa place. J'ai été capitaine de l'équipe de softball, pendant un temps, au collège. Nous nous faisions régulièrement mettre du cinquante, et *nous en étions fiers.* » Il ajoutait : « J'ai bien peur de n'être pas très doué pour tout ce qui se pratique en équipe, à la vérité. » Il ressentait ce trait de caractère comme une certaine faiblesse, mais uniquement dans le contexte très spécial du groupe Éclipse. Et il ne cherchait pas à se dissimuler derrière des faux-semblants. Cette attitude mettait Rasala hors de lui. Pour parler à Rosen, il prenait son ton le plus rogue. L'ardeur de Rosen pour travailler sur d'autres parties de la machine que la sienne, déjà très modérée, n'en avait fait que décliner davantage.

Rosen appartenait à cette génération pour laquelle les ordinateurs faisaient partie du décor naturel. C'était à se demander s'il n'avait pas lui-même quelques schémas d'ALU inscrits quelque part dans ses gènes. Comme tous ses confrères ou presque, il avait fait ses débuts dans la carrière d'ingénieur aux alentours de ses quatre ans, en profitant de ce que ses parents avaient le dos tourné pour s'amuser à démonter à peu près n'importe quel objet domestique à sa portée – lampe de poche, réveil ou poste de radio. Vers l'âge de dix ans, il s'était mis aux fusées. Pour ses premiers lancements, il s'était servi de têtes d'allumettes, mais il était passé bien vite à des expériences mettant en œuvre des combustibles plus élaborés. A douze ans, s'étant procuré par correspondance un peu de poudre à canon – par l'intermédiaire d'une firme à la réputation douteuse –, il s'était concocté le plus puissant de ses missiles. Et il avait procédé à la mise à feu depuis sa base de lancement personnelle, son « blockhaus », une descente d'escalier de sous-sol. Le projectile s'était élevé jusqu'à une hauteur appréciable, avant d'exploser bruyamment. Quelques minutes plus tard, Rosen avait vu une voiture de police s'engager dans l'allée, juste derrière chez lui. « J'aimerais bien aller passer quelques jours chez grand-mère, à Sheboygan », avait-il déclaré à ses parents, le soir-même...

Il avait fait ses études secondaires dans un établissement de très haut niveau, la Lab School de l'université de Chicago. « Avec neuf sur dix de moyenne, vous vous retrouviez en queue de classe. » Par la suite, poursuivant ses études, il n'éprouvait guère de confiance en ses propres capacités jusqu'au jour où, ayant eu envie d'une chaîne stéréo, mais étant, de son propre aveu, « plutôt du genre près de ses sous », il décida de se la fabriquer lui-même et s'inscrivit, afin d'apprendre comment, à un cours d'électronique élémentaire. « Ce cours-là, je m'en souviens, je m'en suis repu jusqu'à la dernière miette. » Il obtint sa licence de physique. Pour sa thèse de dernière année, il entreprit la fabrication d'un petit appareil nommé processeur à virgule flottante; voilà qu'il obtenait des A dans toutes les disciplines, inexplicablement. « Personne n'y comprenait rien à rien. On se disait tout à coup : " Il n'est pas si bête qu'il en a l'air, finalement "... »

Ce petit processeur avait été sa première œuvre en matière d'informatique, et il en chérissait le souvenir, comme on chérit parfois celui de ses premières conquêtes ou de quelque glorieuse partie de football. « Pas si mauvais que ça, le petit boîtier en question », disait-il, rêveur. De toute façon, ce petit objet méritait toute sa gratitude, puisque grâce à lui Rosen avait passé sa thèse *magna cum laude* – avec les félicitations spéciales du jury.

Après quoi Rosen était entré au Northwestern College, pour y obtenir son diplôme d'ingénieur électronicien. Il passait ses étés à élaborer du matériel électronique. Encore étudiant, il avait fabriqué pour les laboratoires Fermi un processeur de reconnaissance de formes, travaillé sur une base au sol pour la Fairchild Space and Electronics et conçu, pour la même entreprise, une unité de traitement de signaux.

La Data General avait recruté Rosen en lui promettant de lui fournir un travail intéressant, et elle avait tenu promesse. Le premier appareil réellement commercial dont il avait eu à dessiner les plans était un clavier de commande à touches groupées, sorte de terminal d'ordinateur qu'il avait baptisé Hydra. L'engin une fois fabriqué et livré à des clients, une petite erreur de microprogrammation s'y était révélée, et le chef de Rosen avait envoyé ce dernier en Californie afin de rectifier la chose. Là-bas, Rosen s'était vu introduire dans une salle où une douzaine de personnes étaient en train de se servir de la machine conçue par lui. Cette vision l'avait fait trembler. Il en avait perdu le souffle. « Mon Dieu! avait-il songé, ne vous servez donc pas de ce machin. Pourquoi n'utilisez-vous pas un terminal ordinaire? » Pourtant, il ressentait une espèce d'exaltation. « C'est quelque chose que j'ai inventé. C'est ma machine. Pas celle de la Data General. La mienne. A moi. »

« Ce ne sont pas des occasions qu'il vous est donné de vivre souvent, concluait Rosen. Mais c'est peut-être la plus grande satisfaction de toutes. »

Il avait alors vingt-deux ans, et il ne lui manquait qu'une chose : avoir contribué à construire un gros ordinateur, important sur le plan commercial et de conception toute nouvelle. Comme il en avait exprimé tout haut le souhait, des échos en parvinrent du côté du groupe Éclipse, dont les dirigeants l'engagèrent : ses titres étaient excellents. C'est alors, on l'a vu, que tout s'était gâté pour lui. Mais peut-être son désastre personnel avait-il débuté plus tôt. Peut-être ne s'était-il porté volontaire pour Eagle que pour échapper à un malaise qu'il éprouvait déjà. Lui-même estimait que tel était sans doute le cas.

Rosen se souvenait qu'au temps où il était entré à la Data General, quelques années plus tôt, avant le projet Eagle, l'un des dirigeants du service du personnel lui avait dit : « Nous savons combien vous êtes capables de travailler, vous autres, et nous n'oublierons pas de vous faire signe, si jamais vous oubliez de prendre vos vacances. » Seulement, en réalité, disait Rosen, personne ne lui avait jamais rien

262

rappelé à propos de ses congés. D'ailleurs, quand même l'aurait-on fait, il n'en n'aurait sans doute tenu aucun compte. Il avait été affecté aux Systèmes Spéciaux et, dès sa première année à ce poste, on lui avait assigné tant de projets importants, intéressants et stimulants que non seulement il en avait oublié de prendre ses congés, mais encore il en avait perdu la notion de week-end. Ce n'était guère différent de ce qui se passait dans le groupe Éclipse. « Sauf qu'il n'était même pas question de date limite : par définition, elle était déjà dépassée. » Il avait fourni plus de quatre fois des semaines de quatre-vingts heures – sans rémunération supplémentaire, bien sûr, mais là n'était pas la question. « Je jouissais d'une énorme marge d'initiative, et l'envers de la médaille, c'était ce travail sous pression. Si d'aventure, certaine semaine, je ne faisais que soixante heures, j'avais terriblement mauvaise conscience. »

Il se disait qu'il vivait la plus belle période de sa vie. Au cours de sa seconde année aux Systèmes Spéciaux, c'est une chose qu'il se mit à se répéter avec une certaine régularité. « Mon vieux Josh, se disait-il, les machines excitantes, tu es en plein dedans, c'est toi qui les inventes. »

Ce dialogue avec lui-même se poursuivit après qu'il eut rejoint le groupe Éclipse et commencé à travailler sur Eagle. « Tu as toujours été plein d'admiration pour les types qui créaient les NOVA et le PDP-11. Eh bien, maintenant, tu fais partie de leur équipe, tu es l'un d'eux. Tu es devenu ce que tu avais toujours rêvé d'être », se répétait-il.

« Mais d'où vient, alors, que je ne suis pas heureux ? »

Le jour où je vis Rosen pour la première fois, debout au labo, face à son analyseur logique, il avait cessé de se poser cette question. Il savait. Il avait bien quelques amis dans son milieu de travail, mais à peu près aucun en dehors. Comment s'en serait-il fait ? Au cours des trois dernières années, il avait passé au travail à peu près la moitié de son temps, jours et nuits confondus.

De son expérience il retirait la conviction que la Data, plus encore que les autres firmes dont il avait entendu parler, exploitait « le travail des jeunes – aussitôt sortis de leurs écoles ». « C'est un peu comme ces ateliers où on

263

abrutissait les ouvriers. Vous êtes censé ruiner votre santé pour votre employeur... » Mais il savait que les choses n'étaient pas si simples. Et il rectifiait : « Seulement, pour une large part, la victime est consentante. Chacun essaie en fait de prouver ce dont il est capable. Et c'est comme ça qu'on finit par se démolir. »

Et maintenant, il se disait : « Je n'ai aucune vie sociale. Rien. » Il jetait un coup d'œil en arrière, et découvrait que depuis l'adolescence il ne s'était jamais aventuré bien loin de son travail. Pourtant il n'aurait même pas eu besoin de prendre des jobs d'été. Ses parents avaient de quoi le pourvoir en argent de poche. Mais non, il avait voulu travailler. « J'ai l'impression d'avoir fait ça toute ma vie. Au collège, vous savez, les aspirants physiciens sont tous masochistes et fiers de l'être. Ils mettent un point d'honneur à passer des nuits dans les labos ou auprès de leurs chers ordinateurs. Mais cela finit par vous limiter l'horizon. » Quand il se rendait à des soirées lancées par des membres du groupe, il se retrouvait – comme tous les autres ou presque – en train de parler ordinateurs. Ce n'était pas là chose nouvelle, mais à présent il se disait : « Enfin, quoi! C'est censé être une récréation. Que faisons-nous à parler boulot? »

Il soupçonnait West et Rasala de souffrir du même malaise que lui, et voyait dans leur humeur ombrageuse, dans leurs manières discourtoises, des symptômes de leur épuisement nerveux. Pour son propre compte, il n'avait plus de doutes. Au fur et à mesure que se poursuivait la phase de mise au point, il en ressentait l'oppression au niveau de son estomac. Ce type de travail, et à l'occasion les maux d'estomac y afférents, avaient naguère fait partie du plaisir. « C'est une espèce de fascination, disait-il. Un peu comme des petits garçons qui auraient oublié de grandir, et qui joueraient encore avec leur Meccano. Les ingénieurs ne perdent jamais leur passion pour ce genre de choses; ou bien, s'il la perdent, c'est qu'ils ne peuvent plus être ingénieurs. » A quoi il ajoutait : « Quand vous avez brûlé toutes vos cartouches, vous devenez incapable d'éprouver de l'enthousiasme. J'avais toujours adoré les ordinateurs. Et voilà que subitement je m'en moquais. Ce n'était plus devenu pour moi, d'un seul coup, qu'un boulot. »

Rosen continua pourtant de travailler, tout au long de cet hiver et de ce printemps-là, auscultant les entrailles de Coke au travers des analyseurs, et rectifiant fort consciencieusement les erreurs que comportait la carte dont il était l'auteur. Mais la mise au point d'Eagle avait depuis longtemps cessé de l'amuser et, de temps à autre, après quelque tracasserie de Rasala, ou simplement quand il ne pouvait plus supporter la vue de cet embrouillamini de fils électriques et de silicium, il profitait de la « soupape de sûreté » offerte par Carman et s'éloignait du sous-sol pour un après-midi ou une soirée. Parfois, avant de partir, il laissait un petit mot dans sa cellule, sur le dessus de son terminal – d'ordinaire une petite note avec une pointe d'humour, mais susceptible d'attirer l'attention de ses amis sur ce qui s'était passé, au cas où cette fois il ne reviendrait pas.

En compagnie d'un vieil ami, Rosen avait un jour rendu visite à ce qu'il appelait un « collège d'arts très libéraux », dans le Vermont. Comme il errait à l'aventure parmi les bâtiments d'une ferme dite « expérimentale », orientée vers la recherche des énergies de substitution, il avait par hasard croisé une jeune femme, nue jusqu'à la ceinture. « Elle était, disait-il, un miraculeux produit d'ingénierie biologique. » Et il avouait : « J'en étais tellement frappé que je me suis jeté, par mégarde, sur la porte d'un dôme géodésique. J'avais beau avoir l'arête du nez qui saignait comme un bœuf, je ne m'en rendais même pas compte. »

A présent, de retour à la Data, toute sa lassitude venait se concentrer sur cet analyseur logique et sur les menues catastrophes qui ne manquent pas de se produire quand on cherche à créer une machine qui opère au milliardième de seconde. Cette fois, il quitta le sous-sol et laissa sur son terminal le petit mot suivant :

Je pars pour une communauté du Vermont où je n'aurai plus affaire à des unités de temps inférieures à la saison.

12. LE FLIPPER

Il leur arrivait parfois de ralentir la cadence, le plus souvent pour attendre l'arrivée de quelque nouvelle pièce. A l'occasion de ces brefs temps de rémission, Ken Holberger avait l'impression de passer sa tête par la trappe de quelque cachot. Une fois de plus, c'était l'occasion de constater que les autres groupes officiant au sous-sol disposaient de plus d'espace pour leurs bureaux qu'il n'en était alloué au groupe Éclipse. « Et puis, regardez donc ce labo, se disaient-ils entre eux. Il est étroit. Il est sonore. Et vous vous rappelez, en février dernier, toutes ces soirées où il fallait garder le manteau pour travailler sur Coke et Gollum? Eh bien, maintenant, c'est l'inverse. Pas besoin de sortir du sous-sol pour savoir que les grosses chaleurs sont là. »

L'un des Intrépides eut la curiosité d'apporter un thermomètre au labo. Quand la température dépassa 31 °C Holberger cala la porte donnant sur le hall extérieur dans la position grande ouverte. « Qu'on profite au moins un peu de la brise des couloirs, même si elle est chaude. » Lors de l'une de ses visites vespérales, Carl Carman fronça le sourcil à la vue de cette porte ouverte – c'était une entorse aux règlements de sécurité – et il la referma d'un coup de pied. Leur vice-président en personne l'ayant refermée, ils n'osèrent pas la rouvrir. Mais le thermomètre alors battit aussitôt tous ses records. C'en était trop. Les Intrépides sortirent de leur tanière, et pour finir West à son tour fit irruption hors de son bureau. « Il était prêt à tout casser », se souvenait Holberger. Enfin, et non sans mal, West réussit à obtenir du département Entretien la réparation du système de climatisation du labo. Les Intrépides mirent fin à leur grève illégale.

L'équipe de la Micro possédait son propre ordinateur, mais ses membres constatèrent que quand quelqu'un utilisait le simulateur, Trixie ne fonctionnait plus qu'avec une sage lenteur. « Si on disposait d'un autre ordinateur, se dirent-ils, ce ne serait vraiment pas plus mal! Seulement, ce n'est même pas la peine de demander : souvenez-vous du mal qu'il a fallu se donner pour obtenir Trixie. »

Pourtant l'équipe de la Micro était logée à meilleure enseigne que celle des Intrépides : « Nous appartenons à un groupe qui a construit quatre modèles d'Éclipse, s'indignait Holberger, et pourtant nous n'en avons pas un seul, au labo, réservé à notre propre usage. Il nous faut partager Woodstock avec tous les autres groupes, à l'exception de celui de Bernstein, qui a deux ordinateurs à sa seule disposition. » Les choses étaient si graves, durant certaines phases critiques, que Holberger devait avoir recours à un procédé radical, qui se déroulait comme suit :

Holberger tombe sur une difficulté; il lui faut refaire la programmation d'un circuit PAL. Pour ce faire, il doit avoir recours à un ordinateur en état de marche. Il se rend en hâte à sa cellule et allume son terminal, qui est relié à une Éclipse du nom de Woodstock. Mais un message apparaît sur l'écran, l'informant que son programme ne peut pas passer, qu'il va devoir patienter; trop d'usagers sont en train de faire appel à Woodstock pour le moment. Seulement Holberger ne peut pas attendre. Alors, par l'intermédiaire de son terminal, il envoie à la ronde un MESSAGE URGENT. A travers tout le sous-sol, sur tous les écrans des utilisateurs du moment, le message correspondant apparaît. Il prévient, en substance : « Coupez immédiatement le contact sur votre terminal, le système est à la limite de ses possibilités, panne imminente. » Depuis son propre terminal, Holberger peut suivre les réactions diverses à cette pseudo-alerte. Certains continuent à travailler comme si de rien n'était, note-t-il, amusé. « Les cyniques et les blasés », se dit-il. Mais il en est assez qui coupent le contact pour que Holberger puisse lancer son programme PAL.

Holberger en riait de bon cœur. « Quelque chose me dit que c'est le genre de manip qui plaît à West. »

Cet été-là, dans *Mini-News*, l'une des deux publications intérieures à la maison, parut un article vantant la politique de la Data, qui consacrait à la recherche et au développement, y lisait-on, un pourcentage de ses bénéfices considérablement plus important que celui dépensé à cette fin par les firmes concurrentes – et même, à coup sûr, par l'immense majorité des entreprises américaines, de quelque branche que ce fût. Cet article tomba sous le regard de Holberger. Il l'apporta sur le bureau de West. « Eh, Tom, tous ces sous, tu as une idée d'où ils vont? » La part du lion était-elle réservée aux équipes de Caroline du Nord? Certains estimaient que c'était le cas – mais uniquement dans des circonstances comme celle-là, tant les anciennes rivalités avaient perdu de leur force.

L'un des membres de l'équipe s'avisa un jour qu'il aimerait bien disposer d'une carte de visite professionnelle. D'autres se laissèrent séduire par l'idée. Il leur semblait l'avoir méritée. Après tout, certains autres groupes, à Westborough, en offraient à leurs membres. Aussi quelques représentants du groupe Éclipse s'en furent-ils déposer leur requête devant Alsing, lequel accepta d'aller la transmettre à West. Ils attendirent au-dehors.

« Désolé, dit Alsing en sortant du bureau de West. Mais Tom a dit non.

– Et pourquoi ça?

– Comme ça. Il a dit " non ", c'est tout. »

Une autre histoire circulait dans l'équipe. Pour écarter une suggestion qui lui était soumise, concernant l'achat par le groupe d'un nouvel analyseur logique, West aurait eu ce mot : « Un analyseur coûte dix mille dollars. Les heures supplémentaires de nos ingénieurs ne coûtent rien. »

Dave Peck avait été un jour envoyé dans l'une des usines de semi-conducteurs de la Data, en Californie, pour y accomplir une tâche qu'il considérait comme « pratiquement irréalisable ». Sa tentative était restée vaine. Pourtant, de retour à Westborough, Peck avait éprouvé le désir de repartir là-bas pour tenter sa chance une seconde fois. Il s'en était ouvert à Alsing, et tous deux étaient allés trouver West.

« Pas question de renvoyer Peck là-bas, pour qu'il y prenne des vacances aux frais de la princesse, non! » avait lancé West à Alsing, devant Peck lui-même.

Peck avait un sens de l'humour un peu bizarre – un humour vieillot, disaient certains, qui ne le goûtaient pas toujours. « Il s'amuse bien, lui, pendant que nous autres nous trimons comme des forçats », disait quelqu'un. Mais d'autres l'appréciaient de bon cœur. Peck avait un jour entendu West évoquer d'un air dédaigneux « la mentalité Logiciel »; et lui, qui venait précisément du Logiciel, il estimait en fait que cette mentalité existait bel et bien, et même qu'il en était imprégné. « Mettez les pieds dans le Logiciel, vous constaterez tout de suite qu'il y a des papiers partout sur les murs », disait-il, et c'était vrai. A peu près vers l'époque à laquelle la Data s'était fait taxer de pyromanie, Peck se souvenait qu'une photo de de Castro était apparue sur les murs du département Logiciel; le bas en avait été brûlé, et une affichette interrogeait, juste au-dessous : *Achèteriez-vous à cet homme une voiture d'occasion?* Les murs du bureau de Peck lui-même disparaissaient derrière toutes sortes d'affiches et de posters. DATA GENERAL, CASSE-CROÛTE ET BIÈRE GRATIS, proclamait l'un d'eux. Peck l'avait récolté lors d'un pique-nique organisé par l'entreprise. « J'aime les murs qui chahutent un peu », disait-il.

Un tantinet rondouillard, Peck était pourvu d'une fine moustache qu'il caressait volontiers. Des années auparavant, au temps où il travaillait dans un autre département, il avait eu maille à partir avec un collègue qu'il estimait aussi casse-pieds qu'incompétent. Un jour, exaspéré par quelque provocation de l'autre, il lui avait lancé : « Tu n'es qu'un pauvre con. » Sommé par son supérieur de présenter des excuses, Peck alla docilement trouver l'offensé et lui dit d'une voix douce : « Je suis désolé... que tu ne sois qu'un pauvre con. » En revanche, il n'avait jamais manqué de respect à West. « Je ne sais pas, c'est peut-être tout simplement parce qu'à mon avis ce n'est pas un pauvre con. Il est vache, mais pas con. »

Pourtant, ayant réussi à mettre la main sur une affiche du film *Le Seigneur des Anneaux,* sur laquelle figuraient la plupart des personnages tels qu'ils sont représentés dans la version en dessin animé de cette œuvre, Peck avait pris un malin plaisir à les doter de noms à son idée. C'est ainsi que l'on retrouvait les Microkids en Hobbits – « Ils sont plutôt mignons, vous savez » – et que l'on pouvait le reconnaître, lui-même, Dave Peck, sous les traits de l'un des héros les plus braves – son nom était écrit dessous. Quant à l'affreux, le sinistre, le perfide Gollum, Peck l'avait baptisé Tom West. Puis il avait placardé l'affiche juste à côté de Woodstock. Mais redoutant que West ne la vît, et préférant ne pas imaginer ce qui pourrait s'ensuivre, l'un des plus jeunes membres de l'équipe avait jugé bon de la transférer dans un coin sombre, beaucoup moins en vue.

La plupart des membres du groupe, particulièrement chez les Intrépides, affirmaient se sentir tout à fait à l'aise avec le vice-président de leur division, Carl Carman. Il venait désormais faire un tour au labo, à peu près soir et matin. Il les interrogeait sur les difficultés rencontrées. Il les connaissait tous par leur nom. Presque tous, par contre, avaient la nette impression, quand ils tombaient sur West au détour d'un couloir, que ce dernier en savait bien moins long sur eux. « Quand on le croise, il regarde ailleurs, et pour le voir sourire, il faut se lever matin. » Les jours où West pourtant décidait de s'adresser aux foules, certains n'étaient pas rassurés.

C'était tout de même bizarre, songeaient quelques-uns. Ils étaient là, qui trimaient de toutes leurs forces sur un projet vital pour l'avenir de la maison, et pourtant ils manquaient de tout : d'équipement, de confort matériel et moral, et de la satisfaction de se sentir reconnus et estimés par leur supérieur immédiat. Leur projet avait pourtant la priorité des priorités. Leur vice-président l'affirmait. Qui pouvait douter que ce qu'ils faisaient était capital pour la firme? Le problème découlait forcément de l'attitude de West. « Comment se fait-il que d'autres chefs de groupe se débrouillent si bien pour obtenir des crédits, alors que Tom n'y arrive pas? C'est ça qui me fait râler, moi! » se lamentait l'un de ses équipiers.

« Quelquefois, on a l'impression que même les crayons nous sont chichement mesurés, renchérissait un autre. Moi, je ne peux pas m'empêcher de penser qu'il y a quelqu'un, ici, qui veut nous faire manger de la vache enragée, parce qu'à son avis c'est comme ça que nous travaillons le mieux. Je ne sais pas. Peut-être que Carman ne fait pas le poids. Peut-être que West ne sait jouer les grandes gueules que quand il parle à des types de son rang ou au-dessous. Ou peut-être qu'il veut nous donner des airs de loups maigres pour faire impression en haut lieu. »

Quand d'aventure ils avaient le temps de lever le nez de leurs machines, certains découvraient qu'ils étaient en train de construire Eagle tout seuls, sans vraiment recevoir d'aide significative de la part de leur chef. C'était *leur* projet, leur projet à eux. West n'était pour eux qu'un bureau d'où leur parvenaient « des entrées et des sorties déconnectées », comme le disait un Intrépide. Sur quoi il haussait les épaules. Quelle importance? « Peut-être que West joue le rôle d'un excellent tampon entre nous et le reste de la boîte. Ou peut-être qu'il ne joue aucun rôle du tout. »

Alsing écoutait, souriant parfois. « Quand tout sera terminé, prédisait-il, Eagle aura trente inventeurs pour revendiquer sa paternité. Tom leur laisse croire que ce sont eux qui l'ont inventé; ça revient moins cher que de les payer. »

C'était West qui avait mis ce projet sur pied, estimait Alsing, West et personne d'autre. Et même s'il ne faisait rien de plus, à son avis, Eagle serait toujours, d'un certain sens, l'œuvre de West. Mais l'idée que West ne faisait plus rien ne tenait pas debout, encore qu'Alsing comprît pourquoi tant de membres de l'équipe s'étaient forgé cette conviction. Peut-être d'ailleurs l'effet était-il voulu. West n'avait jamais pris à part Alsing, Rasala, Wallach et Rosemarie Seale pour leur dire : « Cette équipe, nous allons la mettre sous clé. Je veux que ces gars ne voient plus rien d'autre que la machine. » Mais il avait dit, par contre : « Il y a là trente types qui se figurent que c'est leur machine. Je ne veux surtout pas qu'on les détrompe. Au contraire, c'est tout ce qui m'arrange pour le moment. » Une autre fois, il avait émis cette remarque, accompagnée de son petit sourire tordu : « Il y a des gamins, dans le tas, qui ont complètement perdu de vue que derrière tout ça il y a une compagnie. Tiens, ça pourrait tout aussi bien être commandité par la CIA. Ou ça pourrait être un test psychologique. »

Les dirigeants du groupe avaient radicalement isolé

toute l'équipe dès le départ, en recommandant bien aux nouvelles recrues de ne pas même mentionner le nom d'Eagle à l'extérieur. Et même si parfois, en effet, les crayons étaient venus à manquer, le plus gros des problèmes administratifs avait été épargné aux Microkids et aux Intrépides. « Pour ça, oui, nous étions coupés du reste du monde », devait dire, longtemps après, l'un des Microkids. « Nous étions littéralement enterrés. » A quoi il ajoutait, avec la conviction de quelqu'un dont les yeux viennent seulement de se dessiller, que Rosemarie veillait tant et si bien sur eux qu'ils ne s'étaient jamais bien rendu compte de tout ce qu'elle avait pu faire pour eux.

Le printemps venu, le département Logiciel avait commencé d'inonder le projet sous un flot de programmeurs. Ayant engagé de son côté une copieuse équipe de nouvelles recrues, le Logiciel préparait à présent la masse impressionnante et complexe de logiciel de base absolument indispensable à Eagle pour devenir autre chose qu'un exercice de virtuosité pure pour ingénieurs informaticiens. Les relations techniques entre le Logiciel et le groupe Éclipse étaient de nature très complexe, un peu comme celles qui existaient entre les Intrépides et les Microkids, mais en fait nul autre que Wallach n'avait beaucoup affaire avec le Logiciel. West avait fait de Wallach l'unique ambassadeur du groupe auprès du Logiciel, et quand d'aventure Wallach s'en plaignait, West lui rappelait : « Pas de logiciel de base, pas de machine. » Wallach transmettait les messages, dans un sens comme dans l'autre, et, de temps en temps, de son propre aveu, il y ajoutait un message de son cru, afin, disait-il, de glisser dans Eagle quelque jolie trouvaille, à la barbe de West. Exposé des deux côtés à la critique, Wallach jouait à la fois le rôle de messager, de conciliateur et d'arbitre, et il affirmait se complaire dans ce personnage multiple.

A partir du début de l'été, les envahisseurs autorisés se firent de plus en plus nombreux au labo – des programmeurs de diagnostics, par exemple, et, plus nombreux encore, ces fameux programmeurs venus du Logiciel. Certains Intrépides s'étaient attachés aux prototypes d'Eagle, exactement comme on s'attache parfois à un animal, ou encore à une plante que l'on a soignée depuis le stade de la plantule. Or voilà qu'à présent Rasala venait leur dire

272

qu'ils ne pouvaient plus travailler sur leurs machines à certaines heures, parce que le Logiciel devait y avoir accès. Il y avait à cela une explication simple : le projet en était à une phase précaire; si le Logiciel ne pouvait pas venir faire connaissance avec la machine, s'il n'avait pas l'occasion de l'apprécier pour pouvoir en parler ensuite autour de lui avec enthousiasme, le projet risquait de tourner court; les Intrépides avaient de la chance de voir le Logiciel s'intéresser à leurs prototypes et demander à s'en servir – et ils avaient tout intérêt à plaire au Logiciel. Peut-être bien qu'aucune explication, en fait, n'eût réussi à satisfaire ces Intrépides jaloux de leurs machines, ils les adoraient tant! Quoi qu'il en fût, en fait d'explications, il ne leur en fut fourni que de bien vagues. Et on les laissa ajouter cette insulte, s'ils le voulaient, à la liste des offenses que leur infligeait West.

De temps à autre, Alsing et Rasala expliquaient à une partie de leurs troupes que West jouait le rôle de tampon entre eux et les bureaucrates de la maison, mais ni l'un ni l'autre n'entraient dans le détail. Le faire eût été contrevenir au mot d'ordre implicitement donné par West : « Un accord tacite, disait Alsing, selon lequel nous nous interdisions d'évoquer tout ce qui avait rapport aux commérages et aux intrigues politiques. » Tous deux auraient souhaité pouvoir montrer au restant de l'équipe, ne fût-ce qu'un bref instant, la tête que faisait West quand un dirigeant d'un autre groupe se permettait de critiquer le groupe Éclipse ou l'un de ses membres. Il était bien connu que West, en l'occurrence, connaissait deux poids deux mesures; il critiquait volontiers les autres groupes, mais ne tolérait aucune critique à l'endroit du sien. Il poussait même cette attitude jusqu'à l'absurde. Tantôt il ignorait tout simplement la critique adressée à son équipe. Tantôt il y répondait par des questions de cette veine : « Et chez vous, est-ce qu'on travaille soixante heures par semaine? »

Alsing et Rasala se rendirent bien souvent dans le bureau de West pour lui demander, sitôt la porte close, pourquoi il ne leur était pas possible d'offrir à leur équipe un peu plus d'espace et de matériel. West s'imagine sans doute qu'un peu d'inconfort matériel ne peut faire que du bien aux jeunes ingénieurs, raisonnait Alsing; il doit se dire qu'un petit parfum de combat galvanise les énergies, qu'un excès de chichis aurait l'effet inverse. « Tom est aussi un peu pingre », disait-il. C'était bien dans l'esprit des premiers temps de la Data; la légende disait qu'on y récupérait les trombones. Et pour ce qui était du peu d'amabilité dont West faisait preuve envers ses troupes, Alsing l'avait entendu répéter plus d'une fois : « Ici, pas de petites tapes dans le dos. Et c'est comme ça que ça marche. » Alsing sortait de là convaincu, cependant, que West avait élaboré une vaste stratégie. « Pour le moment, on compte pour du beurre, mais quand Eagle sera devenu une réalité, on fera le poids et c'est alors qu'on pourra imposer un peu nos exigences sur les questions de salaire, d'espace de travail, d'équipement, et par-dessus tout sur le profil des futurs produits. »

Rasala s'était forgé à peu près la même conviction. « C'est peut-être de l'égocentrisme. Mais West a quelques idées fort intéressantes, eeeeeeeet... d'un certain sens, je crois qu'il a raison. Son idée fondamentale, en gros, c'est qu'il est idiot de se battre pour des petits riens, quand il y a une partie autrement belle à jouer. »

Cette partie plus belle, nul besoin n'était de la nommer. Quiconque faisait partie du groupe depuis un certain temps savait de quoi il s'agissait. Rien à voir avec un paquet d'actions. Rasala et Alsing et bien d'autres avaient depuis longtemps conclu qu'ils ne recevraient jamais que des récompenses symboliques sur le plan matériel. Non, la belle partie à gagner, c'était la partie de « flipper ». L'appellation était de West; tous les vétérans l'utilisaient. « Quand vous gagnez la partie, vous en avez une autre gratuite. Si vous gagnez avec cet ordinateur, vous avez le droit de construire le prochain. » Remporter la partie de flipper était la seule chose qui comptait. C'était ce jackpot la promesse implicite qui se cachait derrière l'engagement, tout au moins pour certains. Holberger l'avait ressenti ainsi : « Moi j'ai dit, en gros : " Je ferai ce travail, je veux le faire. Je sais d'avance que ce sera un rude boulot, mais je suis prêt à trimer dur et, si nous faisons du bon boulot, nous aurons le droit de recommencer. " »

West, estimait Alsing, « mettait de côté toute sa monnaie, pour sauvegarder – de haute lutte, s'il le fallait – le droit, pour son équipe, de rejouer encore ».

Pendant ce temps, depuis son poste de travail largement ouvert, au point de jonction de deux couloirs, Rosemarie entendait les jeunes ingénieurs se plaindre des étranges manières de leur chef de groupe, si énigmatique et glacial. Elle s'en désolait pour lui. Elle s'indignait tout bas : « Mais ils ne le connaissent pas! » Elle s'était d'abord dit qu'il avait tort de se montrer aussi distant, mais à présent elle ne savait plus. « Dites, c'est qu'ils sont tous très intelligents, et pleins d'imagination, tout prêts à vous empoigner le monde et à le faire tourner sur un doigt. Dans la situation où est Tom, il faut quelqu'un de solide. Il serait la risée du département s'il ne l'était pas, et personne ne rit jamais de lui. »

Rosemarie garda longtemps toutes ces réflexions pour elle. Puis un jour tout lui échappa : « Peut-être que les types se figurent que ce projet était un cadeau qu'on leur offrait de là-haut, à l'étage, sur un plateau; mais moi je sais bien – et cela ne devrait même pas être la peine d'en parler –, je sais bien que rien n'aurait jamais eu lieu s'il n'avait pas été là; et bien sûr, il n'y aurait pas eu tous les problèmes qu'il y a, mais pas un de nous n'aurait eu la chance – pas un, y compris moi – de faire ce qu'il avait envie de faire.

« Je sais qu'il y a des gens qui ont peur de lui. J'en connais. Pourtant, il a des yeux qui pétillent! Je ne comprends pas qu'on puisse avoir peur de quelqu'un dont les yeux pétillent comme ça, et qui vous offre l'occasion de faire quelque chose. Je ne vois pas qui d'autre que lui pourrait mettre en scène pareille pièce. Un autre leur aurait prodigué des sourires et des bonnes paroles, mais je ne connais pas beaucoup de patrons qui soient capables d'en faire autant qu'il en a fait pour eux, de les laisser s'épanouir dans leur boulot, de leur donner une chance de faire vraiment quelque chose qui en vaille la peine. Tom West leur donnait l'impression de ne pas se soucier d'eux, n'empêche qu'il faisait exactement tout ce que l'on doit faire quand on se soucie de quelqu'un. Ah, la vie est bizarre. Est-ce que ce sont les mots? Ou la chose en elle-même? En tout cas, je ne crois pas que ces garçons auraient accepté non plus quelqu'un qui les aurait traités en mineurs, mais je ne crois pas qu'ils s'en rendent compte encore. Pour pas mal d'entre eux, vous savez, c'est leur première expérience du travail. Ils n'ont jamais eu de patron qui vous traite en mineur. Moi j'en ai eu, je sais ce que c'est.

« Lui, West, il gardait tout en lui. Il n'était pas de ceux qui s'en vont se plaindre. Peut-être bien qu'il ne donnait pas de petites tapes dans le dos, mais il n'allait pas non plus se plaindre. Il était pourtant épuisé. Il se donnait à fond, là-dedans. S'il acceptait de voir tous les griefs retomber sur lui, je crois que c'était tout à fait délibéré. A mon avis, c'est qu'il voulait qu'ils aient quelqu'un sur qui tout faire retomber, tous leurs problèmes, pour qu'ils puissent se débarrasser plus vite de ce qu'ils avaient sur l'estomac, et se remettre immédiatement à ce travail dont l'urgence était si grande. Je pense qu'il a fait exprès de jouer les sales types – mais sale type, c'est trop fort. Vous savez, quand on grandit, qu'on devient adulte, on a besoin de quelqu'un à qui attribuer tous ses ennuis – son père, par exemple! – Elle rit. – En tout cas, voulu ou non, c'était l'effet produit. »

Dave Keating, à qui West ne dit jamais bonjour tout au long du projet, estimait avec les autres que West était la source de la plupart de leurs petites frustrations. Pourtant, des mois plus tard, après avoir eu l'occasion de regarder un peu plus attentivement comment se passaient les choses, il devait émettre cette remarque : « D'accord, nous avions du mal à obtenir ce dont nous avions besoin, mais nous en avons toujours, même maintenant. Peut-être bien que ça ne venait pas tellement de West, en définitive. » Keating se demandait encore, rétrospectivement, si dans les circonstances d'alors les ressentiments n'étaient pas inévitables; au fond, il lui semblait heureux que les membres de l'équipe n'aient pas, en règle générale, déchargé leur trop-plein de rogne sur leurs compagnons de travail ou leurs supérieurs immédiats. « Par l'attitude qu'il avait adoptée avec nous, il maintenait entre lui et nous une séparation absolue. Résultat : c'était quelqu'un d'assez lointain pour qu'on puisse lui mettre sur le dos tout ce qui clochait. »

Par un après-midi de vendredi, ce printemps-là, vers les 4 heures 30, ayant constaté qu'ils ne pouvaient rien faire de plus tant qu'ils n'auraient pas reçu certaine nouvelle carte de circuits imprimés, Rasala dit à ses Intrépides : « Sortons donc d'ici. » Un petit détachement se mit donc en route le long du couloir, en direction de la porte de derrière. Il y avait des fenêtres de ce côté-là, des fenêtres baignées de soleil. Ils pressèrent le pas en direction de la lumière, traînant après eux un sillage de rires éclatants.

West était à son bureau, sa porte ouverte. Quand les derniers rires se furent éteints dans le lointain, il se frotta l'arête du nez sous la monture de ses lunettes et, relevant la tête, esquissa son petit sourire en biais. « Bon, je crois qu'il va falloir que je trouve quelqu'un pour me dessiner cette foutue fiche de connexions. »

« Fiche de connexions? » dit Rasala, interrogé au sujet de cette pièce de matériel électrique d'une importance cruciale. « Ouais, il en faut une, pas de doute. » Il se frottait le menton. « Seulement, moi, je serais bien incapable de la dessiner. » L'ère des spécialistes était déjà commencée. West dut aller se chercher ailleurs, quelque part dans le sous-sol, son concepteur de fiches.

Au fait, les dimensions prévues pour Eagle lui permettraient-elles de prendre place dans un monte-charge standard d'Europe ou des pays d'Orient aussi bien que dans un monte-charge américain? West avait intérêt à ne pas négliger cette simple question : quand Rasala était allé à Londres avec un M/600, pour y préparer cet engin à ses débuts en Europe, il avait découvert que l'ordinateur ne pouvait pas entrer dans le monte-charge de l'immeuble où sa présentation devait avoir lieu. Et il avait dû démonter entièrement l'appareil flambant neuf, par un après-midi d'hiver, dans un parking londonien.

Quelle sortes de câbles et de connecteurs allaient-ils utiliser pour Eagle? Le contact s'établirait-il au moyen d'une clé ou d'un bouton? Des arguments solides existaient en faveur de l'une et l'autre option. La décision finale était d'une très grande importance aux yeux du service d'Entretien en Clientèle. Il reviendrait à West de négocier l'affaire.

Il fallait encore se soucier du Logiciel, de la Fabrication – le département Fabrication allait-il ou non rendre un verdict favorable sur la possibilité de construire l'engin en grande série? Il allait y avoir, quelque part en juin, une réunion du Comité de Produit. Là, et pour la première fois, West présenterait officiellement Eagle à de Castro. Il y avait déjà des semaines qu'il se préparait pour ce grand jour. Il vantait à présent avec zèle les mérites d'Eagle à tous les échos de Westborough.

Le groupe Éclipse continuait de prendre du retard sur les prévisions, mais dans l'ensemble les choses se déroulaient à peu près sans anicroche, depuis quelque temps. Tous les paris quelque peu risqués – sur le recrutement de novices, sur le choix du logiciel – semblaient en définitive gagnés. Hélas! juste au moment où West cessait de se poser des questions sur la décision, lourde de risques, d'utiliser les fameuses puces PAL, il eut vent que l'unique fournisseur de ces puces très spéciales était sans doute au bord du dépôt de bilan. Quelque chose était allé de travers, manifestement. Ils ne pouvaient plus se procurer toutes les PAL désirées. Ne parlons pas des milliers de PAL qu'il leur faudrait pour construire Eagle en série : ils n'étaient même pas sûrs d'en avoir assez pour rectifier les erreurs qui apparaissaient dans les prototypes. Rasala se mit à tenir le compte des PAL encore disponibles. Durant des semaines et des semaines, ils en frôlèrent la panne sèche. « A ce niveau-là, devait dire plus tard West, nous pouvions tout perdre d'un coup. »

La Data General elle-même prit ce problème en main pour le traiter selon d'autres voies. Là, West ne pouvait plus faire grand-chose, si ce n'est se faire du mauvais sang en attendant. Et c'est bien ce qu'il fit dès lors. Les plus jeunes membres du groupe ne soupçonnèrent pas un instant, sur le moment, la gravité du problème. Personne ne les avait mis au courant, bien sûr.

Ces soirs-là, quand West rentrait chez lui, il allait tout droit dans le séjour et s'installait dans l'angle d'un vieux canapé beige, toujours le même angle. Il flottait un peu dans son pantalon, depuis quelque temps, et l'étoffe faisait des fronces autour de la ceinture. Il se laissait aller en arrière et, le dos dans les coussins, il fixait le plafond; lissant d'une main ses cheveux vers l'arrière, il amenait de l'autre une cigarette à ses lèvres. Et là, dans cette position, il brossait le portrait des membres de son équipe, de ceux-là même à qui pratiquement il n'avait jamais dit bonjour. Il connaissait leurs dadas, leurs petites manies. Il connaissait les points forts de celui-ci, les points faibles de celui-là. C'était stupéfiant. Parfois il vantait leurs mérites, ceux de Peck y compris. « Il est bien, ce type-là. »

Mais il n'était pas question de refaire deux fois un projet dans le genre de celui-là, n'est-ce pas? C'était évident, non?

West tirait sur sa cigarette et respirait profondément : « Hmmmmmmm, siii... Ça peut se refaire. »

Il écrasait son mégot, allumait une autre cigarette, et reprenait son étude attentive du plafond. « La déprime du post-partum risque d'être phénoménale, à la fin de ce projet. Les gars n'ont aucune idée de l'appui qu'ils prennent sur ce travail pour bâtir leur identité. C'est d'ailleurs pourquoi il nous faut absolument préparer déjà la suite. »

Avant même le cœur de l'été, alors qu'Eagle trônait toujours au labo, et se faisait encore recaler sur bon nombre de programmes de diagnostic, alors que le nombre de PAL encore disponibles tendait dangereusement vers zéro sur la liste de Rasala, West avait déjà vaguement esquissé dans sa tête les grandes lignes d'une demi-douzaine de futures machines et décidé, de concert avec ses lieutenants, laquelle de ces machines à construire conviendrait le mieux à tel ou tel des membres de l'équipe. « Évidemment, disait West. A quoi croyez-vous que je songe, des heures durant, tous les soirs, quand je contemple mon plafond? Je ne rêve pas uniquement de bateaux et de grands départs. »

13. ALLONS A L'EXPO

Chaque année, au mois de juin, pour promouvoir l'essor du traitement de l'information, l'industrie de l'informatique organise une grande manifestation, la National Computer Conference, plus connue, bien sûr, sous le nom de NCC. Cette dernière devait se tenir à New York cette année-là, et se dérouler sur trois jours. Le groupe Éclipse allait y passer une journée, et dans un car spécialement affrété, s'il vous plaît. C'était Alsing qui s'était occupé de tout, par l'intermédiaire de Carl Carman. Brave vieil Alsing.

Vers 6 six heures du matin, Intrépides et Microkids arrivèrent l'un après l'autre sur le parc de stationnement situé derrière le bâtiment 14 A/B. Le soleil était levé, il faisait bon déjà, et pour une fois ils n'allaient pas s'enterrer entre quatre murs. Bien au contraire, ils s'embarquaient à bord de leur car. Chacun s'était fait tout beau tout propre pour la ville, et un parfum d'après-rasage flottait dans l'air. Pourtant, après avoir flâné quelques instants avec le gros de la troupe en attendant l'heure du départ, Rasala et Holberger s'éclipsèrent. Ils se rendirent tout droit au labo et s'approchèrent de Gollum. « Il a passé EMORT pendant sept heures, hier soir, dit Rasala. Pas mal du tout. » Ils avaient l'air prêts à se mettre en poste pour une séance de mise au point. Mais au bout de quelques minutes l'un des Intrépides passa sa tête dans l'embrasure de la porte : « Dites, le car s'en va! » Rasala s'empressa d'écrire NE PAS DÉRANGER sur deux bouts de papier qu'il plaça respectivement sur les pupitres de commande de Coke et de Gollum. Puis il quitta le labo en hâte. En matière d'adieux, mieux vaut faire vite, généralement.

Tout le monde n'était pas du voyage. Rasala avait tenté de convaincre West de venir; Holberger lui avait suggéré de revêtir un déguisement : il pourrait s'en payer une tranche et personne n'en saurait rien. West avait refusé de venir. Par contre, il les avait pourvus d'un viatique – casse-croûte et rafraîchissements – dont il avait chargé Alsing, avec pour instruction d'en taire la provenance. D'ici une heure environ, West serait dans son bureau, en train de préparer la réunion, à présent toute proche, du Comité de Produit; il y serait, pour une fois, plongé dans le plus profond silence.

En gros, ceux qui portaient veston et cravate prirent place dans les deux premiers tiers du car, ceux en manches de chemise investissant plutôt l'arrière. De soudaines explosions de rire partaient du fond du car, suivies de brefs et mystérieux silences. Alsing, vacillant, remontait l'allée centrale, distribuant à droite et à gauche le contenu d'un carton plein de *doughnuts*[1] et de boissons non alcoolisées. Holberger et Guyer étaient lancés dans une discussion technique sur le matériel stéréo, et Wallach dans une péroraison sur les agents recruteurs de l'industrie; il prophétisait que toute l'expo serait truffée de chasseurs de têtes en maraude, à l'affût de jeunes ingénieurs qu'ils attireraient dans leurs « salles d'accueil » pour les gaver de caviar et leur verser force petits verres, tout en les persuadant de déserter leur employeur actuel. Le conducteur du car lançait par-dessus son épaule : « Du calme, là-bas derrière! » et son injonction se faisait saluer par une tempête de rires montant de l'arrière du car. Une ambiance à réveiller de vieux souvenirs. Qui ne se souvient de s'être réveillé jadis, un matin, sur la perspective d'un jour sans école, un jour où toute la classe partait en excursion, avec pour toile de fond un été devant soi? Quoi de plus merveilleux qu'une petite balade pour le plaisir, en juin?

Le temps d'y penser, ou presque, et déjà le car atteignait Manhattan. Le regard dépourvu d'expression, Rasala jetait à travers la vitre des coups d'œil sur sa ville natale. Wallach, qui avait grandi comme lui à Brooklyn, prenait des airs de propriétaire pour fournir des détails sur

---

1. Doughnuts : sortes de beignets en forme d'anneaux. (*N.d.l.T.*)

l'histoire locale, sur la disparition de l'Ebbets Field et sur le vieux Brooklyn Dodgers. Quant à Bob Beauchamp, qui n'avait encore visité New York qu'une seule fois, à l'occasion d'un voyage scolaire depuis son collège du Missouri, il ne détacha pas son regard de sa vitre tant que dura le trajet entre Harlem et le New York Coliseum.

Les ordinateurs et les tonnes de matériel qui leur servaient de suite s'étalaient sur quatre niveaux de dimensions spacieuses. L'assistance était dense et largement pourvue de badges. Ils notèrent au passage un badge qui indiquait ANALYSTE D'APPLICATIONS. Son porteur était-il chargé d'essayer de trouver des utilisations possibles à tout ce bataclan? « Ho, hé, regardez-là », disait Beauchamp. « Là, il y a de la mémoire à bulles », disait Jon Blau. Un peloton de Microkids et d'Intrépides barrait le passage en travers du premier niveau. Alsing, Rasala, Holberger et Wallach se mirent en quête du stand de la DEC.

L'ayant repéré, ils foncèrent droit sur le VAX 11/780 exposé. Ils s'agenouillèrent. Wallach venait juste d'ouvrir l'abattant de plexiglas fumé derrière lequel se trouvaient les cartes de l'unité centrale quand surgit une vendeuse de la DEC, qui se pencha aussitôt pour déchiffrer leurs badges. « Data General, Ingénieur. » Elle fit la grimace et chassa ces importuns. Ils rallièrent en riant leur propre territoire.

C'était à l'occasion de l'un de ces salons que la Data General, onze ans plut tôt, s'était lancée dans la partie, et ce, en plaçant, pour la circonstance, son panonceau plus haut que celui de tous les concurrents. Depuis, apparemment, c'était devenu une tradition, car cette année encore l'enseigne de la Data General était de loin la plus haute de tout le hall d'exposition, plus haute même que celle d'IBM – tellement haute, à vrai dire, qu'elle courait le risque de ne même plus se voir du tout. Peut-être l'altitude était-elle fonction de l'âpreté de la concurrence? Si tel était le cas, et si la conjoncture conservait sa tendance, la Data General risquait de devoir un jour dresser son stand à l'extérieur.

La Data General avait coutume de pimenter son stand par quelque attraction bien trouvée. Une année, se souvenait Wallach, comme elle lançait un microprocesseur – un ordinateur tenant sur une unique puce –, on avait fait appel à une danseuse du ventre, qui avait exercé sa spécialité sur le stand, la puce logée dans son nombril. Cette année, c'était un spécialiste de la médecine sportive, le Dr Gideon Ariel, qui figurait à titre d'attraction. Le Dr Ariel faisait appel à l'ordinateur pour améliorer, à l'aide de techniques dont il était l'auteur, les performances sportives de divers athlètes, et il travaillait en relation avec des membres d'anciennes équipes olympiques. La Data General lui avait offert une Éclipse. Acte de largesse bien inspiré, et qui avait valu à la Data de se voir gentiment mentionner lors de l'émission de la NBC, « Today ». A l'instant même, précisément, un écran de télévision repassait le court métrage en question. « Ouais, bien sûr, chuchota Alsing, on lui a donné une Éclipse avec seulement 2 K de mémoire et pas un seul périphérique. » Aussi succinctement équipé, un ordinateur serait tout à fait inutilisable, voilà la blague. Sans doute était-ce inexact, mais les autres avaient l'air de bien se réjouir de l'idée. En vétéran, Alsing était cependant heureux de penser que la Data General avait eu les honneurs de la télévision nationale.

Le Dr Ariel était à présent sur le podium, en sueur et en chaussures de sport, et il démontrait comment son système Data General lui permettait de saisir par le menu les mouvements d'un amateur de jogging en action – sous la forme d'un bonhomme-bâtons. Il apportait la preuve éclatante, et démontrée par ordinateur, que la meilleure façon de trotter consiste à poser d'abord la demi-pointe des pieds... Les ingénieurs se détournèrent.

« Tiens! dit Alsing, ça, c'est *ma* machine. »

Il s'approcha du C/150, un récent modèle d'Éclipse. C'était celle dont il avait écrit une partie du microcode l'été d'avant, sous sa micro-galerie. Il tripota quelques boutons sur le devant de la machine.

Holberger et Rasala, pendant ce temps, rôdaient autour du M/600. *Leur* dernière machine à eux, c'était celle-là. Rasala prit une pose, légèrement appuyé contre le coffrage contenant l'unité centrale, le bras négligemment posé dessus. Il avait aux lèvres un léger sourire, et cet air détaché qu'arborent, à leur volant, ces conducteurs d'automobiles bricolées en voitures de course, le bras passé autour de la jolie fille de rigueur.

Alsing s'approcha : « Dites-moi, je suis un client, et il y a quelque chose que je ne comprends pas, dans cette machine. A quoi sert donc ce bouton?

– Oh, il marche, répondit Holberger. Mais il ne sert rigoureusement à rien. »

La petite communauté d'Eagle s'était, pour un jour, disloquée. J'eus beau scruter autour de moi, plus un seul de ses membres n'était en vue, à l'exception de Wallach, qui était d'ailleurs, en la circonstance, le compagnon idéal.

Un type s'approcha, tout sourires, et tendit la main à Wallach. Un instant je nourris l'espoir qu'il s'agissait de l'un de ces chasseurs de têtes, prêt à nous gratifier de sa généreuse hospitalité. Mais ce n'était que l'ingénieur en chef d'un autre fabricant de mini-ordinateurs. Wallach et lui discutèrent un moment, et quand l'homme s'éloigna, Wallach me dit, un peu trop fort : « Ils viennent de sortir un modèle à 32 bits. Les plans datent de 1963. »

Le seul comportement de Wallach suffisait à faire comprendre qu'en ordinateurs il s'y connaissait assez. Chaque fois qu'il s'approchait d'un appareil exposé, il donnait l'impression de flairer l'air alentour. S'il reniflait franchement, l'engin devait être bien mal ficelé; s'il haussait vaguement les épaules, c'était du bon travail, sans plus; s'il hochait la tête d'un air de connaisseur, alors c'est qu'il tenait la preuve qu'il y avait tout de même des gens qui savaient ce qu'ils faisaient. Le stand d'IBM méritait une investigation approfondie. La première chose que l'on y constatait, c'était que ce stand, très vaste et doté de nombreuses facettes, était fait de chêne massif et non de contre-plaqué ou autres ersatz. « Il faut noter aussi, soulignait Wallach, qu'ils font en sorte d'avoir exactement le nombre de Noirs qu'il faut pour faire bien. » La même remarque valait pour le nombre de femmes.

IBM semblait ne faire aucune concession au clinquant. Pas d'attractions ni de vedettes, rien que des hommes et des femmes en chemise ou chemisier blancs, occupés à décrire les machines exposées. Les ordinateurs en question étaient essentiellement des représentants de la ligne 4300, la toute dernière gamme d'IBM, que la firme avait lancée quelques mois auparavant. En fait, pour l'heure, IBM n'avait nul besoin de s'efforcer de conquérir une clientèle pour ce nouveau type de machines. Le problème immédiat d'IBM était plutôt d'arriver à produire ces ordinateurs en nombre suffisant pour satisfaire à un afflux de commandes. On estimait que les carnets de commandes d'IBM devaient contenir en gros l'équivalent de trois années de fabrication. Un véritable pactole pour toutes ces sociétés, nombreuses, vivant dans le sillage d'IBM comme autant de poissons pilotes, ces fameux fabricants de matériel « directement connectable », qui produisent toutes sortes de périphériques et d'équipements divers pouvant être branchés, sans autre forme de procès, sur les systèmes s'articulant autour d'un ordinateur IBM. D'une certaine façon, d'ailleurs, tous les fabricants de matériel informatique sont des orchidées épiphytes installées sur l'arbre IBM. Chacun doit tenir compte des prix fixés par IBM, et s'efforcer au maximum de produire du matériel compatible avec le matériel IBM.

Il était tout de même difficile de concevoir qu'une société pût souffrir d'un excès de la demande. Pas tellement pour IBM, pour qui cet engorgement des commandes ne causerait tout au plus qu'un malaise, mais songeons à tous ces petits fabricants d'ordinateurs, apparemment promis à un bel avenir, et dont l'entreprise s'était effondrée à la suite du même embarras. Ils lançaient un nouveau produit, mais bientôt, pour une raison ou pour une autre, ils se révélaient incapables de le fabriquer en quantité suffisante pour satisfaire à leurs obligations. Et se faisaient asphyxier par leur propre succès. Mais il est vrai qu'une petite société doit courtiser le risque; elle doit pousser comme une mauvaise herbe, c'est la condition de sa survie.

Au sortir du stand d'IBM, Wallach m'emmena rendre visite à plusieurs des concurrents traditionnels de la grosse firme, à commencer par Sperry Univac, le descendant direct du premier vrai fabricant d'ordinateurs – une firme qui aurait bien pu devenir l'IBM de la branche si elle avait su ne pas gaspiller l'avantage qu'elle avait au départ. Sperry exposait un nouveau modèle de grande taille, accompagné d'un montage de diapositives où il n'était question que de lui. La maison Burroughs avait monté un petit théâtre, où des chaises faisaient face à une rangée d'ordinateurs, tous carrossés de blanc et rappelant irrésistiblement des lave-vaisselle et des réfrigérateurs. Un enregistrement de trompettes jouant des airs de fanfare vous invitait à prendre place pour ce spectacle sans surprise. Le trait le plus remarquable du stand de la National Cash Register y était la présence d'une paire de blondes, deux vraies jumelles, invitées pour la circonstance. « A oui, les blondes bipolaires », nous dit Jon Blau, rencontré par hasard peu après. La trouvaille était délicieuse pour qui s'y connaît un peu dans le jargon des semi-conducteurs, mais de ce type d'humour qui s'évente au fur et à mesure que s'allongent les explications permettant au profane de le goûter.

Wallach examina toutes les minis à 32 bits présentées à la foire. Eagle, si jamais il sortait, aurait à les concurrencer. On estimait que le total des ventes du VAX de la DEC tournait autour de mille exemplaires qui représentaient un demi-milliard de dollars de recettes pour cette seule nouveauté.

Une ligne de partage assez nette séparait deux types de firmes. D'un côté, celles dont la situation était déjà bien assise et le succès déjà ancien, présentant une large gamme de matériel; celles-là se partageaient la partie centrale de chaque niveau, où elles avaient planté podiums et théâtres. De l'autre, les maisons plus petites, plus récentes, aux produits moins diversifiés, alignées dans de modestes stands, le long des murs. C'était un peu l'équivalent de ces petites boutiques de marchands d'appareils-photos et de joailliers que l'on trouve à l'ouest de Broadway. Wallach les gratifia d'un bref tour de lèche-vitrines. Bon nombre de ces petits fabricants vendaient des « mémoires compatibles par broches », susceptibles de se faire greffer sur des machines comme celles de la DEC ou de la Data, pour un coût moindre que celui des cartes supplémentaires proposées par les fabricants principaux. « Nous sommes en procès avec certains de ces gars-là », mentionna Wallach au passage.

Nous ne pouvions manquer d'aller jeter un coup d'œil à quelques-uns des nombreux systèmes spécialisés dans la production de graphiques, l'un des tout derniers secteurs de la branche à avoir connu un essor étonnant. Des machines avec lesquelles on peut dessiner! Parmi les programmes les plus en vogue, pour ces fameux systèmes graphiques, figuraient ceux qui permettent de dresser des tableaux et des figures du type si cher aux cadres ambitieux qui veulent convaincre leur patron : de ces tableaux qui vous représentent n'importe quelle quantité – des revenus, par exemple – sous la forme d'un gâteau, divisible en différentes parts. Là, les ordinateurs étaient tous occupés à produire en chaîne tous les gâteaux imaginables : gâteaux de toutes les couleurs, gâteaux mobiles, gâteaux en trois dimensions... Après quoi notre errance nous fit passer devant des machines cellulaires en train d'exécuter des tours en FORTRAN, devant des dérouleurs de bandes magnétiques, des disques Winchester, diverses imprimantes et pupitres de commande aux carrosseries luisantes et lisses, ainsi que devant les tout récents « modems », destinés à raccorder les ordinateurs au téléphone.

« Je remarque qu'il y a davantage de Japonais que les autres années », dit Wallach. Détail qui n'avait rien d'anodin. Déja les Japonais s'étaient taillé une assez jolie part du marché du circuit intégré – assez pour inquiéter vivement les représentants de la branche, puisqu'ils réclamaient à présent des tarifs protecteurs. La Data General, pour sa part, avait acquis pour moitié une société japonaise fabriquant des mini-ordinateurs – jamais prise au dépourvu, la Data.

Et nous poursuivîmes notre balade, jetant quelques coups d'œil au passage sur la presse spécialisée, venue ici pour vendre des abonnements et de l'espace publicitaire; sur les sociétés de service et de conseil en informatique, ces fabricants de logiciel spécialisés dans la création des programmes d'utilisateurs, marchandise capitale et dont le coût sans cesse croissant avait dicté l'option à prendre, pour Eagle; sur les fournisseurs de systèmes complets et autres constructeurs OEM prêts à vous vendre un système « clés en main » : achetez chez nous et vous n'aurez à vous soucier de rien; vous tournez la clé et votre système fonctionne. Dans l'industrie informatique, décidément, cueillir ses pommes sur le pommier du voisin semblait être une pratique courante.

Offert à la contemplation, on rencontrait encore, ici et là, le matériel de demain, comme les mémoires à bulles, par exemple. Au bout d'un certain temps, malgré tout, les matériels exposés finissaient par se ressembler tous. De chaque stand s'élevait bruyamment l'affirmation insistante que nous avions là sous les yeux, enfin, la machine la plus rapide, la plus fiable, la plus commode d'emploi, la « plus intelligente », tout simplement la plus époustouflante de tout l'univers. Ce spectacle commençait à me submerger quelque peu – non point tant à cause de la variété des machines et de la diversité de leurs usages qu'en raison de l'imposant volume du matériel déployé, de la densité de la foule et tout simplement du nombre de firmes représentées.

Wallach soulignait qu'il manquait deux exposants, et des mieux nommés : Itty Bitty Machines (une autre IBM) et Parasitic Engineering [1]. Mais je relevai bien d'autres noms au passage, entre autres Centronics, Nortronics, Key Tronic, Tectronix et General Robotics. Il y avait encore Northern Telecom et Infoton et Centurion, cette dernière maison exhibant sur son stand un gaillard déguisé en centurion romain; et puis Colographics et Summagraphics; Altergo et C. Itoh; et puis Ball.

« Eh, minute! Que fait Ball ici? Est-ce le même Ball que celui des bocaux à conserve?

– Ouais, c'est le même. Ils font aussi des unités de disques. »

Bon. Il y avait encore : la Society for Computer Simulation, et Randomex, et Edge Technology, et Van San (qui vendait des « Quietizers »); et encore Datum, Data Pro et Data 1/0, Tri Data, Epic Data, Facit Data, Control Data, Decision Data, Data General et Data Specialties. Et dire que nous n'avions même plus le temps de jeter un coup d'œil sur ce que nous offraient Itek, Pertec, Mostek, Wavetek, Intertek, Ramtek... Ah, Ramtek.

« En 73, me dit Wallach, il n'y avait que deux niveaux; maintenant, il y en a quatre, et c'est toujours aussi bondé. »

Norbert Wiener forgea le terme de *cybernétique* pour définir l'étude des mécanismes « de régulation et de

---

1. Wallach plaisante, évidemment. *Itty bitty* signifie minuscule, *Parasitic eng.* va de soi. *(N.d.l.T.)*

communication chez l'animal et dans la machine ». En 1947 il écrivait qu'en raison de l'avènement de la « machine à calculer ultra-rapide..., l'être humain moyennement doué, aux performances médiocres ou mauvaises », risquait fort de se retrouver sur le marché du travail « n'ayant plus rien à vendre qui vaille d'être acheté ». Bien que Wiener, manifestement, entendît plutôt, par ces mots, appeler les hommes à n'utiliser les ordinateurs qu'à bon escient, nombreux sont ceux qui les ont cités, à l'occasion de quelque étude sociologique sur les effets de ces machines, comme s'il s'agissait d'une affirmation péremptoire. Et d'aucuns, particulièrement dans les rangs des inconditionnels des ordinateurs, se sont plu à tourner la citation de Wiener en ridicule : « Vous voyez bien, ce n'est pas arrivé. »

Depuis Wiener, il n'est pratiquement pas de commentateur de la société moderne, du caricaturiste au sociologue le plus sérieux, qui n'y soit allé de son grain de sel sur la sociologie de l'informatique. Un sentiment prévalait de manière unanime : ces engins constituaient une famille de machines très spéciale, tout à fait à part dans l'univers des inventions humaines. Peut-être n'était-ce là que le résultat de l'égocentrisme collectif d'une génération, la conviction que les machines inventées par sa propre époque sont à coup sûr les plus prodigieuses et les plus effarantes que l'homme ait jamais fait naître. Mais le fait est là, quelle qu'en soit la source : autour des ordinateurs s'est créée toute une mystique. Pas un commentateur, ou presque, n'a manqué d'assurer au public que l'avènement de l'ordinateur promettait une véritable révolution. Dès les années 1970, il aurait dû devenir évident que le mot de *révolution* était pour le moins abusif. Et chacun aurait dû convenir, sans voir là rien d'étonnant, de ce qu'au contraire, en bien des cas, la technologie nouvelle n'avait fait que renforcer le statu quo. Mais non, apparemment, l'enchantement persistait. Et les anciens arguments tenaient bon.

L' « intelligence artificielle » a toujours suscité les débats les plus passionnés. Cette seule appellation, d'abord, ne rimait peut-être pas à grand-chose; quant à son objet, sans l'ombre d'un doute, il relevait d'une initiative qui n'aurait jamais dû être envisagée. Peut-être qu'en lançant ce parallèle entre l'homme et la machine la cybernétique tendait à rabaisser l'intelligence humaine, à la dégrader aux yeux de l'homme lui-même? Ou peut-être au contraire cette science promettait-elle de faire progresser l'intelligence humaine en même temps que celle des machines, et de doter l'espèce de possibilités nouvelles et exaltantes?

« Une vie à base de silicium présenterait de gros avantages sur une vie à base de carbone », me disait un jour un jeune ingénieur. Il s'affirmait persuadé qu'un jour viendrait où les machines « l'emporteraient ». Il claquait dans ses doigts et précisait : « Comme ça, tout simplement. » Cette idée avait l'air de lui plaire infiniment. Quant à moi, je dois dire, la perspective de voir émerger un jour des ordinateurs dotés d'une intelligence véritable me semblait confortablement lointaine.

La question primordiale, pour certains, était la sauvegarde de la vie privée. Les ordinateurs devraient être capables, en théorie, de traiter des masses d'informations sociales infiniment plus considérables qu'il n'est possible de le faire manuellement. Et dans les années soixante on avait suggéré la création d'une banque nationale de données, susceptible, en principe, d'améliorer l'efficacité gouvernementale, en permettant aux divers organismes de partager l'information. Ce n'est pas parce qu'un tel système pourrait donner lieu à des abus que ces abus se produiront forcément, assuraient les promoteurs du projet; il suffirait de le concevoir de telle sorte que soit garanti son usage à des fins inoffensives. Absurde, répliquaient les opposants, qui finirent par obtenir gain de cause. Quelle que fussent l'intention première ou les garde-fous mis en place, la seule existence d'un tel système aboutirait tôt ou tard à la création d'un état policier.

Quels effets allait produire, en Amérique, sur le marché de l'emploi, l'avènement de l'informatique? Là encore, depuis Wiener, accusations et contre-accusations ne manquèrent pas. Ces machines allaient-elles priver de travail des quantités de personnes? Ou élever réellement le niveau des emplois? Vers la fin des années soixante-dix, elles n'avaient manifestement fait ni l'un ni l'autre. Fort bien, mais peut-être que tout de même, à long terme, les ordinateurs finiraient par se charger des tâches les plus odieuses ou les plus périlleuses et libéreraient les hommes, d'une manière générale, des besognes les plus fastidieuses, ainsi que l'affirmaient volontiers leurs partisans convaincus. L'étude de divers cas précis, cependant, tendait plutôt à suggérer que l'ordinateur pouvait au contraire permettre à des dirigeants obsédés d'efficacité d'en faire encore un peu plus par eux-mêmes, et par là pousser encore à la suppression des derniers postes intéressants dans l'entreprise.

Les discussions sur l'informatique portaient encore sur des douzaines d'autres questions. Les ordinateurs rendaient-ils la guerre nucléaire plus probable, ou moins? La société était-elle devenue plus ou moins vulnérable à l'accident ou au sabotage, à présent que les ordinateurs participaient intimement à la gestion de la quasi-totalité des entreprises d'Amérique?

Désertant l'exposition, Wallach et moi fîmes retraite dans un petit café, assez loin du Coliseum. Retrouvant là, tranquillement assis sur mon siège, le chaos plus familier de la rue new-yorkaise, je fus frappé de constater à quel point la révolution informatique passait finalement inaperçue. Au sortir d'un déploiement de technologie comme celui de la NCC, on s'attend à retrouver modifiée du tout au tout sa perception du monde extérieur, or je ne voyais rien qui fût à la mesure de mon attente : pas le moindre *cyborg,* mi-machine, mi-protoplasme, descendant la rue d'un pas léger; pas de défilé de chômeurs brandissant des banderoles dénonçant l'ordinateur; pas de système-espion de télévision – apparemment, pour en faire l'expérience, il fallait encore se rendre en des lieux quelque peu spéciaux, comme le parking de la Data General. Cela dit, les ordinateurs étaient bien sûr omniprésents : derrière le bip-bip des caisses enregistreuses du café, dans son juke-box et son four à micro-ondes, dans les feux de circulation, sous les capots des automobiles (klaxonnant dans l'embouteillage qui les avait coincées, en dépit des feux susdits) et dans les avions qui passaient tout là-haut, au-dessus de nos têtes – mais la présence des ces ordinateurs n'apportait aucun changement manifeste.

Les ordinateurs s'étaient faits de plus en plus discrets au fur et à mesure qu'ils diminuaient en taille et devenaient de plus en plus fiables, efficaces et nombreux. A l'évidence, pour en vendre toujours davantage, les fabricants devaient s'efforcer de les rendre commodes et, dans la mesure du possible, de les camoufler au maximum. Les ordinateurs étaient-ils devenus une sorte de main invisible?

Dans son livre intitulé *The Coming of Post-Industrial Society,* Daniel Bell affirmait que les machines introduites au XIXe siècle, comme les locomotives à vapeur, par exemple, avaient apporté de plus grands bouleversements dans la vie des individus que n'en apportaient les ordinateurs. Et Tom West aimait à dire : « Parlons un peu des bulldozers. Les bulldozers ont autrement chamboulé la vie. » Cependant, rappelaient certains, la seconde moitié du XXe siècle s'est caractérisée jusqu'à présent par un changement d'échelle au niveau de la société, la taille des entreprises, par exemple, ayant tendance à croître considérablement; sans doute les ordinateurs n'ont-ils pas provoqué par eux-mêmes le développement des conglomérats et des multinationales, mais ils l'ont à coup sûr facilité. Pour la centralisation du pouvoir, ils sont un instrument idéal, si tel est le rôle que leurs acquéreurs veulent leur assigner. Pour qui a les dents longues, ils permettent d'avoir aussi le bras long. Des ordinateurs capables d'exécuter des tâches aussi prosaïques que des calculs de paye étendent énormément le champ d'action des dirigeants les plus haut placés; les détenteurs des postes hiérarchiques les plus élevés ont acquis, grâce à l'ordinateur, le pouvoir de contrôler certains aspects de leur affaire qui leur échappaient en grande partie auparavant.

De toute évidence, les ordinateurs ont apporté certains changements. Ils ont favorisé le développement de la navigation spatiale – en même temps que celui de la publicité qui remplit nos boîtes aux lettres. Ils nous ont donné cet étonnant appareil de radiodiagnostic, merveilleux mais fort coûteux, le scanner, ainsi qu'une foule d'autres appareils d'assistance médicale. Ils nous ont inondé de machines jouant aux échecs, honorablement, mais de façon plutôt assommante, tandis qu'ils nous dotaient encore, au chapitre des jeux planétaires, d'une profusion d'armes télécommandées pour équiper les arsenaux. Ils ont modifié nos façons de voir et d'envisager les choses, pas seulement en matière de guerre, mais dans la recherche scientifique également; on verrait mal com-

292

ment, désormais, des domaines contemporains comme la géophysique, la météorologie ou la physique des plasmas pourraient avancer réellement sans eux. Ils ont encore modifié la nature de la recherche en mathématiques, même si ce n'est pas nécessairement une bonne chose, aux dires de certains mathématiciens. Et puis ils sont entrés dans la conduite ordinaire d'affaires de toutes sortes. Où leur aide est réelle, assez souvent.

Mais tel n'est pourtant pas toujours le cas. D'une étude sur la question, il ressort qu'environ quarante pour cent des applications commerciales des ordinateurs seraient antiéconomiques, les tâches pour lesquelles l'ordinateur a été acquis se révélant finalement plus coûteuses avec son aide qu'elles ne l'étaient auparavant. La plupart des fabricants d'ordinateurs se vantent pourtant de ne pas vendre seulement des machines, mais encore et surtout de la productivité. (« Ce n'est pas contre nos concurrents que nous nous battons, disait un chargé de relations publiques, c'est contre les heures de travail. ») Mais ce n'est manifestement pas toujours exact. Ce qu'ils vendent, parfois, ce sont des machines à cracher du papier, et des légions de personnel ne feront rien d'autre que de manipuler ce papier.

Sortant de cette exposition, je songeai à toutes ces applications possibles des ordinateurs – pour sauver ou pour menacer, usages banals ou usages cruels, et puis ces mille usages inoffensifs encore qu'un peu bêtas... Mais quel plaisir de les construire!

Le sociologue Jacques Ellul, levant les bras au ciel, affirme que la technologie établit ses propres lois, redoutables, et sur lesquelles l'homme n'a de prise qu'en abandonnant radicalement la technique. Norbert Wiener, me semble-t-il, faisait preuve d'un bon sens plus nuancé quand il prédisait simplement que l'ordinateur allait offrir « des possibilités sans limites, pour le meilleur et pour le pire »; il émettait un espoir timide que les informaticiens sauraient infléchir leur discipline naissante dans une direction qui lui conserverait sa valeur humaine. Mais il évoquait aussi le risque de la voir tomber « aux mains des plus irresponsables et des plus vénaux de nos ingénieurs ». L'une des meilleures études sur les effets de l'avènement des ordinateurs dans nos vies se termine ainsi par un appel lancé aux « professionnels de l'informatique » pour qu'ils veuillent bien faire preuve de sagesse et de retenue.

Quand toute l'équipe revint s'attrouper près du car, dans les rires et les plaisanteries, les visages en feu dans la lumière du soir, il devint évident que la plupart de ses membres ne s'étaient guère attardés à l'expo. Ils avaient préféré aller voir Greenwich Village et Times Square, et ils en paraissaient requinqués. Le salon était plutôt en dehors de leur champ d'intérêt. « Je me moque, disait l'un des jeunes, de la façon dont les ordinateurs sont vendus. Moi je les fabrique, c'est tout. » Alsing lui-même remarquait : « Je ne sais même pas le prix d'une Éclipse M/600. »

Dans le petit monde qui s'activait autour d'Eagle, certains avouaient sans remords ignorer totalement, faute d'y prêter intérêt, les usages auxquels seraient finalement destinés les engins qu'ils construisaient. Mais c'était plutôt une façade. Quelques-uns avaient eu l'occasion de voir leurs machines en action, et avouaient que c'était excitant. D'autres ne faisaient même pas semblant d'adopter cette attitude. « Non, moi j'y pense énormément, m'avouait Chuck Holland. Au début, quand j'ai commencé à travailler, j'aurais pu me faire embaucher par une boîte qui construit des machines directement destinées à l'armée. Et j'aurais été mieux payé. Mais je refuse de construire quoi que ce soit qui ira tout droit bombarder les gens. »

Les jeunes ingénieurs informaticiens qui avouaient quelque anxiété sur les fruits de leur travail – ceux avec qui j'eus l'occasion d'en parler, en tout cas – invoquaient le plus souvent comme source de leur tracas les applications militaires des ordinateurs. L'un d'eux me dit que si jamais sa société se lançait dans la fabrication d'engins destructeurs, il essaierait d'abord de convaincre ses dirigeants de n'en rien faire et, si son intercession ne servait à rien, il s'arrangerait pour que ces engins ne puissent jamais fonctionner. Sans doute était-il sincère, mais sans doute aussi surestimait-il son pouvoir d'action. Il travaillait pour une autre maison; aucun des membres du groupe Éclipse ne parla jamais de sabotage. Ce n'aurait été, de toute façon, qu'une menace en l'air.

Eagle une fois terminé, selon le programme prévu, la

Data General en ferait parvenir les plans à un constructeur OEM, qui élaborerait une version « renforcée » de la machine. Ainsi équipé pour la bataille, Eagle serait vendu à d'autres constructeurs de systèmes, qui à leur tour l'incorporeraient à d'autres matériels à usage militaire et le vendraient au département de la Défense. Tous les membres du groupe n'étaient pas unanimes à voir là une fin indigne d'Eagle, encore que certains préférassent ne pas trop songer à cet aspect des choses. Cela dit, en pareil cas, qu'aurait pu faire celui qui n'était pas d'accord? Se débrouiller pour saboter les plans de la machine et s'assurer qu'elle ne verrait jamais le jour? Eagle, tel qu'il était prévu, répondrait à sa définition d'excellente machine à toutes fins, destinée aussi bien aux usages scientifiques qu'aux usages commerciaux ou éventuellement militaires. S'il était capable de remplir l'un de ces rôles, il pouvait les remplir tous. Un antimilitariste pouvait certes refuser de travailler sur un engin qui risquait de se retrouver un jour dans les mains des militaires; mais la solution, dans ce cas, était de ne pas être ingénieur informaticien.

Peu après son arrivée à la Data, à l'occasion de l'un de ces « pots » organisés pour les nouveaux venus et plus connus sous le nom de « cocktails du Capitaine », Jon Blau avait demandé à de Castro si la Data General faisait des affaires avec la République d'Afrique du Sud. A quoi de Castro avait répondu, Jon Blau s'en souvenait fort bien, que tel n'était pas le cas pour le moment, mais que la Data ne prenait pas nécessairement ses orientations en fonction de la politique – ce qui était sans doute une litote. Blau était peut-être, de tout le groupe, le plus ouvertement préoccupé des usages que l'on peut faire d'un ordinateur, mais il avouait que la question ne lui semblait pas simple. « Un ami m'a demandé quel rôle je me voyais jouer dans la société. Manifestement, le boulot que je fais répond à une demande, à un besoin, mais lequel au juste, c'est difficile à dire... Malgré tout, pour chaque usage néfaste de l'ordinateur, j'arrive à en trouver un bon, qui contrebalance les choses. »

La réputation des ordinateurs, tenus pour des machines diaboliquement impénétrables, et la complexité bien réelle du travail des ingénieurs coupaient nettement ces derniers du commun des mortels. Leurs épouses elles-mêmes, remarquait l'un d'eux (et certaines des intéressées confirmaient cette remarque), n'avaient souvent qu'une vague idée de ce que leurs maris pouvaient faire de leur journée. « Personne ne comprend ce que nous faisons », renchérissait Alsing. Tous ces jeunes gens menaient, à cet égard, une vie monacale. Quel était, quel allait être le rôle des ordinateurs dans la société? La question ne leur était pas souvent posée.

Bon nombre d'entre eux lisaient des quantités impressionnantes d'ouvrages de science-fiction. Dave Keating, par exemple, en dévorait chaque semaine trois ou quatre romans. « D'abord, s'en expliquait-il, la SF est bourrée d'optimisme. On se dit : bon, au moins, nous en sommes arrivés là; d'autre part, dedans, il y a un fameux côté technique; enfin j'en aime aussi le côté imaginaire. » Plusieurs d'entre eux, à leurs moments perdus, s'amusaient à imaginer des scénarios de leur cru. Chuck Holland, par exemple, me disait : « Je m'amuse souvent à faire le compte de tout ce que mon esprit doit faire. Et je vois l'avenir de la façon suivante : chacun aura son petit ordinateur dès l'enfance, et grandira avec lui. On en sera équipé dès la naissance – ce sera une espèce de petit truc, (il empoignait son épaule pour localiser l'implantation du gadget en question) qui vous suivra partout. Chacun apprendra à parler au sien, après avoir appris à parler lui-même, et ainsi de suite ». Il imaginait un adolescent en train d'apprendre à conduire à son petit ordinateur personnel, l'encourageant de la voix – « Vu? Bon, alors maintenant, tu essaies » – et lui apprenant à rectifier ses erreurs. « Ce sera en quelque sorte un prolongement de soi-même », disait Holland. Mais peut-être qu'un jour viendrait, poursuivait-il, où le foyer de chacun finirait par n'être plus guère qu'« un vaste simulateur », et où la vie de l'individu serait entièrement gérée par ordinateur. « Ce jour-là, on en aurait marre. On se remettrait à faire pousser des plantes, des trucs comme ça. Peut-être que pour finir on se déferait des ordinateurs... Oui, si l'informatique doit aboutir à nous retirer quelque chose, nous nous détournerons d'elle. Mais il y en aura sans doute pas mal qui se seront fait avoir avant. »

« Moi, j'ai une excellente idée pour un scénario de SF,

disait Alsing. Que se passera-t-il quand nous disposerons d'une mémoire infinie à des prix infiniment bas? » Mais c'était dans le car, sur le trajet du retour, à un moment où plus personne ne semblait guère accorder d'intérêt à de telles spéculations. Ils étaient en train de s'amuser comme des fous. L'équipe de la Micro décernait à Holberger un Diplôme de Microprogrammeur Honoraire – non sans quelques réserves, eu égard à certaine modification qu'il avait apportée dans l'UINST après qu'ils eurent procédé au vote lui accordant ce titre à l'unanimité (toutes ces récompenses exigeaient l'approbation unanime de l'équipe qui les attribuait, me fit remarquer Alsing). Holberger accepta sa distinction en nous gratifiant d'un charmant laïus, depuis le fond du car.

Une voix s'éleva : « Dites, où est passé le Michelob? Il y en avait une pleine caisse quelque part. »

« On l'a tout bu », répondit une autre voix, fière et sûre d'elle.

Peu après, cependant, une caisse de Michelob circulait de siège à siège tandis qu'Alsing, debout dans l'allée, pérorait hilare sur les pièges redoutables que tendent aux jeunes gens venus de leur province les salons de massage new-yorkais.

Ils avaient quartier libre pour un temps, par une belle soirée d'été – forts de la certitude rassurante qu'un travail prenant les attendait dès le lendemain, mais pour le moment légers, détachés de leur machine.

14. RIEN NE VA PLUS

En août, Carl Carman demanda à Ed Rasala quand il pensait en avoir terminé avec la phase de mise au point.

Rasala regarda droit dans les yeux son vice-président de division et répondit : « Je ne sais pas. »

West trouva l'anecdote délicieuse.

Tout en bas de la liste, sur son tableau (chargé) de mise au point, Rasala avait inscrit les tests de fiabilité en multiprogrammation d'Éclipse, et les mêmes tests spécialement conçus pour Eagle – les plus difficiles de tous les programmes de diagnostic. Le jour où Eagle serait capable de faire joujou avec ces programmes toute une nuit sans faillir, alors il serait prêt à devenir un véritable ordinateur. L'équipe de mise au point n'aurait plus, selon les prévisions de Rasala, qu'à lui faire passer le programme Adventure, puis on véhiculerait les deux prototypes le long du couloir, en direction du département Logiciel. Envoyez, c'est pesé, au Logiciel de jouer – et les trente et quelques spécialistes du logiciel qui travaillaient déjà sur le projet continueraient à l'équiper du complexe jeu de programmes formant ce que l'on appelle le système d'exploitation.

Chaque fois qu'ils avaient vu venir l'échéance fixée pour cette opération fatidique, West l'avait reportée, et fait connaître ce décret à ses supérieurs et aux divers départements concernés. A la suite de quoi, Rasala avait modifié en conséquence son calendrier de mise au point. West ayant dit avril, Rasala avait élaboré un programme susceptible de les mener à bon port pour avril. Tel ne fut pas le cas, West reporta l'échéance à mai, et Rasala se mit au diapason. Puis ç'avait été juin, et pour finir West venait d'arrêter la date du trente septembre. Mais Rasala, lui, ne pouvait plus supporter ce petit jeu. Il ne ferait plus aucune promesse. D'un autre côté, il était d'avis qu'ils avaient intérêt à tout terminer pour la fin septembre. « J'ai l'impression que notre crédibilité fiche le camp. »

En tant que groupe, il leur arrivait souvent de prendre de l'avance sur les événements. Par exemple, ils commencèrent à organiser dès l'été toutes sortes de festivités. Leur prétexte favori, pour justifier ces petites fêtes, était la remise de ces Diplômes Honoraires institués par Alsing et l'équipe de la Micro. Les Intrépides, pour ne pas être en reste, concoctèrent alors les Palmes Honorifiques PAL, dont les premières furent décernées à « l'Unité Centrale de tout le groupe Éclipse », un soir après le travail, dans un établissement local, le saloon Cain Ridge. La citation était rédigée en ces termes :

PALMES HONORIFIQUES PAL
Rosemarie Seale

En signe de reconnaissance pour les efforts déployés, sans qu'il ait été besoin de les solliciter, pour le progrès du hardware Éclipse, et cela très au-dessus et au-delà des normes fixées pour l'accomplissement du seul devoir, nous avons l'honneur, par la présente, de vous conférer ce haut titre, avec tous nos remerciements et nos compliments.

Le diplôme était encadré et recouvert de plastique. Au centre avait été collée une embase, du type de celles qui reçoivent les puces PAL sur une carte de circuits imprimés. Comme il s'agissait de palmes PAL, l'embase était vide, naturellement.

Lors d'une fête amicale organisée chez lui, Chuck Holland distribua à chaque membre de la Micro une récompense de son invention, le Prix du Travail Sous Contrainte Anormale. Cela se présentait comme un diplôme. Il y en avait un pour Neal Firth, « pour nous avoir fait don d'un ordinateur avant les types du hardware », et un autre pour Betty Shanahan, « pour s'être accommodée sans gémir d'une bande de tristes sires ».

Ayant décerné leur Diplôme de Microprogrammeur Honoraire à pratiquement tous les candidats possibles, les Microkids instituèrent une Mention Spéciale du Travailleur de Nuit. Le premier à recevoir ce titre honorifique fut Jim Guyer, qui se vit offrir un diplôme ingénieusement inséré sous le revêtement de plastique transparent d'une tasse de café calorifugée.

A quelque temps de là, en des circonstances s'y prêtant davantage – puisqu'il s'agissait du banquet offert par Carman, sur l'aimable insistance d'Alsing, en remerciement à toute l'équipe –, les épouses de ces messieurs reçurent elles aussi leur dû, le Diplôme Eagle. Alsing lui-même avait rédigé les quelques mots de citation accompagnant le titre. Sur celui de Penny Rasala, on pouvait lire :

EAGLE
(En Attestation de Gratitude
pour les Languissantes Épouses)

Nous certifions par la présente que Penny eut à souffrir de nombreuses heures de solitude en l'absence d'Edward Rasala durant le temps d'élaboration de Gallifrey Eagle, et qu'elle se demanda bien des fois où était l'avantage pour Ed d'être passé chef, si c'était pour faire des journées doubles.

C'était signé, en caractères d'imprimerie, d'un certain « Gallifrey Eagle », et contresigné par Alsing.

C'est ainsi, comme le soulignait Alsing lui-même, principal instigateur et organisateur de ces fêtes, que tout fut célébré d'avance : « Nous nous sommes congratulés d'avoir terminé Eagle, après quoi nous sommes retournés au travail pour le terminer. »

C'était un soir, au mois d'août. Ils avaient encore bien du chemin à faire. Pourtant, comme pour se mettre au diapason de la saison, les Intrépides étaient encalminés, pris qu'ils étaient dans un calme plat tel qu'ils n'en avaient jamais connu depuis le début de leur campagne. Ils avaient cessé de travailler par équipes successives. Même le débit de la conversation de Rasala s'était notablement ralenti. Tout en marchant vers le labo, il s'exprimait par phrases brèves, entrecoupées de silences. « L'élan est retombé de manière prodigieuse... Au début, quand rien ne marchait, c'était facile de trouver que faire... Maintenant, presque tout marche... Les problèmes sont plus difficiles à repérer... Ça prend des jours... Et tout le monde est plus fatigué, je crois... Les problèmes sont peut-être moins intéressants... Il y en a qui sont plus compliqués... C'est le moment le moins drôle, je pense... »

Ils étaient peu nombreux à travailler au labo, ce soir-là. Aucun n'était trop occupé pour trouver le temps de discuter. Assis devant Gollum, Jim Veres commenta pour nous l'image apparaissant sur l'écran bleu de son analyseur. Des centaines de petits points blancs clignotaient, tandis que de nombreuses lignes blanches dansaient au milieu d'eux. L'écran rappelait le plafond d'un planétarium, avec le mouvement des étoiles, et les lignes blanches entre elles dessinant les constellations. C'était assez joli. Veres appelait cette image une projection. « Quand on a regardé une projection assez longtemps, disait-il, on se met en tête sa configuration, on sait à quoi elle doit ressembler. » Désormais il était capable de dire, de même que ses confrères, lequel des programmes de diagnostic était en train de passer, entre les douzaines de programmes possibles, rien qu'en regardant la projection. Avais-je noté comme les petits dessins sur l'écran changeaient fréquemment de rythme? voulut-il savoir. Eh bien, si quelque part sur l'écran l'image se figeait, cela voulait dire qu'à l'intérieur de la machine il se passait quelque chose d'anormal.

Rasala fit halte auprès de Jon Blau, posté devant Coke. Blau avait les cheveux bruns, et la peau claire et lisse d'un enfant; mais deux grands cernes sombres, sous ses yeux, faisaient un contraste frappant avec son teint pâle. Ils lui donnaient l'air d'un raton laveur. Rasala s'assit pour faire un brin de causette avec Blau.

Blau était passé chez les Intrépides après le départ de Rosen. Le choix de Blau pour prendre le relais était dans le droit fil de la logique, puisqu'il s'agissait de la mise au point de l'ALU, pour laquelle il avait écrit une bonne part du microcode concernant les instructions arithmétiques. Cette mutation avait été dure pour lui, malgré tout. « J'ai d'abord été terriblement excité par cette idée, puis franchement effrayé, dit-il. Pour le microcode, bon, aucun problème, mais pour le hardware, tout le monde avait dix longueurs d'avance sur moi, si bien que j'ai dû foncer dur, pour tâcher de combler mon retard. Là-dessus, il fallait aussi que j'attrape le rythme. J'ai toujours un petit carnet sur moi, parce que quand on me pose des questions je me dis : je devrais connaître la réponse. »

Rasala était assis à l'envers sur sa chaise, façon cow-boy, les bras posés sur le dossier. Il faisait face à Blau et, tout en l'écoutant, il avait l'air d'étudier son visage.

Blau avait posé à Rasala un problème d'organisation au moins aussi ardu que l'avait fait Rosen. A peine s'était-il mis au travail sur l'ALU qu'une angoisse incontrôlée l'avait obligé à prendre une semaine de repos. D'autre part il aimait travailler, selon Rasala, « de 1 heure de l'après-midi jusqu'à point d'heure ». Il conservait en cela ce que Rasala nommait « de bons horaires pour une ouaille d'Alsing », mais cette habitude créait des problèmes d'organisation. Ils disposaient désormais de quatre prototypes, mais ils étaient nombreux à devoir travailler dessus. Organiser le « temps de machine » était une tâche acrobatique, et un usager ne connaissant que ses propres horaires pouvait tout perturber à lui seul. D'autre part, les défauts qui se déclaraient à présent n'affectaient généralement plus un organe unique, mais la conjugaison de plusieurs; et quelqu'un travaillant sur un problème localisé dans le processeur d'instructions, par exemple, risquait fort de devoir faire appel à l'expert ès ALU.

En outre Blau était au moins aussi différent de Rasala que l'avait été Rosen. Au sein du groupe, Blau était le philosophe, l'introspectif. Il ne répondait pas précisément à la définition d'un Intrépide selon Rasala. « Il n'est pas aussi dur à cuire que nous autres, disait Rasala. C'est un type sensible. C'est un chic type. Si quelqu'un va le trouver dans son bureau, Blau le laissera parler pendant des heures, même si les questions de l'autre sont parfaitement idiotes. » Mais avec Blau, Rasala n'usait ni de mots brusques ni de plaisanteries un peu rosses. Ils avaient ensemble ce que Rasala appelait « des discussions en toute franchise ».

« Eh bien voilà, Jon, avec toi j'ai tel problème. »

« Eh bien voilà, Ed, j'ai tel problème avec toi. »

A les voir deviser ensemble, on ne pouvait s'empêcher de penser que Blau avait déteint sur Rasala. A moins que ce ne fût l'inverse. Ou les deux.

Quand Rosen était parti, Rasala s'en était fait reproche durant des semaines : « J'ai échoué..., si j'avais eu plus de temps... », ou encore : « Un type de la classe de Rosen... » Il est toujours pénible, pour un chef, de voir partir quelqu'un de son équipe. Mais la réaction de Rasala avait paru friser le chagrin. Du coup, il avait lu des manuels de psychologie pratique et s'était rasé la barbe, sans laquelle il paraissait nettement moins imposant. Depuis, semblait-il, il n'évoquait plus guère, et d'un air pensif, que ses démêlés avec les programmes de diagnostic et ses craintes de ne pas voir, au bout du compte, « les petits gars » récompensés par des options sur le capital.

Un jour, vers la même période, Holberger fit irruption dans le bureau de Rasala, en râlant au sujet de Guyer. Ce dernier, à ce qu'il ressortait, refusait d'abandonner un problème qui n'avait rien de prioritaire. Holberger et Guyer se comportaient comme des frères, toujours à se chamailler. « Je m'en vais lui faire quitter cette machine », disait Holberger.

Rasala se contenta d'écouter calmement, hochant la tête, imperturbable. Au bout d'un moment, Holberger finit par dire : « Ahhh, et que Guyer fasse donc ce qui lui chante. Ça n'a pas tellement d'importance. »

Rasala sourit et continua de hocher la tête. Un mal contagieux peut-être.

Au labo, ce soir d'août, Rasala demanda à Blau sur quoi il était en train de travailler. Ils discutèrent un moment du problème en question. Rasala se tourna vers moi et dit : « Le problème de fou : vous embrayez votre moteur, et vous obtenez un coup de klaxon.

— En train d'essayer d'évacuer le dernier bug? demandai-je à Blau.

— Le plus récent, pas le dernier, rectifia Blau. J'ai cru un temps n'en être plus très loin. »

Rasala avait posé le menton sur le dossier de sa chaise. « C'est toujours difficile de dire quand on a terminé », dit-il sans bouger de sa position.

L'un des ingénieurs travaillant sur Gallifrey, l'un des

nouveaux prototypes, lança à un autre qui quittait le labo :
« Ne brûle pas encore ce PAL. J'en ai besoin pour mon
ECO. » Puis le silence retomba sur le labo, troublé
seulement par le bourdonnement de la ventilation des
machines.

« Bon, dis-je à Blau. Je cesse de vous harceler de
questions; je vous laisse rentrer chez vous. Vous avez l'air
fatigué.

– C'est une fatigue au long cours, dit Rasala.

– Rentrer chez soi ne suffit pas à l'effacer », dit
Blau.

Des semaines durant, Rasala devait ruminer cette idée :
« C'est une fatigue que rentrer chez soi ne suffit pas à
effacer. » Elle convenait parfaitement à son état d'esprit.
Les femmes des membres du groupe (« et/ou leurs maîtres-
ses » plaisantait Rasala) commençaient à se fatiguer, elles
aussi, des longues journées de leurs maris. Rasala sentait
s'exercer contre lui la pression de son équipe, aspirant à
s'en tenir à des heures de travail plus ou moins normales;
mais il ressentait l'urgence d'avoir terminé pour la fin de
septembre, et cette autre pression-là n'avait pas fini de
monter.

Un jour, Alsing s'était essayé à prédire la suite du
scénario. C'était des mois plus tôt, et il avait dit : « Vous
verrez que vers la fin, Tom va décréter que nous sommes
au bord de la catastrophe, et aller mettre la main à la pâte
au labo. Tôt ou tard, vers la fin, c'est sûr d'arriver. »

Un ordinateur de la classe d'Eagle doit pouvoir exécuter
à grande vitesse deux types précis de calcul, le calcul en
virgule flottante à précision simple et le calcul en virgule
flottante à double précision. Pour l'utilisation scientifique
notamment, c'est un point très important. Autre aspect de
la chose, plus décisif encore, peut-être : c'est là l'un des
rares domaines où la qualité d'un ordinateur devient une
grandeur mesurable, à laquelle on peut attribuer une
valeur numérique, par le biais d'un test classique, le
Whetstone Benchmark. Ce n'est pas là le seul, ni même
forcément le plus important des critères – encore que si
vous tenez à faire de la trigonométrie sur votre ordinateur
il devient capital – mais le Whetstone n'en est pas moins un
test qui jouit d'une large notoriété, en partie grâce à la Data

304

General, d'ailleurs. L'Éclipse se classant, pour son époque, remarquablement bien en fonction de ce critère, la Data General n'avait pas manqué de le faire savoir haut et clair. West avait espéré, au départ, qu'Eagle aurait un meilleur indice Whetstone que le VAX. Quand il devint indiscutable qu'on ne pourrait égaler le Whetstone du VAX en double précision tout en conservant l'UAL sur une seule carte, West décida de sacrifier un certain niveau de performance en double précision. Tant qu'ils arriveraient à dépasser le VAX pour le calcul à simple précision, ils pourraient encore proclamer qu'Eagle était plus rapide que le VAX.

Ils soumirent en août l'un des prototypes inachevés à un Whetstone préliminaire. Les résultats ne furent guère encourageants. Les chiffres obtenus étaient très en deçà de leurs espérances. Il semblait bien que, même en calcul à simple précision, Eagle ne serait pas plus rapide que le VAX.

« C'est des conneries, clama un soir Jon Blau, installé devant Coke. Quel est le meilleur produit, Pepsodent ou Colgate? »

Mais Rasala demeura sans réaction. « Décourageant », dit-il simplement.

« Quel est le problème, au juste? hasardai-je.

– Le problème, il est quelque part par là », répondit-il.

Sans se retourner, par-dessus son épaule, il désignait du pouce, là, là, là et là, les prototypes qui ronronnaient doucement, alignés le long du mur.

On dit que certains fabricants d'ordinateurs entretiennent, pour les dernières phases de la mise au point de leurs machines, une brigade de spécialistes, experts en finitions. Quand une machine en est arrivée au dernier stade de sa gestation et qu'intervient l'inévitable piétinement de la fin, c'est à leur tour d'entrer en scène; ils investissent le labo et prennent les choses en main. Si West avait disposé d'une escouade de ce genre et s'il avait fait appel à elle, il aurait à coup sûr provoqué une mutinerie. Sans doute ses troupes auraient-elles pendu un mannequin à son effigie tout en haut du mât, à l'entrée du bâtiment.

Pourtant il était temps d'apporter du changement, estimait Rasala. Il décida de travailler lui-même au labo

comme un équipier ordinaire. Il prit Guyer pour partenaire. Nul ne saura jamais, au juste, quelle somme de
travail, et de quelle qualité, Rasala abattit en ouvrier de la
onzième heure, peu familier qu'il était des labyrinthes de
la machine. Les autres connaissaient ce matériel comme
on connaît les recoins de la maison de son enfance; ils
retrouvaient dans l'obscurité tous les commutateurs possibles. Rasala en était bien incapable, en dépit des longues
heures qu'il passait, seul, à étudier la bête. Interrogé à ce
propos, Guyer haussait les épaules et déclarait, avec un
éclat de son rire haut perché : « Oh, Ed s'en sort
bien. »

Vers la fin août, un soir, après le travail, comme toute la
bande, en rangs serrés, venait s'agglutiner au saloon Cain
Ridge, j'assistai à une mise en boîte méthodique de Rasala,
de la part de ses équipiers en verve. Il semblait qu'il eût
soupçonné certaine puce de surchauffer de temps à autre,
et, pour démêler si telle était bien la cause de l'anomalie
sur laquelle ils s'escrimaient présentement, il avait soumis
la puce en question à la chaleur d'un sèche-cheveux
promu à la fonction de chalumeau. Mais il y avait mis un
peu trop d'enthousiasme. Et il avait fait fondre la
puce.

« Fondue! C'est trop fort! » « Ed, Ed! Tu ne crois pas
qu'il nous faudrait un ou deux extincteurs de plus, au
labo? »

L'embase ne coûtait que quelques pennies, mais réellement, à les entendre, on aurait pu penser qu'il s'agissait
d'or. A les voir ainsi rugir et crouler de rire, face à un
Rasala qui feignait de se faire tout petit sous leurs huées,
on devinait qu'enfin, grâce à son attitude, ils étaient
redevenus eux-mêmes.

Lors de son arrivée à Westborough, Jon Blau avait
entendu dire, de la bouche même de Rosemarie Seale, que
les bureaux du groupe Éclipse allaient bientôt être
remaniés – dans cinq semaines exactement. C'était à cause
de cette anecdote que Jon Blau, tout le premier, ne croyait
pas à la promesse de parts de capital; car tout s'était passé
comme pour les calendriers de mise au point : les cinq
semaines écoulées, les ouvriers n'étaient pas venus – ils
avaient été retardés – et seule était venue la promesse qu'ils

seraient là dans cinq semaines. Cinq semaines sans faute. C'était devenu la plaisanterie classique. Chaque fois que, manifestement, quelque chose ne serait pas prêt dans les délais, il y avait quelqu'un pour dire : « Pas de problème, ce sera fait dans cinq semaines. »

Et maintenant, de nouveau, ils étaient deux équipes qui se relayaient. De nouveau, c'était la descente à la fosse. Les Intrépides repartaient en guerre contre ces « bugs » récalcitrants; les Microkids fabriquaient à jet continu leurs derniers métrages de code. C'est alors que les menuisiers se présentèrent. Toutes les cloisons de tous les bureaux et de toutes les cellules furent jetées à bas. Sur quoi les menuisiers s'absentèrent pour une semaine. Rosemarie fit tout ce qu'elle put. Ils se débrouillèrent pour survivre. Du moins rien de capital ne fut-il perdu.

« L'endroit est complètement chamboulé, dit West, et quand tout ça sera remis debout, ils s'apercevront que le grand chambardement n'a pas atteint que les murs... »

Pour finir, le groupe n'y gagna pas tellement en espace. Alsing et Rasala reçurent chacun des murs et une vraie porte, mais la plupart se retrouvèrent pourvus de cellules comme par le passé – à ce détail près que les cases n'avaient désormais pas toutes exactement les mêmes dimensions, de sorte qu'un ingénieur ayant quelque ancienneté, comme Holberger par exemple, bénéficiait d'un ou, deux mètres carrés de plus que des recrues plus récentes. Pour la première fois, la hiérarchie implicite du groupe apparaissait matérialisée. Elle était inscrite dans la distribution des cloisons.

L'atmosphère ne fut plus la même. Il était difficile de mettre le doigt de manière précise sur la nature de ce changement, mais le vernis d'égalité avait disparu, et avec lui peut-être un peu de ce qui donnait au groupe Éclipse son air d'originalité. Peut-être était-ce seulement un effet de mon imagination, mais il me sembla, à partir de ce jour, entendre plus souvent les benjamins de l'équipe faire allusion à leur appartenance à la piétaille, et ressortir dans la conversation des locutions du genre « quelqu'un de mon grade ».

Au début de septembre, il semblait à Holberger être de retour dans la « ville rasée », l'enfer du travail des débuts. C'est l'un de ces jours-là qu'il trouva, dans une corbeille à papier du labo, le talon d'un bulletin de paye. C'était celui de l'un des techniciens qui étaient venus de Portsmouth. Tous étaient des techniciens de haut niveau et, en tant que techniciens, ils se voyaient rétribués pour chaque heure supplémentaire. Les ingénieurs, eux, étaient *censés* faire des heures supplémentaires.

Holberger jeta un coup d'œil à ce talon. Ce fut plus fort que lui. Et il fut stupéfait. Les techniciens, au moment de repartir chez eux, avaient empoché plus du double de ce que lui même avait gagné dans le même temps, en raison des heures supplémentaires.

Holberger s'en fut montrer le talon à Rasala. Ensemble ils le brûlèrent, pour s'assurer qu'il n'irait pas tomber sous les yeux de leurs troupes. Puis ils se remirent au travail. Holberger riait. Il répéta une fois de plus : « Ce n'est pas pour l'argent que je travaille. »

Ce samedi-là, le 15 septembre, Rasala eut l'impression qu'ils approchaient du but. Il décréta qu'il fallait donner « le dernier grand coup de collier ».

« On va travailler vingt-quatre heures sur vingt-quatre, samedi, et autant dimanche, dit-il. On va tout boucler, et on dégustera notre triomphe, les gars! »

Malheureusement, le samedi, en fin d'après-midi, alors qu'il exécutait l'un des tout derniers programmes de diagnostic, un spécial Eagle très élaboré, Gollum eut un malaise, une défaillance du plus vilain aspect.

L'incident s'était produit au moment où le programme de diagnostic appelait l'instruction « Interruption », laquelle indique à l'ordinateur qu'il doit s'arrêter où il en est, mettre de côté tout le travail en cours et se lancer dans une autre tâche. Si l'on veut qu'il puisse prendre en charge de nombreux terminaux à la fois, l'ordinateur doit être capable d'effectuer cette manœuvre chaque fois qu'on le lui demande, tout naturellement et sans heurts.

Guyer, Holberger et Rasala s'attaquèrent derechef à ce nouveau pépin. Ils étudièrent la liste imprimée retraçant par le menu le déroulement du programme, ils découvrirent qu'outre les interruptions – et comme si elles ne suffisaient pas – ce programme mettait à l'épreuve l'aptitude d'Eagle à se déplacer d'un bloc de mémoire à l'autre. Sur quoi ils constatèrent, pour couronner le tout, que ce programme comportait encore un « franchissement de limite de page », autre manœuvre passablement délicate à l'intérieur de la mémoire.

Rasala se vit tout à coup acculé au fond d'une impasse. La défaillance pouvait provenir de trop de sources possibles : passages d'un bloc à l'autre, d'une page à l'autre, manœuvres d'interruption... « Ce doit être quelque complexe interaction du processeur d'instructions avec l'unité de traduction d'adresses, le microséquenceur et le contrôleur d'entrée/sortie – et probablement l'ALU pour faire bonne mesure, se dit Rasala. En fait, concluait-il, c'est toute cette sacrée machine, en bloc, qui est mal foutue. »

Ils branchèrent donc un analyseur et suivirent le cheminement d'un signal, qui sortait de la cache de système pour entrer dans la mémoire centrale – territoire auquel les analyseurs n'ont pas accès. Or, quand il ressortait de la mémoire centrale, ce signal avait changé, il était passé de 1 à 0, c'est-à-dire d'une tension haute à une tension basse – en substance, il s'était volatilisé.

Quatre heures s'écoulèrent. Guyer s'en alla, vaincu par la fatigue. Holberger et Rasala s'accrochèrent encore un moment. Ils avaient le pressentiment qu'il s'agissait encore de l'une de ces bombes à retardement, que le fin mot de l'affaire devait se retrouver quelque part dans l'amont du programme, mais de guerre lasse ils finirent par capituler avant d'avoir rien trouvé. Ainsi finit en queue de poisson le « dernier grand coup de collier ».

Le lendemain matin, dimanche 16 septembre, tous trois se retrouvèrent une fois de plus devant Gollum. Peut-être s'agissait-il d'une question de synchronisation. Gollum travaillait avec une horloge standard, à deux cent vingt nanosecondes. Son voisin Coke, par contre, utilisait encore une horloge lente. Ils transférèrent le programme de diagnostic en question sur Coke, qui l'exécuta sans accroc. Il devait donc s'agir d'une question de synchronisation. Nécessairement. Holberger et Rasala se mirent à échanger leurs thèses respectives.

Au labo, une discussion en triangle aboutissait rarement à quelque chose de très clair, et Guyer choisit de se retirer poliment de celle-là. Il amena sa chaise devant la table installée au centre de la pièce, et se balança en arrière. Là, il se mit à réfléchir en fixant Coke d'un air absent, le regard posé par hasard sur l'alignement de cartes rangées en affilée dans la carcasse de l'engin. On aurait dit des livres sur une étagère et Guyer nota, sans vraiment s'en rendre compte, que l'étagère de Coke contenait une carte de plus que celle de Gollum. Coke disposait d'un module de mémoire en plus.

« Merde alors, souffla Guyer.

– Quoi donc? » dit Rasala, sans pour autant se détourner de Gollum.

Guyer se mit à feuilleter activement la liste imprimée du programme de diagnostic. « Je ne veux pas vous dire encore ce que c'est, lança-t-il par-dessus son épaule, mais je crois bien que j'ai trouvé.

– Ah si! tu vas nous le dire, et tout de suite! » dit Rasala.

Alors Guyer, apportant la liste, leur rappela que Coke avait deux cartes de mémoire centrale contre une seule pour Gollum, et la conversation devint franchement sibylline.

« Ouaip, disait Holberger, le nez plongé dans la liste imprimée, plus de deux-cinquante-six K. »

En gros il expliquait que le programme de diagnostic, en voulant mettre à l'épreuve l'aptitude d'Eagle à passer d'un bloc de mémoire à un autre, commandait à la machine de passer d'un bloc situé à l'extrême limite d'une carte de la mémoire centrale au bloc situé tout au début de la carte suivante. Regrettable méprise, car Gollum ne disposait pas de carte suivante. Et quand le programme lui intimait l'ordre de se diriger vers un bloc d'une carte qui n'existait pas, c'était pour le prototype comme d'arriver « au bord du bout du monde et de tomber dans le vide ».

Et les ratiocinations se poursuivirent. Si ce détail leur avait échappé, c'est qu'ils étaient habitués à raisonner avec le système de numération en usage avec les Éclipse. Eagle utilisait un système différent. « Et nous n'avons pas révisé notre manière de raisonner, » expliquait Rasala. Ils flanquèrent le rayon de cartes de Gollum d'une seconde carte de mémoire centrale, et l'interruption passa comme une fleur. Mais ils avaient perdu la majeure partie de la journée.

310

« Pas de quoi pavoiser », dit Guyer.

Dans son bureau, mâchonnant un cure-dent, West se renfrogna à l'énoncé de leur mésaventure. Il aurait cru Rasala plus malin.
Et lui, West, aurait-il été plus malin?
« Possible... »

Au soir du 20 septembre, les machines avait franchi la barre du Test Éclipse de fiabilité en Multiprogrammation, mais n'avaient pas encore tout à fait satisfait aux épreuves du même type spécialement conçues pour les Eagle. Il y avait de fortes chances, d'après Rasala, pour que cette étape décisive fût franchie dès le lendemain. De toute façon, il était déterminé à essayer le programme Adventure le lendemain soir.
Après que sa dernière machine, le M/600, eut été expédiée à des dizaines de clients, un défaut s'y était révélé – un vice important qui rendait la machine incapable d'exécuter, entre autres performances, le programme-jeu Adventure. Si Rasala avait songé, à l'époque, à tester ce jeu sur le M/600 au niveau du laboratoire, ils auraient découvert l'imperfection en cause et ils y auraient porté remède à moindre frais. Sans s'être pourtant jamais aventuré lui-même dans la Caverne Colossale, Rasala s'était promis de ne plus jamais déclarer une machine parfaitement au point avant de s'être assuré qu'elle maîtrisait le programme Adventure. Et le moment était venu pour Eagle de se soumettre à cette épreuve.
Lorsque Rasala pénétra dans le labo, ce soir du 21 septembre, Holberger lui lança aussitôt : « Il semble bien qu'on y soit, cette fois, même les interruptions les plus dures passent sans problème. » Il y avait dans cette pièce, en plus de quelques Microkids et de la plupart des Intrépides, plusieurs programmeurs de diagnostics et quelques spécialistes du logiciel de base. Chacun paraissait occupé. Une forêt d'appareils encombrait à présent la petite salle. Il y avait deux mois environ qu'Eagle avait donné naissance à deux autres doubles. Rasala les avait baptisés Tartis et Gallifrey, en référence à une émission télévisée de science-fiction, bien connue des amateurs. Ces deux nouveaux prototypes étaient les premiers à fonction-

ner avec l'horloge standard à deux cent vingt nanosecondes. Les bandes magnétiques tournaient. On pouvait voir un peu partout des unités de disques.

Steve Wallach était là lui aussi. En plus de ses fonctions d'ambassadeur auprès du Logiciel, Wallach était devenu aussi un *cheerleader* [1] de première grandeur. Il n'arrêtait pas, ces derniers temps, d'entraîner au labo diverses personnalités, pour leur présenter les prototypes – « Il est temps d'amener tout le restant de la boîte à s'engager à son tour », disait-il. Il était pour le moment en train d'essayer d'attirer l'attention de Holberger, mais sans succès. Ils étaient plusieurs à tenter de se faire entendre de lui, d'ailleurs; mais lui, complètement absorbé par le travail qu'il faisait sur Gollum, semblait les ignorer totalement.

« Plutôt captivant, on dirait, dis-je à Wallach.

– Ouais, dit-il, seulement il y a d'autres problèmes en ce moment. Je suis en train de faire écrire la documentation dont j'ai besoin. Et il y a des types qui rédigent avec un de ces styles! Lamentable. Ils font des fautes dignes du cours élémentaire. »

S'affairant toujours auprès de Gollum, Holberger était en train de retirer une puce d'une carte, avec une paire de brucelles.

« Hé, tu ne coupes pas le contact, pour faire ça? lui lança Rasala.

– Non, dit Holberger sans relever les yeux.

– Holberger est en train de jouer son boulot ici à quitte ou double, annonça Rasala à la cantonade, plus pince-sans-rire que jamais. »

Tant de matériel varié s'étalait dans le petit labo que je ne m'y retrouvais plus, dans tous ces appareils. Bon nombre de ces engins avaient les tripes à l'air, et le laboratoire en était bariolé de couleurs vives : orange et jaune des faisceaux de fils électriques, couleurs criardes des cavaliers de connecteurs. Sur la table centrale étaient empilés onze gros cahiers de labo sur lesquels était consigné tout ce qui concernait Coke et Gollum. Des images dansaient sur les écrans des analyseurs. Sur une

---

1. Cheerleader : celui (et souvent celle) qui conduit le concert d'acclamations lors d'un match, par exemple. (*N.d.l.T.*)

autre table, dans un coin de la pièce, gisaient plusieurs cartes de circuits imprimés. Un petit mot avait été scotché sur l'écheveau de fils de chacune d'elles : NE FONCTIONNE PAS. N'ACCEPTE PAS LES ENTRÉES...

Un microprogrammeur posa une question à Holberger. Holberger lui lança en réponse : « Sais pas. »

« Le bruit court, dit très haut Rasala, toujours au centre de la pièce, que l'on cherche à mettre Holberger en accusation, pour lui retirer son Diplôme de Microprogrammeur Honoraire. »

Guyer était au pupitre de commande de Gallifrey. Il essayait de déceler la cause d'une « subtile » défaillance dans le système d'entrée/sortie, et il s'efforçait, pour cela, de trouver le moyen d'augmenter la fréquence des incidents.

« C'est une perte de temps, lui dit Rasala.

– Absolument pas », répliqua Guyer.

Holberger était une fois de plus en train d'insérer ses brucelles dans une machine en cours de fonctionnement.

« Holberger risque son poste une nouvelle fois », annonça Rasala.

Brusquement, quelques minutes plus tard, Holberger et plusieurs microprogrammeurs – un tiers environ de l'assistance qui se pressait au labo – quittaient la pièce au pas de charge.

« Où allez-vous? demanda Rasala.

– On rentre », répondit Holberger.

Peu après arriva Chuck Holland, muni d'un chargeur de disques; à l'intérieur de ce dispositif, qui ressemblait un peu à un casque, dormait le programme qui devait, du moins l'espérait-on, permettre de jouer à Adventure sur un Eagle. Holland plaça le chargeur dans l'unité de disques de Gallifrey, et Rasala s'assit au pupitre de commande. Il tapota avec deux doigts un petit quelque chose sur le clavier. Ses gestes semblaient légèrement hésitants. Il s'arrêta, émit un claquement de langue. Guyer rapprocha sa chaise. Wallach, Holland et l'un des programmeurs de diagnostics se rapprochèrent et vinrent se pencher par-dessus l'épaule de Rasala. Chacun lui prodiguait ses conseils. L'heure était grave. Si tout allait bien, si Gallifrey ouvrait à présent la Caverne Colossale, ce serait la première fois, après plus d'un an et demi de dur labeur, qu'un Eagle ferait autre chose que de passer des tests. Leur ordinateur existerait enfin.

Un grattement; la console émettait un message.

«Aïe, commenta le programmeur de diagnostic en regardant par-dessus l'épaule de Rasala. Tu as fusillé le disque.

– Qu'est-ce que j'avais dit? s'écria Wallach. Fallait mettre une interdiction d'écriture!

– Reste plus qu'à réparer ça », dit Chuck Holland.

L'opération leur prit quelque temps, après quoi la scène fut rejouée, toutes les mains appuyées autour de la console et Rasala aux commandes. Rasala pianota sur le clavier. La console cracha sa réponse.

« Bon, ça va, au revoir, dit Rasala. *A la prochaine!* »

ERREUR FATALE, disait le message sur la console.

Il fallut de nouveau remettre les choses en place, mais une fois de plus, quand Rasala tenta de lancer Adventure, la console répondit ERREUR FATALE.

Rasala capitula. Il n'y aurait pas d'Adventure ce soir-là; Eagle n'était tout simplement pas prêt. Rasala alimenta Gallifrey d'un programme de diagnostic que la machine avait déjà exécuté, inscrivit sur un petit carton NE PAS DÉRANGER et le plaça sur la console; il s'apprêtait à sortir quand un crépitement l'avertit que la console était en train d'émettre un message. Il revint sur ses pas. La machine avait rejeté son microcode. Rasala s'avança vers un meuble de rangement pour s'y appuyer un instant. Puis il prit une longue aspiration et revint vers la machine. Guyer et lui procédèrent à quelques réglages, et pour finir Gallifrey accepta de se remettre au travail.

« Comment se fait-il qu'elle se remette à marcher, comme ça, tout d'un coup? demandai-je.

– Aucune idée, dit Rasala. Nous ne savons pas tout sur cette machine. »

Cherchant que dire pour les réconforter un peu, je hasardai : «Enfin, il y en a toujours une partie qui marche.

– Ouais, railla Guyer. Et un jour on finira bien par savoir laquelle. »

Eagle échouait mystérieusement à son Test de Fiabilité en Multiprogrammation. Toutes les quatre heures environ, après avoir travaillé gentiment et sans le moindre accroc, il perdait tout à coup les pédales, se cassait la figure et se mettait à délirer complètement.

« Rien de vulnérable comme une machine dont on est en train d'extirper à grand-peine les tout derniers *bugs*, disait Alsing. Parce qu'on commence à crier : ça ne marchera jamais, et cætera et cætera. C'est ce que commencent à dire les dirigeants et les groupes de soutien. Les pique-assiette qui attendaient leur part ne manquent pas de vous dire : " Bon sang, on croyait que vous en auriez terminé joliment plus tôt que ça! " C'est alors qu'on entend parler de tout reprendre à zéro. »

Après quoi il ajoutait : « Attendez voir ce que va faire Tom, maintenant. »

West était à son bureau. « Moi, ce que je vais finir par faire, c'est flanquer tous les gamins à la porte du labo, et aller y voir moi-même, avec Rasala, pour arranger ça. Évidemment, je ne connais pas ce satané machin dans les détails, mais ce sera bientôt fait, et je le ferai marcher. »

Il appela Rasala, un soir. « Je veux aller au labo moi-même.

– Accorde-moi encore quelques jours », dit Rasala.

Au matin du 25 septembre, Rasala déclara : « Grand jour aujourd'hui, Eagle a fait tourner le Multiprogrammation douze heures durant, cette nuit, sans le plus petit accroc. »

Holberger assurait : « Je comprends très bien ce que pouvait ressentir West, mais il n'aurait strictement rien pu faire. »

Dans son bureau, West affirmait : « Ce n'était pas une menace en l'air. L'idée, bien sûr, c'était qu'en m'entendant dire que j'allais y fourrer le nez, et sans tarder, il y avait de grandes chances pour qu'ils en mettent un sacré coup, en se disant, si ça se trouve, c'est un truc tout banal et tout bête. »

De fait, il s'était bien agi d'un problème de ce genre, une simple affaire de bruit. Mais ce n'était pas tout à fait terminé.

Le 4 octobre, le gros de la troupe vint s'agglutiner autour de la console, avec Holberger aux commandes, cette fois, et la machine ouvrit la Caverne Colossale.

Holberger n'avait encore jamais joué à Adventure, et il n'était pas disposé à prendre l'aventure au sérieux cette fois-là. Il patouilla un moment, dans le style du parfait novice, puis, sans avoir seulement rencontré l'ombre d'un pirate ou mis la main sur quelque trésor, il mit fin à la partie.

C'est qu'une autre partie se jouait, qui l'intéressait autrement. Ils avaient relancé les tests de Whetstone.

Tout le jour ou presque, ils restèrent en attente, surveillant le déroulement de l'opération. Et quand tout fut terminé, ils eurent droit à une victoire. A présent qu'Eagle était une machine presque totalement fonctionnelle, son score était bien meilleur. Il correspondait, à deux ou trois points près, à l'indice espéré par les concepteurs de l'engin, un an plus tôt. Eagle répondait donc à l'injonction de West : il était de dix pour cent plus rapide que le VAX en simple précision – du moins si l'on se fondait sur les chiffres publiés pour ce dernier – et environ deux fois plus rapide que la plus rapide des Éclipse.

Pourtant Gallifrey, qui désormais ouvrait la voie, ne semblait pas encore avoir toujours toute sa tête. Il se jouait des programmes de diagnostic les plus ardus, mais il lui arrivait d'échouer, par ci, par là, sur certains des moins élaborés. Les Intrépides alors bondissaient sur leurs analyseurs, repassaient le test, et l'incident ne se reproduisait pas.

« Un petit grain. »

Certes, mais où se logeait-il ?

Le 6 octobre, leur vice-président, Carl Carman, descendit au labo comme à l'accoutumée, et ils lui parlèrent de ce « petit grain » que la machine semblait avoir, par moments.

Carman est un quadragénaire de taille moyenne, blond au teint clair – légèrement rosi par le soleil –, bref, tout d'un archange. Il a un peu le sourire énigmatique d'Alsing.

L'ALU était posée à l'extérieur du châssis de Gallifrey, sur son extension. Gallifrey était en train d'exécuter un programme très simple. Carman marmonna

« Hmmmmm. » Là-dessus, marchant droit sur l'ordinateur, il empoigna par ses bords la carte de l'ALU et lui imprima une secousse. A l'instant même, Gallifrey défaillait.

Ils savaient d'où venait le problème, désormais. Guyer, Holberger et Rasala passèrent le plus clair de la journée du lendemain à remettre en place les plots qui maintenaient les puces au centre de l'ALU et quand ils en eurent terminé le petit grain de folie de Gallifrey semblait avoir disparu pour de bon.

« Ça, c'est grâce à Carman, dit Holberger. Il a obligé Gallifrey à dérailler sur commande, en lui cognant dessus. »

Il leur fallait encore préparer des monceaux de documents, faire passer d'autres tests. Il fallait encore que le Logiciel finît d'élaborer l'immense et complexe système de base à 32 bits. Par moments, ils avaient encore à affronter des situations inédites et critiques, l'apparition des défaillances qui se révélaient bien souvent, mais pas toujours, relever de la catégorie « grain de sable ». Ils devaient encore se faire du souci au sujet de l'approvisionnement en puces PAL. Le département Fabrication allait devoir mettre au point la chaîne de fabrication des Eagle et le groupe Éclipse participer à ce travail d'organisation. Jim Guyer avait encore à faire fonctionner correctement le système d'entrée/sortie, et tout cela prendrait encore un certain temps, durant lequel Rasala n'arrêterait pas de répéter ce qu'il répétait depuis déjà tant de mois (comme si évoquer tout haut le pire pouvait l'empêcher d'arriver) : « Il y a toujours une petite chance, pas bien grosse, mais réelle et mesurable, pour qu'Eagle ne voie jamais le jour. » Malgré tout, même approximativement, ils touchaient à la fin.

Et Rasala lui-même déclarait : « Maintenant, oui, c'est un ordinateur. »

Le lundi 8 octobre, une escouade d'agents du service Entretien entrèrent dans le labo avec un grand chariot. Là, précautionneusement, ils chargèrent Gallifrey Eagle sur le plateau du chariot. Après quoi ils roulèrent le tout, le long du couloir, en direction du département Logiciel. Plusieurs des membres du groupe Éclipse escortèrent le convoi, et quelques-uns, ce soir-là, s'offrirent un verre ou deux. Mais il n'y eut pas de cérémonie, cette fois. Quelques jours plus tard, dans la pénombre du saloon Cain Ridge, ils poussèrent l'une contre l'autre quelques tables pour une nouvelle remise de Palmes Honorifiques PAL. Debout pour la présentation, Rasala marqua un temps de silence puis, se tournant vers ceux qui étaient assis à côté de lui, il leur souffla : « Ce n'est jamais qu'un prétexte pour sortir prendre un pot. »

Au mois de janvier précédent, Rasala avait assuré qu'ils s'offriraient le champagne le jour où Eagle partirait pour le Logiciel. Mais à vrai dire, le champagne, ils l'avaient déjà bu, et pour fêter des étapes moins remarquables. D'ailleurs, à présent que le moment était arrivé, Rasala n'avait plus tellement envie de champagne. D'abord, il était fatigué, plus fatigué qu'il ne l'avait jamais été. D'autre part, il sentait poindre à l'horizon une sorte de sentiment de vide, d'absence de but réel; il avait vécu avec *la machine* durant si longtemps qu'il avait peine à imaginer la vie sans elle. Dans cet état d'esprit, il accordait sans doute aux autres sources de contrariété des proportions exagérées. Il n'en était pas moins certain qu'il existait un malaise; la machine n'était pas en cause, ni précisément le groupe, mais quelque chose ne tournait pas rond.

Environ un mois avant le départ de Gallifrey pour le Logiciel, j'échangeai quelques mots avec Rasala, dans le couloir, à la porte de son bureau, quand l'un des directeurs de la maison était passé près de nous. « Il vaut mieux nous taire », avait dit Rasala. Et nous nous étions tus. Rasala n'avait pas repris la parole avant la disparition de la personne en question. Et le soir où j'étais venu voir Rasala jouer à Adventure sur Gallifrey – ce premier soir où l'engin ne voulut rien savoir – le sous-sol m'avait paru en pleine ébullition. Rasala m'avait dit, en termes couverts, que de faux bruits couraient sur le départ imminent de West.

Je m'étais arrêté chez West au passage. Il s'était fait couper les cheveux – très court, comme ceux d'un militaire – et il semblait n'être plus tout à fait le même. Il était blême, terriblement amaigri. Son visage s'éclaira un peu quand j'évoquai les rumeurs en question. Il eut un début de sourire et il dit, paraphrasant Mark Twain : « Les bruits qui courent sur ma mort sont fortement exagérés. »

West avait dit, un jour : « La Data General est un lieu de paranoïa, et ce n'est pas le groupe Éclipse qui – comment dirais-je? – risque de dissiper cette impression. » J'avais entendu conter l'histoire, sans doute inventée de toutes pièces, d'un employé de la Data devenu si suspicieux à l'égard de ses collègues qu'il avait pris l'habitude de se terrer sous son bureau pour y lire son courrier. Ayant été moi-même quelque peu en bisbille avec la maison, j'avais tendance, ce soir-là, à ruminer ce contentieux et à le grossir hors de toute proportion. En rentrant dans le grand hall du bâtiment, les coups d'œil pourtant habituels des autres personnes présentes et le sourire charmant du receptionniste me parurent lourds de signification : ils savaient sur moi quelque chose que je ne savais pas. Impression passagère, certes, néanmoins ce soir-là j'éprouvai un certain soulagement à quitter les lieux, en compagnie de Rasala.

Rasala me parut d'humeur sombre. Je me dis que la cause en était peut-être sa tentative malheureuse avec le programme Adventure, mais il semblait décidément l'évoquer sans amertume. « Si la machine n'avait jamais de pépin, à quoi rimerait tout ce travail dessus? »

Nous allâmes dîner dans un Burger King, à quelques kilomètres de Westborough. Et c'est là, comme nous faisions la queue, que Rasala me dit soudain : « Vous l'avez senti, cette fois.

– Pardon? Senti quoi?

– Comme l'air est lourd, là-bas. Votre humeur a changé du tout au tout. Vous étiez soulagé d'en sortir. »

Je dus convenir qu'il disait vrai. Et je lui demandai s'il lui arrivait, à lui aussi, d'être soulagé d'en sortir.

Il me toisa, de la tête aux pieds, comme pour dire : « Quelle question! » Puis il me répondit tranquillement :

« Moi? Une fois par jour. »

15. CANARDS EN TOUS GENRES

Le risque qu'avait pris West en utilisant les toutes nouvelles puces PAL fut la source de quelques soucis. Il s'écoula des mois avant que la Data fût assurée de pouvoir disposer de ces pièces en quantité suffisante pour fabriquer des Eagle en série. Si bien que les débuts de la machine dans le public durent être différés, différés encore et toujours, jusqu'au printemps de 1980. Avec le temps, cependant, il devenait évident que l'option de West avait été la bonne; les puces PAL étaient en effet des puces d'avenir. De plus, le délai ainsi imposé permit aux programmeurs de créer un choix de logiciels variés beaucoup plus impressionnant que celui offert d'ordinaire avec un nouveau modèle. Les programmeurs de diagnostics, de leur côté, eurent tout le temps de peaufiner une gamme complète de programmes de microdiagnostic, qui contribueraient à faciliter encore le dépannage d'Eagle. Enfin le groupe Éclipse eut tout le temps, lui aussi, de perfectionner sa machine à l'extrême. Les ordinateurs sont des machines très délicates. On n'oserait trop se risquer, avec certains modèles, à échanger une carte d'une machine avec la carte correspondante d'une machine supposée identique. Avec les Eagle, au contraire, cette opération fut sans risque dès l'instant où ils furent disponibles.

Quelques semaines avant son lancement, pourtant, Eagle fut victime d'une nouvelle défaillance de fort sinistre augure. Il fallut aux Intrépides des heures et des heures de travail pour arriver à localiser le mal. Ils arrivaient à le cerner, mais sans pouvoir réellement mettre le doigt dessus. C'était l'impasse, jusqu'au moment où Holberger proposa une solution. Il suffisait d'ajouter juste un petit fil à tel circuit. Holberger s'avouait incapable de dire pourquoi cette réparation devait être efficace, il était sûr qu'elle le serait, c'était tout. Rasala paria le contraire, et il en fut quitte pour payer un café à Holberger chaque jour de la quinzaine qui suivit.

Holberger procéda à sa mystérieuse réparation dans les locaux du Logiciel. Ayant assisté à l'opération, l'un des programmeurs déclara que la conception logique était décidément un art très spécial. Mais il faut reconnaître que les Intrépides en étaient bel et bien arrivés au point de pouvoir *sentir* ce qui ne tournait pas rond dans leur machine. Et il n'y avait vraiment plus grand-chose à ne pas tourner rond quand enfin l'engin franchit les portes de la Data General.

Dans les mois qui suivirent le lancement d'Eagle, il devint évident que cet ordinateur était promis à un très gros succès, ainsi que l'avait assuré West. Le bruit courait que dès le début de 1981 les sommes à provenir des commandes d'Eagle représentaient plus de dix pour cent du total des commandes de matériel construit par la Data. Ainsi semblait-il bien qu'Eagle était arrivé à point pour régénérer le haut de gamme des produits de la firme. La Data General avait déjà du retard pour son entrée sur le marché des superminis, et sans Eagle elle eût risqué de passer tout à fait à côté de ce marché : au printemps de 1981, en effet, les équipes de Caroline du Nord n'avaient toujours rien sorti.

Qui avait été le principal instigateur de ce succès, de ce beau rétablissement? L'équipe dirigeante de la firme? L'équipe d'ingénieurs concernés? Ou bien West? Ou encore Edson de Castro?

Les ingénieurs du groupe Éclipse qui faisaient partie de la maison depuis un certain nombre d'années désignaient encore de Castro comme « le Capitaine » ou bien « l'Homme du bureau du coin », sur un ton qui trahissait combien cet homme leur inspirait de crainte, d'admiration et d'étonnement mêlés. A la fin, d'ailleurs, certains des derniers survivants de l'équipe se référaient à lui, carrément, sous le nom de « Dieu le père ».

« De Castro n'est ici pour nous qu'une présence invisible, disait West, mais c'est celle d'une main de fer. » Une autre fois, il faisait remarquer : « Ce que fait de Castro paraît d'abord cahotique, le vrai bazar, et puis au bout d'un temps tout est miraculeusement ordonné. » Et puis : « C'est de Castro qui avait dit : " pas de bit de mode ". Et il est clair maintenant que sous sa formule lapidaire il décrivait la machine parfaite. » Formule lapidaire en effet, si c'était là une description de machine. West semblait suggérer que de Castro pouvait bien avoir orchestré à distance la totalité du projet. « Je crois bien que nous avons tous plus ou moins cette impression » me dit un autre membre de l'équipe. Il ne plaisantait qu'à demi. Plusieurs ingénieurs m'avaient dit combien de Castro était ferré sur les questions techniques. « Allez donc le voir avec un plan qui comporte un point faible, mais un point faible que vous pensez avoir savamment camouflé, disaient-ils. A tous les coups il vous le repérera. » Rien ne se faisait derrière son dos. La firme pouvait bien avoir changé d'échelle, il l'avait toujours bien en main.

Quatre chaises font face au bureau de de Castro, lequel est entièrement dégagé, à l'exception de quelques feuillets soigneusement empilés pour qu'aucun ne dépasse. Le siège de de Castro est légèrement plus bas que celui de ses visiteurs, et quand il s'assied on le voit disparaître en grande partie. Il en devient une sorte de sphinx – mi-homme, mi-bureau. Il est mince, son crâne se dégarnit, et il ne porte, au moins aujourd'hui, ni veston ni cravate. Interrogé sur le sens de l'expression *les crédits à ceux qui savent les décrocher,* il s'épanouit et dit : « C'est un truc efficace; ça permet vraiment, d'une certaine façon, l'aboutissement de certains projets que d'aucuns préféreraient pourtant ne pas faire. »

Le projet Eagle l'intéressait-il dès le début, ou son intérêt pour ce projet s'est-il éveillé progressivement?

« Dès le départ c'était un projet de très grande importance. »

A-t-il été satisfait du travail fourni par le groupe Éclipse?

« On ne peut plus satisfait ! » Sa voix retombe. « Ils ont abattu un sacré boulot. »

322

Pourtant certains membres de l'équipe ont eu l'impression que la maison les négligeait un peu.

« Cela ne m'étonne pas, dit-il, c'est bien souvent le cas. Des sentiments contradictoires animent la plupart des gens. Dans quelle mesure veulent-ils être dirigés? »

L'équipe semblait se considérer comme une entité indépendante et libre de ses initiatives, au sein de l'entreprise; ce sentiment était-il un produit du hasard, ou de Castro lui-même s'était-il efforcé de le faire naître?

De Castro a détourné la tête en direction d'un mur, à la faveur d'un temps mort dans la conversation. Il me semble voir passer sur son visage une expression de lassitude. Il se retourne vers moi, et reprend son sourire : « Essayer de provoquer chez quelqu'un une attitude d'indépendance, je ne crois pas que cela puisse réussir... Je crois que la politique que nous nous efforçons de suivre, c'est plutôt de créer un environnement tel que ce genre de choses a toutes les chances de se produire. »

Peut-être de Castro a-t-il orchestré le projet, ou peut-être, ayant entièrement planté le décor, a-t-il simplement laissé les événements se produire – ce qui pourrait bien revenir au même. Un vétéran de la maison se rebiffait pourtant à cette idée. « De Castro n'est pas si fort que ça! Il a de la chance et il est très doué, d'accord, mais plus encore il est entouré de gens comme West, qui lui tirent les marrons du feu et lui en attribuent tout le mérite. » Les membres de l'équipe avaient chacun leur propre interprétation.

Un mois après que Gallifrey Eagle eut été roulé avec mille précautions le long du couloir menant au Logiciel, Ed Rasala et plusieurs Intrépides se retrouvèrent au saloon Cain Ridge et se livrèrent à un échange de souvenirs – pimenté de controverses, comme toujours. A un moment de la discussion, Jim Guyer déclara : « Ce projet, ce n'est pas de Castro, ni Carman, ni West qui nous en ont chargé; nous l'avons pris en charge nous-mêmes. Personne ne nous a dit de nous donner à fond comme nous l'avons fait. »

Ken Holberger éclata de rire.

Guyer éleva la voix. « Oui, c'est de *nous-mêmes* que c'est venu. »

Entre deux hoquets de fou rire, Holberger parvint à articuler : « Mais c'était leur idée qu'ils nous fourraient dans le crâne! »

« La boîte ne nous l'a jamais demandée, cette machine, s'écria Guyer. Nous la lui avons *offerte*. C'est nous qui l'avons conçue. »

D'autres voix s'élevèrent. Tranquillement, Rasala dit à son tour : « Cette machine? C'est West qui l'a créée. »

Ses robustes avant-bras reposaient sur la table, entourant une chope de bière. Je me dis que peut-être j'avais mal entendu. Il avait toujours soutenu avec insistance qu'Eagle appartenait de la même façon à chacun des membres de l'équipe. Il y avait dans l'air comme un parfum d'hérésie.

« Attends, tu répètes : c'est West qui a créé quoi?

– Eagle », dit Rasala.

Les autres s'étaient tus et regardaient à présent Rasala, dont la mine disait clairement, comme il lui arrivait parfois, que mieux valait ne pas le contredire.

« Tu veux dire qu'il a créé les conditions d'enthousiasme.

– Non, dit Rasala d'une voix égale. La machine.

– L'occasion de la faire, proposa Holberger.

– La machine », dit Rasala.

Il y eut un moment durant lequel chacun évita de croiser le regard des autres, puis la conversation repartit sur un autre sujet.

Si l'on adopte le point de vue détaché d'un gestionnaire, on peut regarder le projet Eagle comme un exemple de ce que peut donner le bon fonctionnement d'un système de direction bien conçu : la nécessité de se battre pour obtenir des moyens et des crédits provoque chez une équipe, au sein d'une firme, un heureux esprit d'entreprise, lequel est canalisé dans la direction souhaitable par des contraintes venues d'en haut. Mais il semble ici plus exact de dire que tout simplement un groupe d'ingénieurs s'était enflammé pour la création d'un ordinateur. Qu'elle fût le résultat de maladresses de la maison ou au contraire de ses savants calculs, l'occasion existait, il fallait la saisir. Et c'est là que l'initiative revenait entièrement à West et aux membres de son équipe. De plus, ils accomplirent ce travail non seulement avec une fougue peu commune, mais encore pour des motivations qui paraissent, dans un contexte commercial à tous crins, remarquablement pures.

Dans *The Nature of Gothic,* John Ruskin décrivait comment l'époque industrielle tend à fractionner le travail en tâches si dénuées de sens qu'elles ne peuvent convenir qu'à l'équivalent de la main-d'œuvre esclave. Ruskin écrivait au siècle dernier, et fut ainsi l'un des premiers, avec Marx, à soulever ce lièvre désormais familier. Il croyait voir au contraire dans les cathédrales gothiques d'Europe un exemple de ce que peut produire un travail libre, librement consenti. Dans l'usage courant, le terme d'*artisanat* est synonyme d'objets de grande qualité; Ruskin attirait notre attention sur ce point important qu'on peut encore juger un objet en prenant pour critère les conditions dans lesquelles il a été créé.

Il est vraisemblable que les maçons qui élevèrent les cathédrales ne travaillaient qu'en partie pour la rétribution qu'ils en retireraient. Ils élevaient des sanctuaires à Dieu. C'est le genre de travail qui donne un sens à une vie. Et il me semble que c'est un peu là, aussi, ce que cherchaient West et son équipe. Eux-mêmes disaient volontiers, en travaillant sur cette machine, qu'ils ne travaillaient pas pour l'argent. Certes, quand tout fut terminé, certains eurent l'impression de ne recevoir ni la part de magot ni la reconnaissance qu'il leur semblait avoir mérités, et s'avouèrent quelque peu amers sur ce point. Mais sitôt qu'ils parlaient du projet lui-même, leur enthousiasme revenait. Il éclairait leurs visages. Beaucoup semblaient chercher à dire qu'ils avaient participé à quelque chose qui sortait tout à fait de l'ordinaire. Ils évoquaient l'excellence de la machine (« Nous avons vraiment fait du bon boulot »), le temps record dans lequel ils l'avaient faite (Personne n'avait jamais fait ça aussi vite; en tout cas, pas à la Data ») et l'expérience ainsi acquise (« Maintenant, je mets deux heures à faire ce qui me prenait deux jours »). L'un des prétendus « gamins » – qui n'étaient plus tellement gamins, mais plutôt vieux de la vieille – faisait cette remarque : « Maintenant, mon curriculum vitae pourra vraiment faire impression. » A quoi il ajoutait, bien vite, que ce n'était pas là l'essentiel.

Nombreux étaient ceux qui devaient chercher leurs

mots pour exprimer ce qu'ils estimaient être leur vraie récompense. Ils faisaient appel à des expressions comme « sentiment d'accomplissement », « impression de se réaliser soi-même », « autosatisfaction ». Jim Guyer se débattit un bout de temps avec ce vocabulaire, sur lequel s'usait sa patience. Puis il finit par dire : « Bon, je n'ai pas besoin de reconnaissance officielle pour tout ce que je fais. Quatre-vingt-dix-huit pour cent du plaisir découle de la certitude que le truc qu'on a conçu fonctionne, et fonctionne à peu près comme on espérait qu'il le fît. Quand tel est le cas, c'est comme si l'on avait mis un peu de soi-même dans la machine. » Pour lui, dans ce projet, le grand jour avait été celui où il avait extirpé « le dernier *bug* connu » de la carte dont il était l'auteur.

Les ingénieurs sont censés faire partie des privilégiés au sein des entreprises industrielles, mais différentes études tendent à suggérer qu'un pourcentage non négligeable d'ingénieurs américains ne sont pas satisfaits de leur emploi. Au nombre des raisons invoquées, on trouve la nature des tâches elles-mêmes et le carcan dans lequel bien des dirigeants maintiennent les ingénieurs. Parmi les termes et expressions invoqués pour définir leur malaise, figurent notamment les suivants : *insuffisance des défis techniques; inadéquation des postes offerts; entrave à l'initiative; marge de manœuvre trop étroite dans le travail.* Aucun des participants au projet Eagle n'aurait honnête-ment pu faire état de pareilles doléances. Le travail était fragmenté, mais il n'était pas découpé en lanières. Chacun recevait la responsabilité de quelque pièce importante de la machine, nombreux furent ceux qui purent même choisir cette pièce, et chaque portion de travail exigeait davantage que des efforts de pure routine. Les membres de l'équipe étaient habilement dirigés, c'est un fait, et la loi implicite du groupe était d'inspiration darwinienne, mais bon nombre d'entre eux, pourtant, déclarèrent qu'on leur avait laissé toute la liberté qu'ils pouvaient désirer.

Rosemarie Seale était d'avis que West leur avait donné à tous une liberté d'action autrement généreuse que celle que leur aurait accordé un patron ordinaire. Elle avait travaillé pour un certain nombre d'autres patrons, et en tant que « mère de toute l'équipe » elle pouvait parler en connaissance de cause du régime qui leur avait été accordé.

« Ce qu'il faut voir, au bout du compte, c'est l'effort qui a été accompli; et du travail bien fait, sans aide de la part de la maison, ou si peu; pas mal de gens ont trouvé là l'occasion de progresser, d'avancer par rapport à eux-mêmes; l'occasion de se sentir bien dans leur peau – pas à la suite d'une tape dans le dos, non, de se sentir bien au plus profond d'eux-mêmes. Je crois que nous essayions tous de prouver un peu quelque chose. Moi, je voulais prouver que je pouvais être davantage qu'une secrétaire, que je suis une femme nouvelle, libre. Incroyable! Nous avions tous quelque chose de différent à prouver, et nous étions pourtant tous en train d'essayer de prouver la même chose.

« Non, je ne cherche pas à donner Tom comme un modèle de toutes les vertus. Il m'a rendue furieuse plus de quatre fois. Mais on sait bien que la perfection n'est pas de ce monde. Je serais prête à tout recommencer. Je serais même très heureuse de tout recommencer. Je crois que j'accepterais une réduction de salaire pour pouvoir tout recommencer. »

On a beaucoup écrit sur la façon de motiver le personnel des entreprises industrielles. Probablement parce que trop de tâches ont si peu d'intérêt dans ces entreprises que peu de gens trouvent un sens à ce qu'ils font. Sans doute les techniques de gestion ne peuvent-elles à elles seules venir à bout du problème.

On peut certes avancer que, de toute façon, vers la fin des années soixante-dix, élaborer le prototype d'un ordinateur était déjà en soi un travail présentant plus d'intérêt que la plupart des tâches proposées dans l'industrie. Il n'empêche qu'au début, au moins pour certains ingénieurs, construire Eagle semblait à priori un travail de peu d'intérêt. Moyennant quoi, malgré tout, ils furent plus de deux douzaines à travailler dessus avec acharnement, y consacrant librement des heures supplémentaires, sans réel espoir d'une contrepartie matérielle, et cela pendant un an et demi; et la plupart, au bout du compte, ne le regrettaient pas. Pourquoi cela? Probablement, pour une large part, parce que West et les autres dirigeants de la maison leur avaient laissé assez de liberté pour inventer leur machine, tout en les guidant judicieusement vers le succès.

West n'avait jamais laissé passer une occasion de pimenter le projet. Il avait contribué à faire d'une querelle d'ingénieurs une virtuelle Guerre des Deux Roses. Il avait allumé çà et là, selon le mot de Rasala, une suite quasiment ininterrompue de « feux de brousse » qu'il leur revenait d'éteindre. Il avait fait bon accueil à un journaliste désireux de suivre son équipe – oh, qu'il avait donc jubilé, ce jour où l'une des plus jeunes recrues m'avait dit : « Ce que nous faisons doit être important, tout de même, pour que l'événement soit couvert par un reporter »!

Le monde des ingénieurs n'est pas un monde par définition tout gris, tout terne, mais il est exact que les équipes d'ingénieurs donnent souvent l'impression d'aspirer à une quiète uniformité. West tranchait sur ce fond impersonnel. Alsing, qui aurait aimé voyager un peu partout, mais dont l'univers s'était essentiellement limité à celui des ingénieurs, Alsing avait particulièrement bien réagi à ce qu'apportait West. « West, disait-il, n'a fait que coller un rajout sur le flanc d'une Éclipse, mais il s'est débrouillé pour que ce soit le projet le plus prenant de toute la maison, la chose la plus passionnante au monde pour nous tous pendant un an et demi. Nous ne nous sommes pas ennuyés une minute, avec lui. »

Quant à West lui-même, il ne fait pas de doute qu'il avait pris à cette expérience une espèce de plaisir tendu, indéfinissable. Les circonstances lui avaient été favorables. Il y avait crise. Dénouer la situation exigeait une approche non orthodoxe. West avait trouvé là, me semblait-il, l'occasion rêvée de réconcilier un temps ses deux aspirations contradictoires – la première conventionnelle et quantifiable, la seconde non conformiste et indéfinissable. Il était en même temps de retour à Cambridge, dans l'univers de la chanson folk, et à la Data General, en train de se battre pour la prospérité de la maison. Il pouvait être, pour un temps, le troubadour de l'ordinateur.

« Avec cette machine, nous allons très au-delà de ce qui est accessible à une seule personne. J'avais toujours rêvé de construire quelque chose comme ça. »

Et maintenant, c'était chose faite. Le groupe Éclipse et les nombreux autres collaborateurs du projet Eagle – y

328

compris, en particulier, les départements Logiciel et Diagnostics – avaient engendré en quelques mois : quatre mille quatre-vingt-seize lignes de microcode, enfermées dans un volume épais de quelque vingt centimètres; des programmes de diagnostic représentant plusieurs milliers de lignes de code; plus de deux cent mille lignes de logiciel de base; plusieurs centaines de pages d'organigrammes d'analyse; quelque deux cent quarante pages de schémas de principe; des centaines et des centaines de notes de modifications techniques, issues de la mise au point; vingt heures de bande vidéo décrivant le nouveau modèle; et pour finir, maintenant, une paire d'ordinateurs en état de marche, carrossés de bleu et blanc, sans parler des commandes en cours pour des quantités d'autres. On pouvait dire, d'ores et déjà, que tous ceux qui avaient participé pour de bon à la chose ne seraient pas près de l'oublier. Ce serait un moment inoubliable de leur carrière. Et cela, enfin, n'avait rien d'un canard.

16. DINOSAURES

Des mois après l'annonce de la sortie d'Eagle, Jon Blau travaillait un jour sur un détail (quelque chose en rapport avec une interconnexion reliant l'unité centrale à un périphérique), lorsqu'en étudiant un document il tomba sur le nom d'un câble qui ne lui disait absolument rien. Perplexe, il héla Holberger : « Hé, Ken, qu'est-ce que c'est que ce truc-là ?

— Ahhhh, dit Holberger en examinant le document, ça m'a tout l'air d'être un petit extra à la Tom West. »

Et soudain Blau eut l'impression de toucher du doigt une évidence. C'était la première fois qu'il se rendait réellement compte du nombre de groupes qui avaient été impliqués dans ce projet, en plus du sien, pour y accomplir toutes sortes de tâches, des grandes et des petites, comme le dessin et la fabrication de ce câble, par exemple. Il avait dû y avoir là un petit problème coriace, dont ce câble était venu à bout. Ce n'était jamais qu'un détail à l'intérieur d'un détail, et pourtant il était capital. Des dizaines de problèmes de ce genre avaient dû surgir entre la conception d'Eagle et sa sortie, des problèmes dont ses confrères et lui-même avaient ignoré jusqu'à l'existence. Qui avait eu à les envisager, à faire en sorte qu'ils soient résolus ? Ce ne pouvait être que West.

Blau savait que, pour sa part, il n'aurait pas pu pourvoir à cette tâche. Pour tenir ce rôle, à son avis, il fallait en savoir sacrément long. Et ce n'était pas seulement l'unité centrale de la machine qu'il fallait connaître sur le bout du doigt, mais aussi l'entière gamme de produits de la maison.

Il essaya de se faire une idée de la somme d'efforts que cela pouvait représenter. A quelque temps de là, un autre jeune ingénieur au moins devait connaître la même expérience : tombant sur un problème, il découvrait que West l'avait repéré et réglé, des semaines ou des mois plus tôt. Quant à Blau, il s'était souvent demandé ce que pouvait bien faire West, toute la journée, derrière la porte de son bureau, si tant était qu'il y fît quelque chose. Mais maintenant, le regard perdu dans son document, Blau ne savait plus que dire : « Fichtre, fichtre! »

C'est que construire un ordinateur ne se résume pas, West l'avait souvent répété, au dessin et à la mise au point d'une unité centrale. Pour commencer, il faut bien quelqu'un pour en imaginer les grandes lignes. Il faut quelqu'un pour veiller à ce que le nouveau modèle soit compatible avec la gamme des périphériques produits par la maison. Il faut quelqu'un pour fixer les objectifs en matière de coûts et de performances, et pour faire en sorte qu'ils puissent être atteints. Ces divers rôles, à côté de tant d'autres, figuraient au nombre de ceux que West avait tenus.

Bien qu'il l'eût rarement avoué à quiconque au sein de la Data, West avait joué là une partie risquée. « Il faut avoir assez confiance en soi pour avancer avec aplomb quelques affirmations assez outrancières », avait-il dit lui-même un jour, faisant allusion à ses efforts – d'ailleurs très fructueux – pour vendre les vertus d'Eagle. Aussi discret qu'une chatte qui cache ses chatons, West avait tenu secrètes à peu près toutes ses activités, y compris celle de se faire du souci.

Il était un jour apparu aux yeux d'Alsing comme le mystérieux étranger qui traverse la ville, et tel était bien, au fond, son personnage : un solitaire par goût et par tempérament. Il n'avait encore jamais eu la charge d'un projet de cette importance, ni d'une équipe aussi nombreuse. Responsabilité dont il s'était chargé lui-même, certes. Seulement, pour des raisons à lui, il semblait s'être mis en tête qu'il avait à répondre de choses sur lesquelles il n'avait pourtant pas de prise. Ses équipiers s'étaient engagés à créer cet ordinateur; lui estimait s'être engagé à faire en sorte, s'ils accomplissaient leur part du travail, pour qu'Eagle « passe la porte », qu'il soit un gros succès, et que l'équipe reçoive en retour prestige, valeurs boursières, et cætera, et par-dessus tout le droit de rejouer une autre partie. La moitié du temps, assis seul dans son bureau, élaborant plan sur plan, il ne pouvait s'empêcher de songer que tout allait bientôt capoter. Le péril est le sel de la vie, mais l'angoisse, à la longue, est un sentiment épuisant.

Dès la fin de l'été, West s'était senti prêt pour la fin du projet, et de fait, pour lui, c'était presque le cas. A la fin juin, après avoir conquis des supporters dans différents secteurs de la firme, il avait pour la première fois présenté officiellement la machine à de Castro, à cette assemblée de dirigeants qu'était la réunion dite du Comité de Produit; et là de Castro, s'il n'avait pas réagi avec tout l'enthousiasme qu'en attendait West, avait néanmoins accordé à la machine sa bénédiction laconique.

Il avait été un temps où l'on pouvait entendre, aux alentours de Westborough, des « cibistes » commenter entre eux le combat ouvert qui se jouait entre le groupe Éclipse et la Caroline du Nord; ce genre de discours, énergique et tonifiant, s'était tu depuis longtemps. La présentation officielle faite et Eagle sorti au grand jour, West avait relâché sa campagne de relations publiques. La machine pouvait à présent faire son chemin sur sa propre lancée. Cet été-là, West s'était brusquement souvenu des balades à bicyclettes qu'il faisait naguère avec son père, les dimanches après-midi, et il trouva le temps de remettre en honneur cette tradition, en compagnie de sa fille aînée. Il venait tout à coup, semble-t-il, de s'apercevoir que ses enfants grandissaient. Un soir, je m'en souviens, il fit cette remarque : « C'est ça le piège, et le pire des vices : le boulot. On peut justifier à peu près n'importe quelle conduite en invoquant le boulot. C'est peut-être même pour ça qu'on bosse, pour éviter d'avoir à s'occuper du reste. »

Je fis avec lui une sortie en mer de quelques jours, vers le début d'août, au large du Cap Cod. Un matin, alors qu'après un temps à grains nous nous retrouvions déventés, et que nous naviguions au moteur vers la Tour de la Baie Buzzards, le diesel nous lâcha soudain. West me regarda d'un air absent, la bouche entrouverte. Puis, serrant la mâchoire, il se détourna.

Il disparut dans la cabine du fond de laquelle, au bout

d'un moment, j'entendis monter des coups sonores. Peu après, West passait sa tête à travers l'écoutille et me lançait : « Essayez voir, maintenant? »

Rien à faire. Le moteur ne voulait pas repartir. West redisparut.

Il revint passer sa tête par l'écoutille. Il brandissait le manuel d'instructions du moteur. « Excellent, ce manuel, dit-il. Un seul problème, ummmmmmh, c'est qu'il ne correspond pas à ce moteur. » Et il redisparut une fois de plus. Autres coups sonores. Nouvel essai. Sans plus de succès. Réapparition de la tête de West par l'écoutille, lisant à voix haute : « On peut être certain, lorsqu'un moteur diesel tombe en panne alors qu'il était en train de tourner, que c'est son alimentation en gas-oil qui doit être mise en cause. » Sur ce, il s'esclaffa, comme s'il venait d'en lire une bien bonne. Une fois de plus il disparut, et une fois de plus réapparut, cette fois pour recracher une pleine bouche de gas-oil... Pour finir, on s'en doute, il réussit pourtant à faire repartir ce moteur.

Peu après, un soir, de retour sur la terre ferme, West me fit observer que je l'avais vu là aux prises avec ce qui se rapprochait le plus de son travail sur les ordinateurs. Il ajouta : « Vous, vous étiez persuadé que je pouvais le faire marcher. Seulement, je n'avais encore jamais eu affaire à un moteur diesel, et j'étais plutôt dans la merde. Je ne pensais pas pouvoir y arriver. » Je crus pouvoir en déduire qu'il était fatigué de jouer les héros de la mécanique. Visiblement, ce n'était pas le même homme que celui qui plastronnait, un jour, devant des gens qu'il connaissait assez peu, en assurant : « Je peux réparer n'importe quoi. »

West continuait à perdre du poids. Il était fatigué, et se préparait à un grand changement.

Près d'un an plus tard, Alsing et Holberger étaient en train d'égrener leurs souvenirs du temps d'Eagle dans un bar, lorsque Holberger fit remarquer que tous les événements de la fin du projet lui rappelaient irrésistiblement la conclusion type d'une catégorie de westerns, bien classique : une ville embauche un tueur à gages pour un certain travail d'épuration, mais, une fois le contrat rempli, comme il n'est toujours qu'un tueur à gages, les citoyens respectables s'arrangent tôt ou tard pour l'expulser à son tour.

Alsing fut immédiatement enchanté par cette analogie : « Sûr! C'est un scénario bien américain. »

Dès leur arrivée, les nouvelles recrues s'étaient entendu dire que le groupe Éclipse était le cœur même de la Data General. Et les anciens qui le leur assuraient en étaient eux-mêmes fermement convaincus. Leur groupe était, à leurs yeux, le plus opiniâtre, le plus rude à la tâche, le plus réaliste, le plus productif et le plus redoutable de toute la maison, un bastion des antiques méthodes ayant mené la Data au succès, un vivant paradigme de ce qu'était la firme dans les premiers temps de sa croissance. La règle du jeu de flipper, ils y croyaient : gagnez la partie, et vous aurez droit à la partie suivante; et comme l'échec est impensable, mieux vaut ne laisser personne se mettre en travers du chemin.

Cette remarque de Holberger à propos des tueurs à gages me remit en mémoire quelques scènes du passé :

— Je suis assis dans le bureau de West, occupé à prendre des notes, quand, relevant les yeux, je m'aperçois que West a le regard sur mon bloc-notes. Il sourit. Il se met à me lire mes notes tout haut. En affaires, m'explique-t-il, toujours souriant, on apprend à lire à l'envers les mémos d'autrui.

— West, debout devant son tableau Magic Marker, est en train d'esquisser un organigramme de la société, vu sous l'angle de son groupe. « Il y a des fruits secs, par là, dit-il. Et ce type-là, c'est zéro. » Il trace une grande croix sur un nom. « Quant à celui-là, à terme, il doit sauter. »

— Holberger, à son terminal, envoie son avertissement-bidon, son faux MESSAGE URGENT : ARRÊT IMMÉDIAT DU TEMPS PARTAGÉ.

— Rasala s'en va faire tout un barouf au département Diagnostics.

— West est assis à son bureau et déclare : « Si je veux pouvoir faire cette machine, il me faut cet environnement dingue, où j'ai les coudées franches pour faire les choses comme je l'entends.

A l'époque où le groupe Éclipse démarrait le projet Eagle, la structure d'encadrement alentour était extraordinairement mince. Pendant le déroulement du projet, du personnel d'encadrement fut recruté par la Data pour combler les vides. Les nouveaux venus, transfuges d'autres firmes, ne pouvaient bien sûr pas connaître les étranges règles tacites en vigueur dans le groupe Éclipse. L'environnement du groupe subissait des transformations, et les anciens y étaient sensibles, pour de petits détails comme pour des faits plus marquants : c'était Rasala s'insurgeant contre un nouveau règlement, qui prévoyait que pour emporter chez soi des emballages usagés il fallait instruire une demande en bonne et due forme; c'était West pestant un matin, dans un embouteillage aux alentours du bâtiment 14A/B : « Il y a tout de même de quoi enrager! Quand je pense que je me garais en face de l'entrée, avant... »

Un jour, Rasala, West et Holberger, en conférence dans le bureau de West, étaient en train de discuter sur les méthodes en cours dans la maison, s'accordant unanimement à dire que secouer les puces aux gens semblait désormais vain. Dans la plupart des autres groupes, plus personne ne semblait disposé à consacrer des heures supplémentaires à une machine. Relevant un trait de West, selon qui le groupe Éclipse pouvait bien être d'ores et déjà un « dinosaure », comparé aux autres, Holberger suggéra alors qu'ils se commandent quelques tee-shirts arborant le nom « Groupe Éclipse », sous le portrait d'un *Tyrannosaurus rex* haletant.

West et ses lieutenants du groupe Éclipse s'étaient fait quelques ennemis à qui il n'eût pas déplu de les voir se faire remettre à leur place, et West s'était lancé dans un combat de longue haleine, chaque jour plus acharné au fur et à mesure que la phase de mise au point approchait de sa conclusion. Ainsi qu'il l'expliqua à Rasala, West estimait devoir se battre pour conserver au groupe sa liberté fondamentale; et pour éviter que ne s'instaure un état de fait dans lequel l'équipe se verrait purement et simplement déléguer certaines tâches, un point c'est tout. Rasala confirmait : « Pour que ce soit drôle – pour sortir un engin comme Eagle – il faut que ce soit les types qui l'inventent, à partir d'une idée nouvelle qui paraît promise au succès. Une fois qu'on a ça, motiver les gens, ce n'est pas un problème. Une fois qu'on a ça, d'accord, les gars, on va faire du sacré bon boulot! Et je crois que c'est pour ça que West se bat. »

Rasala suivit le combat en observateur, avec une angoisse croissante, puis avec résignation. La plupart des individus, à un moment ou à un autre de leur carrière d'adulte, reconstituent par la pensée la fin de leur adolescence. Rasala aimait à dire qu'il avait passé son enfance professionnelle chez Raytheon, et que c'était à la Data, sous les ordres de West, qu'il était devenu un ingénieur adulte. Longtemps il redouta l'idée que West pût s'en aller, et qu'il lui revînt à lui, Rasala, de prendre le groupe en charge; mais petit à petit, au cours de longues conversations avec West, il se mit à en envisager l'éventualité sans trop d'appréhension.

Un jour de septembre, lors d'une réunion assez importante à laquelle assistaient d'autres patrons et chefs de groupe, West critiqua publiquement Rasala pour quelque erreur. Estimant qu'il avait mérité cette légère remontrance, Rasala ne s'en formalisa pas. Après la séance, cependant, West prit Rasala à part. Il lui expliqua qu'on l'accusait de critiquer les autres groupes et jamais le sien; c'était le pourquoi de cette remontrance en public : il s'efforçait de démontrer que l'accusation était fausse. Il ajouta qu'il était sincèrement désolé d'avoir fait cela.

West était entré, Rasala le sentait, dans une sorte de phase de désespérance, et cela l'attristait. Vers le début de novembre, il me dit : « J'ai eu d'étranges conversations avec West, cette quinzaine. Il commence à me mettre au courant des affaires en cours. J'ai l'impression étrange de m'apprêter à quitter l'école. »

Plus tard, en y réfléchissant, Alsing acquit la conviction que West était resté jusqu'au jour où il avait pu être sûr qu'Eagle était à l'abri des manœuvres politiques. Au mois de novembre, West convoqua tous les membres du groupe, au grand complet, pour leur annoncer qu'il les quittait; il partait pour ce pays lointain, l'étage, où il allait prendre un nouveau poste, en liaison avec le service de recherche des marchés, poste qui l'enverrait fréquemment au Japon. Il fournissait par là une réponse concrète à la question : qu'advient-il des ingénieurs informaticiens, passé quarante ans. West annonça encore que ce seraient Rasala, Wallach et Alsing qui dirigeraient désormais le groupe. Il précisa que de nouveaux projets les attendaient, tout beaux, tout prêts, et, assura-t-il, « les bases sont solides ». Il exprima sa confiance que tout allait continuer comme par le passé.

Au sous-sol, ce jour-là, certains arboraient de larges sourires; d'autres, dont bon nombre des plus jeunes ingénieurs de l'équipe, ne se sentaient guère concernés. Les fidèles de West, par contre, avaient l'impression de vivre un séisme.

A la mi-novembre, West s'absenta pour une mission, et Rosemarie entreprit le déménagement de son bureau. La dernière pièce de mobilier à s'en aller fut l'horloge au caisson de chêne. Un technicien qui travaillait sous les ordres de West depuis quelques années alla chercher un chariot et y installa l'horloge. Rosemarie sortit devant lui, pour le guider le long du couloir en direction de l'ascenseur. Alsing les vit passer devant sa porte et se leva de son bureau. « Je vais maintenir cette horloge dans le chariot, proposa-t-il, pour le cas où il y aurait des cahots. » Rasala vint se joindre au cortège, et ce fut bientôt le tour de Jon Blau.

Arrivés à l'étage, ils furent désorientés. Pour trouver le nouveau bureau de West, ils durent demander leur chemin, « à un inconnu en complet-veston », devait préciser Alsing. La nouvelle résidence de West ressemblait fort à l'ancienne : étroite et dépourvue de fenêtres. Ils déposèrent l'horloge au sol et s'assirent tous. Rosemarie ressortit, l'air pressé, pour revenir au bout d'un moment. « Alors, venez-vous?

– Non, dit Alsing, on a une réunion dans le bureau de West.

– Notre réunion de vendredi, quinze heures », dit Rasala.

Ils finirent par se résigner à partir. En descendant cet escalier, Rasala avait l'impression de revenir d'un enterrement.

Je rendis visite à West peu après. Il m'avoua : « Je ressens d'épouvantables symptômes de carence. Je me réveille vers les 3 heures du matin, en sueur, avec des idées noires et tout le tremblement. C'est vraiment toute une affaire de devenir un simple pékin. » Mais il se leva de son canapé, cette fois, et vint flâner près de la cheminée, une bière à la main. « A présent, c'est une réelle tentation, pour moi, de me replonger dans les souvenirs d'Eagle et de m'en délecter », dit-il. Il émit un long « Ummmmmmmh » et poursuivit : « La question à se poser, à ce stade, c'est : est-ce un piège? Eeeeeet la réponse est : oui, probablement. »

Sur sa table basse, noyée sous un monceau de revues, je remarquai une pile de livres sur l'Orient. West allait contribuer à enseigner la façon de construire des ordinateurs Data General à des ingénieurs de la firme japonaise que la Data venait d'acquérir en partie. Il s'apprêtait à redevenir une sorte d'ingénieur au long cours. Il allait contribuer à l'invasion de l'Extrême-Orient par la Data General. Je me dis qu'ils avaient intérêt à rester sur leurs gardes, là-bas.

West souriait franchement, à présent. Il disait : « Ah, le Japon! L'Orient! Bon sang, dire que je vais peut-être construire des ordinateurs au Japon! »

West s'était relevé de la petite mort passagère qu'avait signifié pour lui l'adieu à son équipe. Josh Rosen, pour sa part, s'était senti revivre en partant. Quand j'allai le voir, des mois et des mois plus tard, j'appris qu'il était entré chez un autre fabricant d'ordinateurs, et qu'il était en train de définir l'architecture d'un autre engin à 32 bits. Il n'était pas parti vivre dans une communauté, si ce n'est peut-être au figuré et de manière relative. Il travaillait huit heures par jour, cinq jours par semaine, et se disait enfin heureux. Dave Peck quitta aussi la Data General, pour découvrir d'ailleurs, ce faisant, qu'ayant travaillé pour la maison pratiquement depuis sa fondation il avait droit à une retraite : quand il aurait atteint soixante-cinq ans, il recevrait la somme princière de cinquante-trois dollars par mois. Steve Wallach eut à faire le laïus, qui l'effrayait tant quelques mois plus tôt, de présentation de l'architecture d'Eagle à un jury de ses pairs, lors de l'assemblée d'une société de professionnels de l'informatique; quand il en eut terminé, tous se levèrent et applaudirent – la récompense suprême, devait dire Wallach. Mais il quitta bientôt le groupe Éclipse pour un autre poste au sein de la firme, qu'il quitta elle-même à son tour, environ un an plus tard. Quant à Alsing, lui aussi, il démissionna de la Data; il se décrocha un emploi en Californie – « quelque chose de beaucoup mieux payé », me dit-il. A quoi il ajouta vivement : « Mais ce n'est pas pour ça que je suis parti. » Tous deux, Wallach et lui, avaient eu l'impression de n'être pas estimés à leur juste valeur, à la Data General. Dès les lendemains du projet, Alsing s'était vu retirer la plupart de ses anciennes responsabilités. « Je me sens libre de m'en aller », avait-il dit alors, avec un petit sourire quelque peu à la West.

Indiscutablement, la Data General était en train de changer. D'abord, la firme venait d'entrer dans une phase difficile. Peu après que Gallifrey Eagle eut été roulé précautionneusement en direction du Logiciel, la Data publia un rapport financier décevant, le premier depuis des années. Les bénéfices étaient en baisse. Durant les dix-huit mois qui suivirent, la valeur en Bourse des actions de la Data chuta en flèche, puis remonta, puis plongea de nouveau. D'autres rapports financiers moroses durent être publiés, et l'on se mit à spéculer ferme sur les causes profondes de ce déclin. *Business Week* mit en cause avant tout le style de gestion de de Castro, mais sans paraître comprendre ce style mieux que quiconque. Il semblait certain, par contre, que la firme avait laissé vieillir une partie de sa gamme de produits et, bien qu'il fût exclu de dire au juste combien la firme avait perdu en ne lançant pas plus tôt une machine à 32 bits, il était évident que sans Eagle la situation de la Data eût été bien plus critique encore.

Cela dit, à mes yeux, la Data General n'avait en rien le profil d'une entreprise condamnée; c'était plutôt une entreprise en proie à une douloureuse crise de croissance. Au cours de cette période, il semble qu'un nombre anormalement élevé de personnes occupant des postes clés aient en effet quitté la maison; on comptait parmi elles d'importantes personnalités du département des Ventes et plusieurs vice-présidents, dont Carl Carman. Au sous-sol, rappelant que le groupe Éclipse avait naguère été comparé à « de solides fondations », l'un des membres de l'équipe ironisa un jour : « Si nous sommes de si solides fondations, qui donc soutenons-nous? »

Pour les anciens de la maison au moins, l'impression qu'ils avaient fait retraite sous terre, le temps de construire leur machine, n'avait jamais été si forte. Car ayant refait surface ils retrouvaient la maison sens dessus dessous. Et leur retour n'avait pas provoqué l'accueil qu'ils avaient espéré.

Une partie de leur malaise avait sa source en eux, inévitable. Plusieurs d'entre eux avouèrent éprouver cette « dépression du post-partum », prévue longtemps à l'avance. Ils disaient ressentir « comme un vide ». Mais une autre partie du malaise découlait de l'environnement au sein de l'entreprise. Peu après le départ de West, des psychologues rendirent visite à l'équipe, au sous-sol, et distribuèrent des questionnaires. Ceux-ci étaient rédigés, de l'avis d'un jeune ingénieur, de manière à essayer de trouver ce qui n'allait pas dans l'équipe, chose qui le laissait perplexe. Pourquoi venait-on leur poser cette question, étant donné ce qu'ils venaient de mener à bien? Quant aux dirigeants du groupe, ils se sentirent directement attaqués. La situation finit par se détendre au bout de quelques mois, mais l'arrière-goût demeurait. Pour les dirigeants de l'équipe, le projet Eagle se terminait dans l'amertume : loin de se sentir récompensés, ils avaient l'impression qu'on les négligeait, voire qu'on les pénalisait. A l'évidence, il n'était pas dans les intentions de la Data General de leur procurer pareil finale; mais il est clair qu'en haut lieu on ne sut pas prendre à temps les mesures qui s'imposaient pour l'éviter.

L'amertume ne fut cependant ni générale ni durable. Nombreux furent les membres du groupe qui obtinrent des promotions, des cartes de visite professionnelles, quelques petits voyages aux frais de la compagnie et même, pour finir, quoiqu'elles eussent tardé à venir, des valeurs boursières. Pour leur joie et leur fierté, certains des benjamins de l'équipe furent appelés à participer à la publication d'articles techniques à propos de la machine. Plus important encore, bon nombre d'entre eux eurent droit à leur seconde partie de flipper : ils purent se mettre au travail sur l'un ou l'autre de ces projets réellement intéressants que West leur avait concoctés avant son départ.

A l'automne de 1980, le groupe Éclipse fut démantelé et ses membres dispersés dans plusieurs nouveaux groupes, plus petits. Plusieurs de ses anciens ressentirent comme un deuil ce démantèlement de leur équipe. L'un d'eux objectait, furieux : « C'était un groupe qui avait le mérite d'exister, et qui avait tout de même accompli quelque chose de formidable pour la boîte; et tout ce que la boîte trouve à faire, en guise de remerciement, c'est de démolir le groupe. » Beaucoup d'autres se contentèrent de hausser les épaules. Il leur semblait que ce décès avait quelque chose d'inévitable, et d'un autre côté que le groupe n'était pourtant pas tout à fait mort.

Après cette réorganisation, Ed Rasala résolut de quitter la Data General; et bien qu'en haut lieu on eût tout fait pour le retenir, il finit néanmoins par partir. Il alla rejoindre Alsing en Californie. Héritier désigné de West, Rasala était le dernier des anciens chefs du groupe à quitter l'équipe et son départ marquait ainsi la fin d'une époque.

West resta à la Data General. Il n'avait jamais imaginé que la règle du jeu de flipper ne serait pas respectée pour ses fidèles lieutenants, et il avait rêvé de voir le groupe se perpétuer. Il lui fallut un temps pour accepter les choses, mais pour finir il parut adopter une attitude réaliste vis-à-vis du départ de ses amis et du trépas du groupe Éclipse. « Ouais, disait-il, c'est l'éparpillement, mais l'éthique demeure. D'une certaine façon, d'ailleurs, aller répandre tout cela ailleurs, ce n'est peut-être pas un mal. »

Et il concluait : « Ce n'était que la romance d'un été. Mais ça ne fait rien. Les romances d'un été font partie des meilleures choses qui soient au monde. »

ÉPILOGUE

Longtemps avant sa dispersion formelle, le groupe Éclipse avait dû se réunir un certain nombre de fois pour déterminer qui avait contribué à l'invention de telle ou telle caractéristique brevetable équipant le nouveau modèle, de manière à permettre à la société de déposer les demandes de brevets. Certains de ceux qui assistèrent à ces réunions les trouvèrent fort pénibles. Il y eut des tiraillements, des accrochages, voire des échanges verbaux féroces. Alsing, qui durant le projet avait quelque peu mis de côté son badge de directeur technique, eut droit à des propos injurieux : pourquoi son nom apparaîtrait-il sur un quelconque brevet, qu'avait-il donc fait? Quelqu'un alla jusqu'à poser la même question à propos de West. Ironiquement, peut-être, ces tristes réunions illustraient combien la construction d'Eagle avait été une œuvre collective, puisque à présent que tout était terminé ils avaient eux-mêmes les plus grandes difficultés à démêler le tien du mien dans l'effort réalisé. Mais manifestement le ciment de l'équipe était en train de se déliter. « L'équipe n'a plus aucune raison d'être, de toute façon. C'est comme après une naissance », remarquait l'un des vétérans, après la toute dernière de ces réunions de brevets.

Peu après ces réunions, Wallach, Alsing, Rasala et West reçurent des télégrammes de félicitations de la part du grand patron de la Caroline du Nord. Geste élégant, s'accordèrent-ils à dire. Et c'est le lendemain qu'Eagle passa enfin, pour de bon, les fameuses portes de la firme.

C'est à New York, dans l'élégance désuète de l'hôtel

Roosevelt et sous des lustres dorés, que la Data General annonça au monde, le 29 avril 1980, la naissance officielle d'Eagle. Dans les jours qui suivirent, en divers points du pays comme au Canada et en Europe, la machine fut présentée aux revendeurs et aux clients, et plusieurs membres du groupe Éclipse prirent la route pour ce que l'on appelle une tournée promotionnelle. Ils furent une douzaine de membres de l'équipe à assister à la grande cérémonie new-yorkaise. Il y eut d'abord un spectacle de diapositives joliment tourné. Il y eut des discours. Puis il y eut une impressionnante démonstration dans une salle de banquets : cent vingt-huit terminaux raccordés à un unique Eagle. La machine eut une défaillance durant cette partie du programme, mais nul ne s'en rendit compte hormis les ingénieurs de la maison, tant fut preste et discrète la remise sur le droit chemin. Cet Eagle-là (fait à partir des cartes de Gollum) avait plutôt fière allure, sous son bâti coloré de bleu et blanc cassé, mais il leur semblait étranger.

Une étonnante quantité de journalistes assistaient à l'événement, et le lendemain les débuts d'Eagle dans le monde furent relatés, assez longuement, à la fois dans le *Wall Street Journal* et dans les pages financières du *New York Times*. Mais Eagle ne s'appelait plus Eagle. Le département Marketing l'avait rebaptisé Éclipse MV/8000. Ce détail-là aussi, il faudrait quelque temps pour s'y habituer.

Ceux à qui il revint de décrire la machine à la presse n'avaient jamais, bien sûr, rien eu à voir avec sa création. Ayant assisté à la grande première, comme d'ailleurs à d'autres présentations de machines sur lesquelles il avait travaillé, Alsing remarquait : « Quand le Marketing en a terminé, on rentre chez soi en se disant hou là là, j'ai vraiment fait ça, moi? » De même, devant la presse, des gens qui n'avaient jamais mis le petit doigt à la pâte étaient présentés comme ayant contribué à la réalisation du projet. Mais il n'y avait là rien d'inattendu – tout juste le battage habituel, le cérémonial classique, quoi!

Quant aux réels inventeurs de la machine – les ingénieurs –, presque tous ceux qui étaient présents avaient l'air de plutôt s'amuser, encore que plus d'un m'eût l'air dépaysé, faute d'être rompu à ce genre de festivités. Bon nombre d'entre eux avaient acheté un costume neuf pour l'occasion. Après le spectacle, il y eut un cocktail, puis un déjeuner, et durant tout ce temps les ingénieurs restèrent pour la plupart agglutinés en une petite troupe, comme des jeunes gens lors d'une soirée dansante. Au déjeuner, ils occupèrent une table à eux seuls. C'était un repas quelque peu protocolaire, et il y eut un brin d'embarras, à leur table, sur la question de savoir s'il convenait de prendre d'abord le plat de salade posé à droite ou plutôt celui de gauche.

West était venu, lui aussi. Il n'alla pas s'asseoir au milieu de ses anciens équipiers, mais il eut l'occasion de converser avec bon nombre d'entre eux au fil de la journée, de manière gaie et détendue. « J'ai eu une conversation du tonnerre avec West! » devait déclarer l'un des Micro-kids.

Il portait un complet marron, de coupe classique. Il avait l'air d'avoir porté le complet toute sa vie. Il n'était pourtant venu à cette cérémonie qu'avec réticence, et il se cantonnait délibérément à l'arrière-plan. A l'entrée, où étaient distribués les badges nominatifs, on avait prié West d'indiquer quel était son titre. « Développement des Affaires », avait-il répondu. Au moment du cocktail suivant la présentation officielle, un reporter l'avait abordé : « Vous avez l'air assez au courant, pour cette machine. Peut-on savoir en quoi vous avez eu affaire à elle? » West marmotta quelque chose en agitant une main, et changea de sujet. Alsing avait entendu cet échange. Il heurtait son sens de la réalité. Il ne put supporter de voir les choses en rester là. Aussi prit-il le reporter à part pour lui dire : « C'est ce type-là qui a dirigé toute l'affaire. »

J'avais la nette impression que West n'était là que pour faire semblant et que son esprit était ailleurs. Quand tout fut terminé, comme nous cheminions le long d'une rue animée en direction de Penn Station, son humeur changea du tout au tout. Il semblait que tout à coup il n'y eût plus de sujets tabous, de ceux qu'il avait fallu éviter durant des mois. Et je m'entendis soudain lui dire : « Ce n'est jamais qu'un ordinateur. Une bien petite chose dans le vaste monde, au fond, n'est-ce pas? »

West sourit, doucement. « Je sais. » Rien de ce projet, devait-il m'avouer un peu plus tard, n'avait tourné de la manière prévue, mais tout était fini et il se sentait heureux.

Le lendemain du lancement officiel, les légendaires forces de ventes de la Data General furent mises en présence du nouveau modèle, à New York et ailleurs. A la fin de la présentation new-yorkaise, le directeur régional des ventes se leva et gratifia ses troupes d'un petit discours roboratif.

« Quelles sont les motivations essentielles de l'individu? » demanda-t-il.

Répondant lui-même à sa propre question, il enchaîna : « L'amour-propre, et le désir d'avoir l'argent nécessaire pour acheter ce dont il a envie, ainsi que sa famille. »

Les règles du jeu n'étaient plus les mêmes, désormais. Manifestement, la machine n'appartenait plus à ses créateurs.

REMERCIEMENTS

Des quantités de personnes – plusieurs centaines, au bout du compte – ont travaillé sur le projet décrit dans cet ouvrage. Je n'ai pas pu les citer toutes dans le corps du texte, pas plus qu'il ne semblerait juste de tenter de les nommer dans cette courte note, puisque immanquablement j'en omettrais certaines. Je n'ai pas été en mesure de citer tous les ingénieurs de *hardware* qui ont apporté leur contribution au projet. Pour d'autres, qui y ont énormément travaillé, la place accordée dans cette narration est bien étroite. A tous, je présente mes regrets, et j'espère que les leurs ne sont pas trop amers. De toute façon, en lisant ce livre, nul n'irait s'imaginer que les participants au projet y figurent au complet.

Je tiens à remercier particulièrement tous mes amis et connaissances du monde de l'informatique, ainsi que Susan T. et Muffet pour leur assistance et leur hospitalité. Pour leur aide et leurs encouragements quant à la rédaction de cet ouvrage, merci à Upton Brady, Peter Davison, Robert Manning, Sue Parilla et Michael Brandon. Merci encore, pour leur aide à tous égards, à Maureen Brown, Avril Cornel, Nina Engelhardt, Louise Desaulniers, Natalie Greenberg et Martha Spaulding; et pour son assistance spéciale, à Paul Rich. Merci pour leur écoute attentive à Stuart Dybek, Jon A. Jackson et Mike Rosenthal; et pour leurs excellents conseils, particulièrement opportuns, merci à MM. Rob Duggan, George Hall, Greg Pilkington, Ike Williams et Tim Pivinus; et, pour s'être donné tant de mal pour moi, merci encore à Mark Kramer. Et puis mille mercis, bien sûr, pour tout cela et bien davantage, à mes parents et à Fran.

LA COMPOSITION ET L'IMPRESSION DE CE LIVRE
ONT ÉTÉ EFFECTUÉES PAR FIRMIN-DIDOT S.A. - PARIS-MESNIL
POUR LE COMPTE DE LA LIBRAIRIE ERNEST FLAMMARION
ACHEVÉ D'IMPRIMER LE 7 MAI 1982

Imprimé en France
Dépôt légal : juin 1982
Nº d'édition : 9598 – Nº d'impression : 9674